京华忆往

王世襄 著

生活 · 讀書 · 新知
三联书店

写
在
前
面

　　王世襄，号畅安，祖籍福州，1914年生于北京。1938年毕业于燕京大学文学院国文系，1941年获燕京大学文学院硕士。曾任中国营造学社助理研究员、南京国民政府教育部清理战时文物损失委员会平津区助理代表、故宫博物院古物馆科长、陈列部主任。1948年赴美国、加拿大参观考察博物馆一年。1953年到民族音乐研究所工作，担任有关音乐史方面的研究。1961年在中央工艺美术学院讲授《中国家具风格史》，此后回到文物部门工作。1986年被国家文物局聘为国家文物鉴定委员会委员。

　　人们提起王世襄先生，首先就会想到他是研究明式家具的大家，他的研究奠定了该学科的基础。然而，王先生的喜好和学问可涉猎得广了！他幼时家境优越，"自幼及壮，从小学到大学，始终是玩物丧志，业荒于嬉。秋斗蟋蟀，冬怀鸣虫……掣狗捉獾，皆乐之不疲。而养鸽飞放，更是不受节令限制的常年癖好。"其他无论是放大鹰、掼交、种葫芦还是烹饪、火绘、漆器、竹刻，以及书画、古琴等等，无不涉及，无不精通。妙在他又喜欢做文章，这些以往被视作玩物丧志的"雕虫小技"，在他的笔下却成了"大俗大雅"的学问。黄苗子先生说他是"玩物成家"，可谓一语中的。

80岁时，王世襄先生把这些文章结集为《锦灰堆》，交由我店出版。他在"自序"里说："元钱舜举作小横卷，画名'锦灰堆'，所图乃螯钤、虾尾、鸡翎、蚌壳、笋箨、莲房等物，皆食余剥胜（剩），无用当弃者。窃念历年拙作，琐屑芜杂，与之差似，因以'锦灰堆'名吾集。"此后，又陆续出版了《锦灰二堆》、《锦灰三堆》、《锦灰不成堆》等。本书的文章便选自这些著作，略分为游艺、饮食、文物、忆旧四部分。游艺讲的是他玩鸽子、玩鹰、玩蝈蝈、玩蟋蟀、玩獾狗的故事，并细致入微地记叙了这些有趣的动物的生活习性；饮食部分则把吃物与旧时风俗融为一体，虽属平凡菜食，却又绝不一般；文物部分似乎更具学问性，但也讲到自己与文物的不解之缘；忆旧，忆的是旧时景物和旧时人物。其实，从大的方面说，这四部分不都是在忆旧吗，所以，就免不了笼罩着

感情色彩 —— 当然不是刻意的,但它在。

王世襄先生早年不仅多与世家子弟交游,更广涉三教九流,他留心把听到的一些顺口溜、民间的经验记录下来,用到他的文章里去。所以,他的文章不但内容别致,而且语言生动,味道很足。

生活·讀書·新知 三联书店编辑部

2009年12月

目
录

百

灵

我喜欢百灵，却从来也没有认认真真养过百灵。这种鸟古代叫天鹨，一名告天鸟，近代通称云雀，在西方则有Lark之称。

儿时在北京，接近了一些养百灵的人。他们多数是八旗旧裔，但也有贩夫走卒，甘心把家中所有或辛勤所得全部奉献给百灵。从这些行家们口中得知，如果养百灵不像京剧那样有"京派"、"海派"之分，至少也有"北派"、"南派"之别。北派对百灵的鸣叫有严格的要求，笼具则朴质无华，尺寸也不大（图1）。南派讲求百灵绕笼飞鸣，故笼子高可等身（图2），而且雕刻镶嵌，十分精美，价值可高达千百金。正因其高，富家遛鸟，多雇用两人，杠穿笼钩，肩抬行走。

1 北京百灵笼　　　　　　　　　　　　2 南方百灵笼（南笼中之矮者）

北派专养"净口百灵"。所谓"净口"就是规定百灵只许叫十三个片段，通称"十三套"。十三套有一定的次序，只许叫完一套再叫一套，不得改变次序，不得中间偷懒遗漏或胡乱重复。

十三套的内容可惜我已不能全部记清了，只记得从"家雀闹林"开始，听起来仿佛是隆冬高卧，窗纸初泛鱼肚色，一只麻雀从檐下椽孔跃上枝头，首先发难。继而是两三声同伴的呼应，随后成群飞落庭柯，叽叽喳喳，乱成一片。首套初毕，转入"胡伯喇搅尾儿"。胡伯喇就是伯劳，清脆的关关声中，间以柔婉的呢喃，但比燕子的呢喃嘹亮而多起伏，真是百啭不穷。猛地戛然一声是山喜鹊，主音之后，紧促而颤动的余音作为一句的结尾，行家们称之为"咯脑袋的炸林"，以别于"过天"。过天则音调迥异，悠然飘逸，掠空而去。原来"炸林"和"过天"是山喜鹊的两种基本语言，在栖止和飞翔时叫法有别而已。下去是学猫叫和鹰叫。一般禽鸟最怕猫和鹰，养鸟的却偏要百灵去学它最害怕的东西。学猫叫则高低紧慢，苍老娇媚，听得出有大小雌雄之分。学鹰叫则声声清唳，冷峭非凡，似见其霜翎劲翮，缓缓盘空。复次是"水车子轧狗子"。北京在有自来水之前，都用独轮推车给家家户户送水。每日拂晓，大街小巷，一片吱吱扭扭的水车声。狗卧道中，最容易被水车子轧着，故不时有一只狗几声号叫，一瘸一拐地跑了。净口百灵最好能学到水车声自远而近，轧狗之后，又由近而远。如果学不到这个程度，也必须车声、狗声俱备，二者缺一，便是"脏口"，百灵就一文也不值了。十三套还有几句常规的结尾，据说西城的和东城的叫法还小有区别，明耳人能一听便知，说出它是西城的传统还是东城的流派。十三套连串起来，要求不快不慢、稳稳当当、顺顺溜溜、一气呵成，真可谓洋洋洒洒，斐然成章!

过去东西南北城各有一两家茶馆，名叫"百灵茶馆"。东城的一家就在朝阳门外迤北，夹在护城河与菱角坑之间的"爱莲居"。凡是百灵茶馆都只许净口百灵歌唱，别的鸟不许进门，只能扣上笼罩，在窗户外边听，连敞开罩子吱一声都要受到呵斥。

进门一看，真叫肃静，六间打通了的勾连搭茶室，正中一张八仙桌是百灵独唱的舞台，四匝长条桌围成一圈，上面放着扣好罩子的百灵笼，不下百十具，一个个鸟的主人靠墙而坐，洗耳恭听。

俗话说："父以子贵，妻以夫荣"。养百灵的却可以说"人以鸟尊"! 哪一位的鸟是班头，主人当然就是魁首。只要他一进茶馆，列位拱手相迎，前拥后簇，争邀入座，抢会茶钱，有如众星捧月，好不风仪，好不光彩，而主人也就乐在其中了。

当年我也曾想养一笼净口百灵，无奈下不起这个苦工夫。天不亮，万籁俱寂、百鸟皆暗的时候便提出笼来遛，黎明之前必须回家。白天则将笼子放在专用的空水缸内，盖上盖，使百灵与外界隔绝，每天只有一定的时间让它放声鸣叫。雏鸟初学十三套时，要拜一笼老百灵为师，天天跟它学，两年才能套子基本稳定，三年方可出师，行话叫做"排"。意思和幼童在科班里学戏一样，一招一式，一言一语都是排出来的。所以养净口百灵，生活起居，必须以笼鸟为中心，一切奉陪到底。鸟拜了师，人也得向鸟师傅的主人执弟子礼，三节两寿不可怠慢失仪。鸟事加人事，繁不胜繁，所以我只好望笼兴叹了。

中年以后，有机会来到南方的几个大城市，看到北派行家口中所谓的南派养法。高笼中设高台，百灵耸身登上，鼓翅而鸣，继以盘旋飞翔，有如蹁跹起舞。至于歌唱，则适性任情，爱叫什么叫什么，既无脏口之说，更谈不上什么十三套了。我认为去掉那些人为的清规戒律，多给百灵一点自由，也未可厚非。当年我曾抑南崇北，轩轾甲乙，自然是受了北派的影响，未免有门户之见。

不意垂老之年，来到长江以南的濒湖地区 —— 湖北咸宁。我被安排住在围湖造田的工棚里，放了两年牛。劳动之余，躺在堤坡上小憩，听到大自然中的百灵，妙音来自天际。极目层云，只见遥星一点，飘忽闪烁，运行无碍，鸣声却清晰而不间歇，总是一句重复上百十次，然后换一句又重复上百十次。如此半晌时刻，蓦地一抿翅，像流星一般下坠千百仞，直落草丛中。这时我也好像从九天韶乐中醒来，回到了人间，发现自己还是躺在草坡上，不禁嗒然若失。这片刻可以说是当时的最高享受，把什么抓"五一六"等大字报上的乌七八糟语言忘个一干二净，真是快哉快哉！

听到了大自然中的百灵，我才恍然有悟，北派的十三套和南派的绕笼飞鸣，都不过是各就百灵重复歌唱的习性，使它在不同的场合有所表现而已。

北派十三套，可以把活鸟变成录音带，一切服从人的意志。老北京玩得如此考究、到家，说出来可以震惊世界。不过想穿了，养鸟人简直是自己和自己过不去，没罪找罪受，说句北京老话就是"不冤不乐"。南派的绕笼飞鸣，也终不及让鸟儿在晴空自由翱翔，自由歌唱。对百灵的欣赏由抑南崇北到认识南北各有所长，未容轩轾，直至最后觉得可爱好听还是自由自在的天籁之音，这也算是我的思想感情的一点变化吧。

原载《燕都》1987年第4期

紫禁城里叫蝈蝈

温室种唐花，元旦可以观赏盛开的牡丹；暖炕育鸣虫，严冬可以聆听悦耳的秋声。人工育虫，不知始于何时，但至迟晚明人可能已以此为业。刘侗《帝京景物略》卷三《胡家村》称："促织感秋而生，而音商，其性胜，秋尽则尽。今都人能种之，留其鸣深冬。其法土于盆，养之，虫生子土中，入冬以其土置暖炕，日水洒绵覆之，伏五六日，土蠕蠕动，又伏七八日，子出白如蛆然。置子蔬叶，仍洒覆之。足翅成，渐以黑，迎月则鸣，鸣细于秋，入春反僵也。"（北京古籍出版社，1982年）

促织，即蟋蟀，通称蛐蛐，是北京冬日所养鸣虫之一，此外还有蝈蝈、札嘴、油壶鲁、梆儿头、金钟等，都能用人工孵化培育出来，使之鸣于冬日。

早在清前期，民间育虫的方法和冬日欣赏鸣虫的习俗便被引入了清宫紫禁城。康熙帝玄烨有一首题为《络纬养至暮春》的五律：

> 秋深厌聒耳，今得锦囊盛。
>
> 经腊鸣香阁，逢春接玉笙。
>
> 物微宜护惜，事渺亦均平。
>
> 造化虽流传，安然此养生。

（《康熙御制文集》四集，卷三十五）

上诗所咏的蝈蝈（络纬），不是天然的，而是人工孵育出来的。因为天然的秋蝈蝈，无论如何也活不到第二年的暮春。再读乾隆帝弘历的《咏络纬》诗并序，更有力地证明了这一点。

> 皇祖时命奉宸苑使取络纬种育于暖室，盖如温花之能开腊底也。每设宴则置绣笼中，唧唧之声不绝，遂以为例云。

> 群知络纬到秋吟，耳畔何来唧唧音。
>
> 却共温花荣此日，将嗤冷菊背而今。
>
> 夏虫乍可同冰语，朝槿原堪入朔寻。
>
> 生物机缄缘格物，一斑犹见圣人心。

（《乾隆御制诗集》二集，卷一）

弘历明确道出自康熙时起，宫中一直备暖室孵育蝈蝈，设宴时用不绝的唧唧之声来增添喧炽的气氛。值得注意的是宫中的蝈蝈用锦囊或绣笼来贮养，而民间却用的是葫芦。这是从乾隆时人的诗文中得知的。潘荣陛《帝京岁时纪胜》称：蝈蝈"能度三冬，以雕作葫芦，银镶牙嵌，贮而怀之，……清韵自胸前突出"（北京古籍出版社，1983年）。杨米人有一首作于乾隆六十年的《都门竹枝词》：

> 二哥不叫叫三哥，处处相逢把式多。
>
> 忽地怀中轻作响，葫芦里面叫蝈蝈。

（《清代北京竹枝词》，北京古籍出版社，1982年）

不过笔者相信乾隆之后不久，紫禁城内也大量用葫芦来养蝈蝈了。我们只要看乾隆以后大型匏器不再模种，而从道光时起，宫廷和王府大量范制蝈蝈葫芦（拙著《谈匏器》，《故宫博物院院刊》1979年第1期），至今还有多件宝物传世，便可深信不疑。

承世代以育虫为业的赵子臣见告，其父曾听太监道同、光间事。元旦至上元，宫殿暖阁设火盆，烧木炭，周围架子上摆满蝈蝈葫芦，日夜齐鸣，声可震耳，盖取"万国来朝"之意。所说虽不见记载，国事日非，还妄自尊大也十分可笑、可怜，但联系玄烨、弘历两诗来看，却似属可信。

正因紫禁城内有冬日叫蝈蝈的传统，我们自己摄制的电视剧《末代皇帝》安排了这样一个镜头：坐在太后身旁、面对跪地诸大臣的溥仪，由怀里掏出一只葫芦，蝈蝈从里面跑了出来，笔者认为这是合情合理的。不过有一点需要指出，那只镶象牙口、配硬木框、安白色蒙心的葫芦，是养油壶鲁用的葫芦，而不是蝈蝈葫芦。这两种葫芦有很大的区别。蝈蝈由于生活在草木丛中，高离地面，所以葫芦里面是空的。正因其空，口上只安体质很轻的瓢盖不安框子和蒙心，以免头重脚轻而易倾仄，而且瓢盖也有助于发音。油壶鲁则因生活在地上或穴内，故葫芦内要垫土底。有了土底，它可立稳，口上就可以安框子和精雕细刻的蒙心了（请参阅本书《冬虫篇》插图）。

以上极为琐碎的细节，自难要求电视剧的导演和顾问都清楚而不弄错。再说如果当年溥仪真养蝈蝈，一个十来岁的孩子，顺手拿起一只宫中的葫芦，也很可能会拿错，因此笔者写这篇小文决无对《末代皇帝》吹毛求疵之意。不过说到这里，却想顺便提一下，近年在海外的古玩广告和拍卖图册上，往往可以看到贮养各种鸣虫的葫芦。由于他们分不清是养哪一种虫的葫芦，故一律被标名为Cricket Cage（蟋蟀笼）。而且几乎所有的蝈蝈葫芦都被安上象牙框子和高起的蒙心。这不禁使人感到卖货而不识货，未免有些"露怯"。

看来有不少和中国民俗学沾边，又似乎微不足道的老玩意儿，其中都有许多名堂和讲究。由于过去认为难登大雅，算不上是文物，即使有所了解也不愿为它多费笔墨。因此现在要知道它可能比研究某些重要文物还要困难些。不知读者同意我的看法否？

秋
虫
篇

北京称蟋蟀曰"蛐蛐"。不这样叫，觉得怪别扭的。

"收"、"养"、"斗"是玩蛐蛐的三部曲。"收"又包括"捉"和"买"。我不准备讲买虫时如何鉴别优劣；三秋喂养及注意事项；对局禁忌和运拂（南方曰"蒆"而通写作"芡"或"芡草"）技艺。这些，古谱和时贤的专著已讲得很多了。我只想叙一叙个人玩蛐蛐的经历。各种蛐蛐用具是值得回忆并用文字、图片记录下来的。所见有关记载，语焉不详，且多谬误。作者非此道中人，自难苛求。因此我愿作一次尝试，即使将是不成功的尝试。几位老养家，比我大二十多岁，忘年之交，亦师亦友，时常引起怀念，尤其是到了金秋时节。现就以上六个方面，拉拉杂杂，写成《六忆》。

我不能脱离所生的时代和地区，不愿去谈超越我的时代和地区的人和事。因而所讲的只能是三十年代北京玩蛐蛐的一些情况。蛐蛐只不过是微细的虫豸，而是人，号称"万物之灵"的人，为了它无端生事，增添了多种多样的活动，耗费了日日夜夜的精力，显示出形形色色的世态，并从中滋生出不少喜怒哀乐。那末我所讲的自然不仅是微细的蛐蛐。如果我的回忆能为北京风俗民情的这一小小侧面留下个缩影，也就算我没有浪费时间和笔墨了。

一 忆捉

只要稍稍透露一丝秋意 —— 野草抽出将要结子的穗子，庭树飘下尚未全黄的落叶，都会使人想起一别经年的蛐蛐来。瞿瞿一叫，秋天已到，更使我若有所失，不可终日，除非看见它，无法按捺下激动的心情。有一根无形的线，一头系在蛐蛐翅膀上，一头拴在我心上，那边叫一声，我这里跳一跳。

那年头，不兴挂历，而家家都有一本"皇历"。一进农历六月，就要勤翻它几遍。哪一天立秋，早已牢记在心。遇见四乡来人，殷切地打听雨水如何？麦秋好不好？庄稼丰收，蛐蛐必然壮硕，这是规律。

东四牌楼一带是养鸟人清晨的聚处。入夏鸟脱毛，需要喂活食，总有人在那里卖蚂蚱和油壶鲁。只要看到油壶鲁长到多大，就知道蛐蛐脱了几壳（音，qiào），因此每天都要去四牌楼走走。

由于性子急，想象中的蛐蛐总比田野中的长得快。立秋前，早已把去年收拾起的"行头"找出来。计有：铜丝罩子、蒙着布的席篓、帆布袋和几个山罐、大草帽、芭蕉扇、水壶、破裤褂、洒鞋，穿戴起来，算得上一个披挂齐全的"逮（音dǎi）蛐蛐的"了。

立秋刚过的一天，一大早出了朝阳门。顺着城根往北走，东直门自来水塔在望。三里路哪经得起一走，一会儿来到水塔东墙外，顺着小路可直达胡家楼李家菜园后身的那条沟。去年在那里捉到一条青蛐蛐，八厘多，斗七盆没有输，直到封盆。忘了今年雨水大，应该绕开这里走，面前的小路被淹了，飘着黄绿色的沫子，有六七丈宽，南北望不到头。只好挽挽裤腿，穿着鞋，涉水而过。

李家菜园的北坡种了一行垂柳，坡下是沟。每年黄瓜拉了秧，抛入沟内。蛐蛐喜欢在秧子下存身。今年使我失望了，沟里满满一下子水，柳树根上有一圈圈黄泥痕迹，说明水曾上了坡，蛐蛐早已乔迁了。

傅老头爱说："沟里有了水，咱们坡上逮。"他是捉蛐蛐能手，六十多岁，在理儿，抹一鼻子绿色闻药，会说书，性诙谐，下乡住店，白天逮蛐蛐，夜晚开书场，人缘好，省盘缠，逮回来的蛐蛐比年轻人逮的又大又好，称得起是一位人物。他的经验我是深信不疑的。

来到西坝河的小庙，往东有几条小路通东坝河。路两旁是一人来高的坡子。我侥幸地想，去年干旱，坡上只有小蛐蛐，今年该有大的了。

坡上逮蛐蛐，合乎要求的姿势十分吃力。一只脚踏在坡下支撑身子，一只脚蹬在坡中腰，将草踩倒，屈膝六十度，弯着腰，右手拿着罩子等候，左手用扇子猛扇。早秋蛐蛐还没有窝，在草中藏身，用不着签子，但四肢没有一处闲着。一道坡三里长，上下都扇到，真是太费劲了。最难受的是腰。弯着前进时还不甚感觉，要是直起来，每一节脊椎都酸痛，不由得要背过手去捶两下。

坡上蛐蛐不少，但没有一个值得装罐的。每用罩子扣一个，拔去席篓管子的棒子核（音hú）塞子，一口气吹它进去。其中倒有一半是三尾。

我真热了，头上汗珠子像黄豆粒似的滚下来，草帽被浸湿了，箍得头发胀。小褂湿了，溻在身上，裤子上半截是汗水，下半截是露水，还被踩断的草染绿了。我也感到累了，主要是没有逮到好的蛐蛐，提不起神来。

我悟出傅老头的话，所谓"坡上逮"，是指没有被水淹过的坡子。现在只有走进庄稼地了。玉米地、谷子地都不好，只有高粱夹豆子最存得住蛐蛐。豆棵子经水冲，倒在地面，水退后，有的枝叶和黄土粘在一起，蛐蛐就藏在下面，找根棍一翻，不愁它不出来。

日已当午，初秋的太阳真和中伏的那样毒，尤其是高粱地：土湿叶密，潮气捂在里面出不去，人处其中，如同闷在蒸笼里一般，说不出那份难受。豆棵子一垄一垄地翻过去，扣了几个，稍稍整齐些，但还是不值得装罐。忽然扑的一声，眼前一晃，落在前面干豆叶上，黄麻头青翅壳，六条大腿，又粗又白。我扑上去，但拿着罩子的手直发抖，不敢果断地扣下去，怕伤了它。又一晃，跳走了。

还算好，没有连着跳，它向前一爬，眼看钻进了悬空在地面上的高粱水根。这回我沉住了气，双腿一跪，拿罩子迎在前头，轻轻用手指在后面顶，蛐蛐一跳进了罩子。我连忙把罩子扣在胸口，一面左手去掏山罐，一面三步并作两步跑出了高粱地，找了一块平而草稀的地方蹲了下来，把蛐蛐装入山罐。这时再仔细端详，确实长得不错，但不算大，只有七厘多。刚才手忙脚乱，眼睛发胀，以为将近一分呢。自己也觉得好笑。

山罐捆好了，又进地去逮。一共装了七个罐，还是没有真大的。太累了，不逮了。回到西坝河庙前茶馆喝水去。灌了七八碗，又把山罐打开仔细看，比了又比，七条倒有三条不够格的，把它们送进了席篓。

太阳西斜，放开脚步回家去。路上有卖烧饼的，吃了两个就不想吃了。逮蛐蛐总是只知道渴，不知道饿。到家之后要等歇过乏来，才想饱餐一顿呢。

去东坝河的第二年，我驱车去向往已久的苏家坨。

苏家坨在北京西北郊，离温泉不远，早就是有名的蛐蛐产地。清末民初，该地所产的身价高于山东蛐蛐，有《鱼虫雅集》为证。赵子臣曾对我说，在他二十来岁时"专逮苏家坨，那里坡高沟深，一道接着一道，一条套着一条，蛐蛐又大又好。住上十天，准能挑回一挑来，七厘是小的，大的顶（音dīng，接近的意思）分"。他又说：

"别忘了，那时店里一住就是二三十口子，都能逮回一挑来。"原来村里还开着店，供逮蛐蛐落脚。待我去时，蛐蛐已经退化了，质与量还不及小汤山附近的马坊。

此行已近白露，除了早秋用的那套"行头"，又加上一个大电筒和一把签子。

签子就是木柄上安一个花枪头子，用它扎入蛐蛐窝旁的土中，将它从洞穴中摇撼出来。这一工具也有讲究。由于一般花枪头子小而窄，使不上劲，最好用清代军营里一种武器阿虎枪的头子。它形如晚春的菠菜叶，宽大有尖，钢口又好，所以最为理想。我的一把上安黄花梨竹节纹柄，是傅老头匀（朋友价让的意思）给我的。北京老逮蛐蛐的都认识这一件"武器"（图1）。

那天我清晨骑车出发，到达已过中午。根据虫贩长腿王画的草图，找到了村西老王头的家。说明来意并提起由长腿王介绍，他同意我借住几天。当天下午，我只是走出村子，看看地形。西山在望，看似不远，也有一二十里，一道道

1 阿虎枪签子、罩子、芭蕉扇（捉蛐蛐用具）

坡、一条条沟就分布在面前的大片田野上。

第二天清晨，我顺着出村的大车道向西北走去，拐到一条岔路，转了一会儿，才找到一道土好草丰的坡子。芭蕉叶扇了十来丈远，看不见什么蛐蛐，可见已经有窝了。扇柄插入后背裤腰带，改用签子了。只要看到可能有窝处就扎一下，远下轻撼，以防扎到蛐蛐，或把它挤坏。这也需要耐心，扎二三十下不见得扎出一条来。遇见一个窝，先扎出两个又黑又亮的三尾，一个还是飞子。换方向再扎，摇晃出一条紫蛐蛐，约有七厘，算是开张了。坡子相当长，一路扎下去。几经休息才看到尽头。坡子渐渐矮了，前面又有大车道了。我心里说："没戏了。"三个多小时的劳动，膀子都酸了，换来了三条值得装罐的蛐蛐。后来扣到的是一青一紫，紫的个不小，但脖领窄，腿小，不成材。青的还嫩，颜色可能会变，说不定日后又是一条紫的。

喝了几口水，啃了两口馍，正想换道坡或找条沟，忽然想起傅老头的经验介绍。他说："碰上和小伙子们一块逮蛐蛐，总是让人前面走，自己落后，免得招人讨厌。他们逮完一道坡子，半晌我才跟上来，可是我逮的往往比他们的又多又好，这叫'捡漏儿'。因为签子扎过，蛐蛐未必就出来。如窝门被土封住，更需要过一会儿才能扒开。我捡到的正是他们替我惊动出来的。"我想验证他的经验，所以又返回头用扇子一路扇去，果然逮到一条黄蛐蛐，足有七厘多，比前三条都大。

我回到老王头家，吃了两个贴饼子，喝了两碗棒渣粥，天没黑就睡了，因为想试试"夜战"，看看运气如何。老王头说算你走运，赶上好天，后半夜还有月亮。没睡几小时就起来了，手提签子，拿着电棒，顺着白天走过的路出村了。一出门就发现自己不行，缺少夜里逮蛐蛐的经验。天上满天繁星，地里遍地虫声，蛐蛐也乱叫一气，分辨不出来哪个好。即使听到几声响亮的，也听不准哪里叫。加上道路不熟，不敢拐进岔道，只好顺着大车道走。走了不太远，来到几棵大树旁，树影下黑乎乎的看不清楚。手电一照，原来暴雨顺坡而下，冲成水口，流到村旁洼处，汇成积水。水已干涸，坑边却长满了草。忽然听到冲成水口的坡上，叫了几声，特别苍老宽宏，正是北京冬虫养家所谓"叫顶儿的"。我知道一定是一个翅子蛐蛐。慢慢凑过去，耐心等它再叫，听准了就在水口右侧一丛草旁的土坷垃底下。我不敢逮它，因为只要它一跳便不知去向了。只好找一个树墩子坐以待旦。天亮了，我一签子就把它扎了出来，果然是一个尖翅。不过还不到六厘，头相小，不是斗虫是叫虫。

回村后我收拾东西，骑车到家又是下午。三天两夜，小的和三尾不算，逮回五条蛐蛐。这时我曾想，如果用这三天买蛐蛐，应当不止五条。明知不合算，但此后每年还要逮两三次，因为有它的特殊乐趣。至于夜战，经过那次尝试，自知本事不济，再也不作此想了。得到的五条，后来都没有斗好，只有那条青色转紫的赢了五次，最后还是输了。

　　上面是对我在高中读书时两次逮蛐蛐的回忆。在史无前例的"伟大"时代中，自"牛棚"放出来后到下放干校，有一段无人监管时期。我曾和老友彭镇骧逍遥到马坊和苏家坨。坡还是那几道坡，沟还是那几条沟，蛐蛐不仅少而且小得可怜，两地各转了一整天，连个五厘的都没有看见，大大扫兴而归。老农说得好，农药把蚂蚱都打死了，你还想找蛐蛐吗！

　　转瞬又二十多年，现在如何呢？苏家坨没有机会去，情况不详。但几年前报纸已报道回龙观农民自己修建起接待外宾的饭店。回龙观也是我逮过蛐蛐的地方，与苏家坨东西相望。回龙观如此，苏家坨可知矣。至于东坝河，现已成为居民区，矗立起多座高层楼房，周围还有繁忙的商业区。我相信，在那些楼房里可能会有蟑螂，而蛐蛐则早已绝迹了。

二 忆买

逮蛐蛐很累，但刺激性强，非常好玩。能逮到好的，特别兴奋，也格外钟爱。朋友来看，或上局去斗，总要指出这是自己逮的，赢了也分外高兴。不过每年蛐蛐的主要来源还是花钱买的。

买蛐蛐的地点和卖主，随着那年岁的增长而变换。当我十二三岁时，从孩子们手里买蛐蛐。他们比我大不了几岁，两三个一伙，一大早在城内外马路边上摆摊。地上铺一块破布，布上和筐里放几个小瓦罐，装的是他们认为好的。大量的货色则挤在一个蒙着布的大柳罐里。他们轮流喊着："抓老虎，抓老虎，帮儿头，油壶鲁!"没有喊出蛐蛐来是为了合辙押韵，实际上柳罐里最多的还是蛐蛐。当然连公带母，帮儿头、老米嘴等也应有尽有。罐布掀开一条缝，往里张望，黑压压爬满了，吹一口气，劈啪乱蹦。买虫自己选，用一把长柄小罩子把虫起出来。言明两大枚或三大枚（铜板）一个，按数付钱。起出后坏的不许退，好的卖者也不反悔，倒是公平交易。俗话说："虫王落在孩童手"，意思是顽童也能逮到常胜大将军。我就不止一次抓到七厘多的蛐蛐，赢了好几盆。还抓到过大翅油壶鲁，叫得特别好。要是冬天分（音 fèn，即人工孵化培养）出来的，那年头要值好几十块现大洋呢。

十六七岁时，孩子摊上的蛐蛐已不能满足我的要求，转而求诸比较专业的常摊。他们到秋天以此为业，有捕捉经验，也能分辨好坏，设摊有比较固定的地点。当年北京，四城都有这样的蛐蛐摊，而以朝阳门、东华门、鼓楼湾、西单、西四商场、菜市口、琉璃厂、天桥等处为多。此外他们还赶庙会，日期是九、十隆福寺，七、八护国寺，逢三土地庙，逢四花儿市等。初秋他们从"掏现趟"开始，逮一天，卖一天，出城不过一二十里。继之以两三天的短程。以上均为试探性的捕捉，待选好地点，去上十来天，回京已在处暑之后，去的地方有京北的马坊、高丽营，东北的牛栏山，西北的苏家坨、回龙观等，蛐蛐的颜色绚丽，脑线也清楚。也有人去京东宝坻，翻开麦根垛也容易捉到，个头较大，但颜色浑浊，被称为"垛货"，不容易打到后秋。他们如逮得顺利，总可以满载而归，将二十来把山罐（每把十四个）装满。卖掉后，只能再去一两趟。白露以后，地里的蛐蛐皮色苍老，逮到也卖不上大价，不值得再去了。

买常摊的蛐蛐由于地点分散，要想一天各处都看到是不可能的。我只希望尽量多看几处。骑车带着山罐出发，路线视当天的庙会而定。清晨巡游完后再去庙会，回家已是下午。买蛐蛐如此勤奋也还要碰运气。常摊倘是熟人还好，一见面，有好的就拿出来给我看，没有就说"没有", 不废话, 省时间。如果不相识, 彼此不知底细, 往往没有他偏说"有", 一个个打开罐看, 看完了全不行。要不有好的先不拿出来, 从"小豆豆"看起, 最后才拿出真格的来。为的是让你有个比较, 大的显得特别大, 好的特别好。在这种摊子耽误了时间, 说不定别的摊上有好的已被人买走, 失诸交臂, 岂不冤哉!

想一次看到大量蛐蛐, 任你挑选, 只有等他们出门十来天满载而归。要有此特权须付出代价, 即出行前为他们提供盘缠和安家费, 将来从买虫款中扣除。他们总是千应万许, 一定回来给你看原挑, 约定哪一天回来, 请到家来看, 或送货上门。甚至起誓发愿:"谁要先卖一个是小狗子。"不过人心隔肚皮, 良莠不齐。有的真是不折不扣原挑送上, 有的却提前一天回来, 把好的卖掉, 第二天带着一身黄土泥给你挑来。要不就是在进城路上已把好的寄存出去, 将你打发掉再去取。但"纸里包不住火", 事后不用打听也会有人告诉你。

到十九、二十岁时, 我买蛐蛐"伏地"和"山的"各占一半。所谓"山的"因来自山东而得名。当时的重要产地有长清、泰安、肥城、乐陵等县, 而宁阳尤为出名。卖山蛐蛐的都集中在宣武门外一家客栈内, 每人租一间房接待顾客。客栈本有字号, 但大家都称之曰"蛐蛐店"。

这里是最高级的蛐蛐市场, 卖者除北京的外, 有的来自天津和易州。易州人卖一些易州虫，但较好的还是捉自山东。顾客来到店中，可依次去各家选购，坐在小板凳上，将捆好的山罐一把一把打开，摆满了一地。议价可以论把，即十四条多少钱。也可以论条。蛐蛐迷很容易在这里消磨时光，一看半天或一天，眼睛都看花了。这里也是虫友相会之处，一年不见，蛐蛐店里又相逢了。

在众多的卖者中，当推赵子臣为魁首，稳坐第一把交椅。

子臣出身蛐蛐世家，父亲小赵和二陈是清末贩虫、分虫的两大家。他乳名"狗子"，幼年即随父亲出入王公贵族、富商名伶之门，曾任北京最大养家杨广字（斗蛐蛐报名"广"字，乃著名书画收藏家杨荫北之子，住在宣武门外方壶斋，当时养家无不知"方壶斋杨家"）的把式。三十年代因喂蛐蛐而成了来幼和（人称来大爷，住交道口后圆恩寺，是富有资财的粤海来家，亦称当铺来家的最后一代）的帮闲。旋因来沉湎于声色毒品而家产荡尽，直至受雇于小饭铺，当炉烙烧饼，落魄以终。子臣作为虫贩，居然置下房产，并有一妻一妾，在同行业中可谓绝无仅有。

进了蛐蛐店，总不免买赵子臣的虫。他每年带两三个伙计去山东，连捉带收，到时候自己先回京坐镇，蛐蛐分批运回，有的存在家中，到时候才送到店里。他的蛐蛐源源不断，老让人觉得有新的到来，不愁卖不上你的钱。

子臣素工心计，善于察言观色，对买主的心理、爱好，琢磨得透之又透。谁爱青的，谁爱黄的，谁专买头大，谁只要牙长，了如指掌。为哪一位准备的虫，拿出来就使人放不下。大分量的蛐蛐，他有意识地分散在几位养家，到时候好拴对，免得聚在一处，不能交锋，局上热闹不起来。他精灵狡黠，见什么人说什么话，既善阿谀奉承，也会讽刺激将。什么时候该让利，什么时候该绷价，对什么人要放长线钓大鱼，对什么人不妨得罪他了事，都运用得头头是道，一些小玩家免不了要受他的奚落和挖苦。我虽买他的虫，但"头水"是看不到的。在他心目中，我只不过是一个三等顾客，一个爱蛐蛐却舍不得花钱的大学生而已。

子臣不仅卖秋虫，也善于分冬虫，是北京第一大"罐家"（分虫用大瓦罐，故分家又称"罐家"），精于鉴别秋冬养虫用具 —— 盆罐及葫芦。哪一故家存有什么珍贵虫具，他心中有一本账。我从他手中买到赵子玉精品"乐在其中"五号小罐及钟杨家散出的各式真赵子玉过笼，时间在1950年，正是蛐蛐行业最不景气的时候。此时我已久不养秋虫，只是抱着过去看也不会给我看的心情才买下了它。子臣也坦率承认："要是过去，轮不到你。"

三　忆养

一入夏就把大鱼缸洗刷干净，放在屋角，用砖垫稳，房檐的水隔漏把雨水引入缸中，名曰"接雨水"，留作刷蛐蛐罐使用，这是北京养秋虫的规矩。曾见二老街头相遇，彼此寒暄后还问："您接雨水了吗？"这是"您今年养不养蛐蛐"的同义语，北京的自来水为了消毒，放进漂白粉等化学药剂，对虫不利，雨水、井水都比自来水好。

立秋前，正将为逮蛐蛐和买蛐蛐奔忙的时候，又要腾出手来收拾整理养蛐蛐的各种用具。罐子从箱子里取出用雨水洗刷一下，不妨使它吸一些水，棉布擦干，放在一边。过笼也找出来，刷去浮土，水洗后摆在茶盘里，让风吹干。北京养蛐蛐的口诀是"罐可潮而串儿（过笼的别称）要干"。过笼入罐后几天，吸收潮气，便须更换干的。故过笼的数量至少要比罐子多一倍。水槽泡在大碗里，每个都用棕刷洗净。水牌子洗去去年的虫名和战绩，摆在一起。南房廊子下，几张桌子一字儿排开。水槽过笼放入罐中，罐子摆到桌子上，四行，每行六个，一桌二十四个。样样齐备，只等蛐蛐到来了。

逮蛐蛐非常劳累，但一年去不了两三趟，有事还可以不去。养蛐蛐可不行，每天必须喂它，照管它，缺一天也不行。今天如此，明天如此，天天如此，如果不是真正的爱好者，早就烦了。朋友来看我，正赶上我喂蛐蛐，放不下手，只好边喂边和他交谈。等不到我喂完，他告辞了。倒不是恼我失陪，而是看我一罐一罐地喂下去，看腻了。

待我先说一说喂一罐蛐蛐要费几道手，这还是早秋最简单的喂法：打开罐子盖，蛐蛐见亮，飞似的钻进了过笼。放下盖，用竹夹子夹住水槽倾仄一下，倒出宿水，放在净水碗里。拇指和中指将中有蛐蛐的过笼提起，放在旁边的一个空罐内。拿起罐子，底朝天一倒，蛐蛐屎扑簌簌地落下来。干布将罐子腔擦一擦，麻刷子蘸水刷一下罐底，提出过笼放回原罐。夹出水槽在湿布上拖去底部的水，挨着过笼放好。竹夹子再夹两个饭米粒放在水槽旁，盖上盖子，这算完了一个。以上虽可以在一两分钟内完成，但方才开盖时，蛐蛐躲进了过笼，所以它是什么模样还没有看见呢。爱蛐蛐的人，忍得住不借喂蛐蛐看它一眼吗？要看它，需要打开过笼盖，怕它蹦，又怕掩断了须，必须小心翼翼，仔细行事，这就费功夫了。而且以上所说的只是对一罐蛐蛐，要是有一百几十罐，每罐都如此，功夫就大了。故每当喂完一罐，看看前面还有一大片，不由得又后悔买得太多了。

蛐蛐罐有如屋舍，罐底有如屋舍的地面，过笼和水槽是室内的家具陈设。老罐子，即使是真的万礼张和赵子玉，也要有一层浆皮的才算是好的。精光内含，温润如玉，摸上去有一种说不出的快感。多年的三合土原底，又细又平，却又不滑。沾上水，不汪着不干，又不一下子吸干，而是慢慢地渗干，行话叫"慢喝水"。凑近鼻子一闻，没有潮味儿，更没有霉味儿，说它香不香，却怪好闻的。无以名之，名之曰"古香"吧。万礼张的五福捧寿或赵子玉的鹦鹉拉花过笼，盖口严密到一丝莫入，休想伤了须。贴在罐腔，严丝合缝，仿佛是一张舒适的床。红蜘蛛、蓝螃蟹、朱砂鱼或碧玉、玛瑙的水槽，贮以清水，色彩更加绚丽。这样的精舍美器，休说是蛐蛐，我都想搬进去住些时（彩图1）。记得沈三白《浮生六记》讲到他幼年看到蚂蚁上假山，他把他自己也缩小了，混在蚂蚁中间。我有时也想变成蛐蛐，在罐子里走一遭，爬上水槽呷一口清泉，来到竹抹啜一口豆泥，跳上过笼长啸几声，悠哉！悠哉！

蛐蛐这小虫子真可以拿它当人看待。天下地上，人和蛐蛐，都是众生，喜怒哀乐，妒恨悲伤，七情六欲，无一不有。只要细心去观察体会，就会看到它像人似的表现出来。

养蛐蛐的人最希望它舒适平静如在大自然里。不过为了喂它，为了看它，人总要去打扰它。当打开盆盖的时候，它猛然见亮，必然要疾驰入过笼。想要看它，只有一手扣住罐腔，一手掀开过笼盖，它自然会跑到手下的阴影处。这时慢慢地撒开手，它已无处藏身，形态毕陈了。又长又齐的两根须，搅动不定，上下自如，仿佛是吕奉先头上的两根雉尾。赳赳虎步，气宇轩昂，在罐中绕了半圈，到中央立定，又高又深的大头，颜色纯正，水净沙明的脑线，细贯到顶，牙长直戳罐底，洁白有光，铁色蓝脖子，粜粜堆着毛丁，一张翅壳，皱纹细密，闪烁如金。六条白腿，细皮细肉。水牙微微一动，抬起后腿，爪锋向尾尖轻轻一拂，可以想象它在豆棵底下或草坡窝内也有这样的动作。下了三尾，又可看到它们亲昵燕好，爱笃情深。三尾的须触在它身上，它会从容不迫地挨过身去，愈挨愈近。这时三尾如不理睬，它就轻轻裂开双翅，低唱求爱之曲，"唧唧……油，唧唧……油"，其声悠婉而弥长，真好像在三复"关关雎鸠，在河之洲"。不仅"油"、"洲"相叶，音节也颇相似。多事的又是"人"，总忍耐不住要用抻子去撩逗它一下，看看牙帘开闭得快不快，牙钳长得好不好，预测斗口强不强。说也奇怪，鼠须拂及，它自然知道这不是压寨夫人的温存，而是外来强暴的侵犯。两须顿时一愣，头一抬，六条腿抓住罐底，身子一震动，它由妒嫉而愤怒，由愤怒而发狂，裂开两扇大牙，来个饿虎扑食，竖起翅膀叫两声，威风凛凛，仿佛喝道："你来，咬不死你!"蛐蛐好胜，永远有不可一世的气概，没有懦怯气馁的时候，除非是战败了。尤其是好蛐蛐，多次克敌而竟败下阵来，对此奇耻大辱，懊恼万分，而心中还是不服，怨这怨那又无处发泄，颇似英雄末路，徒唤奈何，不由得发出非战之罪的悲鸣。楚霸王垓下之歌，拿破仑滑铁卢之败，也能从这小小虫身上产生联想而引起同情的感叹。可恨的是那些要钱不要虫的赌棍，蛐蛐老了，不能再斗了，还要拿到局上为他生财，以致一世英名，付诸流水。这难道是蛐蛐之过吗！？不愿意看到好蛐蛐战败，更不愿看到因老而战败。因此心爱的蛐蛐到晚秋就不再上局了。有时却又因此而埋没了英雄。

如上所述，从早秋开始，好蛐蛐一盆一盆地品题、欣赏，观察其动作，体会其秉性，大可怡情，堪称雅事。中秋以后，养蛐蛐更可以养性。天渐渐冷了，蛐蛐需要"搭晒"。北京的办法是利用太阳能。只有遇见阴天，或到深秋才用汤壶。"搭晒"费时费事，需要耐心。好在此时那些平庸无能之辈早已被淘汰，屡战皆胜的只剩下十几二十条。每日上午，蛐蛐桌子搭到太阳下，换过食水，两个罐子摆在一起，用最细的虾须帘子遮在前面。我也搬一把小椅子坐在一旁，抱着膝，眯着眼睛面对太阳，让和煦的光辉沐浴着我。这时，我的注意力并未离开它们，侧着耳朵，聆听罐中的动静。一个开始叫了，声音慢而涩，寒气尚未离开它的翅膀。另一罐也叫了，响亮一些了。渐渐都叫了，节奏也加快了。一会儿又变了韵调，换成了求爱之曲。从叫声，知道罐子的温度，撤掉虾须，换了一块较密的帘子遮上。这时我也感到血脉流畅，浑身都是舒适的。

怡情养性应当是养蛐蛐的正当目的和最高境界。

四　忆斗

北京斗蛐蛐，白露开盆。早虫立秋蜕壳，至此已有一个月，可以小试其材了。在上局之前，总要经过"排"。所谓"排"是从自己所有的蛐蛐中选分量相等的角斗，或和虫友的蛐蛐角斗。往往赢了一个还不算，再斗一个，乃至斗三个。因为只有排得狠，以后上局心中才有底，同时把一些不中用的淘汰掉。排蛐蛐不赌彩，但须用"称儿"（即戥子）约（音yāo）分量。相等的才斗，以免小个的吃亏。自己排也应该如此。当然有的长相特别好的舍不得排，晚虫不宜早斗的也不排，到时候直接拿到局上去，名叫"生端"。

称儿是一个长方形的匣子，两面插门。背面插门内镶有玻璃，便于两面看分量。象牙制成的戥子杆，正背面刻着分、厘、毫的标志，悬挂在匣子的顶板下。杆上挂着戥子砣。随着称儿有四个或六个"臿子"，供几位来斗者同时使用。少了不够分配，蛐蛐称不完，耽误对局进行（图

2.1，2.2）。

　　舀子作圆筒形，用竹管内壁（竹黄）或极薄银叶圈成，有底有盖，三根丝线穿过盖上的小孔将筒和盖连结起来。线上端系金属小环，可挂在戥子的钩上，这是为装入蛐蛐称分量而制的。几个舀子重量必须相等，毫厘不差。微细的出入用黄蜡来校正，捻蜡珠粘在三根丝线聚头处，借以取得一致。

　　白露前几日，组织斗局者下帖邀请虫友届时光临，邮寄或专人致送，格式（图3）与一般请帖不同的是邀请者帖上不写姓名而写局上所报的"字"。姓名可以在请帖的封套上出现。

2.1 蛐蛐称儿（正面）　　　　　　　　2.2 蛐蛐称儿（侧面）

蛐蛐局也有不同的等级。前秋的局乃是初级，天气尚暖，可在院子内进行，有一张八仙桌、几张小桌和椅子、凳子就行了。这样的局我也举办过好几年，用我所报的字"劲秋"具名邀请。院子是向巷口已关门的赵家灰铺租的，每星期日斗一次。局虽简陋，规矩却不能错，要有五六个人才能唱好这台"戏"。

一人司称，须提前到局，以便将罗子的分量校正好。校正完毕，坐在称儿前，等待斗家将虫装入罗子送来称重量。

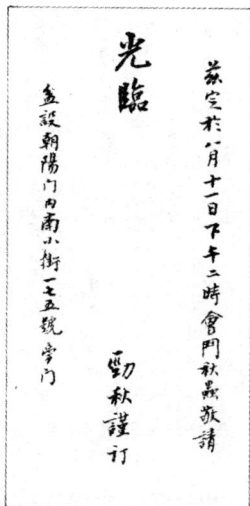

3 邀请斗蛐蛐请帖

一人司账，画好表格，记录这一局的战况。表格有固定格式，已沿用多年，设计合理，简明周密，一目了然。试拟一表如下（图4）。司账者桌上摆着笔墨、纸张、裁纸刀等，兼管写条子。条子用白纸或色纸裁成，约两寸宽，半尺长，盖上司账者印章，以防有人作弊，更换条子。斗家到局，先领罗子，装好蛐蛐，送去过称，称好一虫，司称高唱某字重量多少。司账在表格的第二格内写报字，第三格内用苏州码子写蛐蛐的分量。另外在一张条子上写报

4 蛐蛐局司账所用表格

字和分量，交虫主持去，压在该虫的罐子下。各家的蛐蛐登记完毕，就知道今天来了哪几家，各有多少条虫，各虫分量多少。斗家彼此看压在罐下的条子，就知道自己的蛐蛐和谁的分量相等，可以拴对。司账根据表格也会不时地提醒大家，谁和谁"有对"。

一人监局，站在八仙桌前，桌上铺红毡子，旁放毛笔一支，墨盒一个。桌子中央设宽大而底又不甚光滑的瓦罐，名为"斗盆"。两家如同意对局，各把罐子捧到斗盆一侧。监局将两张条子并列摆在桌上。这时双方将罐盖打开，进行"比相"。因为即使分量相等，如一条头大项阔，一条头小项窄，相小的主人会感到吃亏而不斗。比相后同意对局，再议赌彩。早秋不过赌月饼一两斤。每斤月饼折钱多少，由司账宣布，一般仅为五角或一元。议定后，监局将月饼斤数写在两家的条子中间，有如骑缝，字迹各有其半。

双方将蛐蛐放入斗盆，各自只许用粘有鼠须的掭子撩逗自己的蛐蛐，使知有敌来犯。当两虫牙钳相接，监局须立即报出"搭牙"，算是战斗已经打响，从此有胜有负，各无反悔。不论交锋的时间长短，回合多少，上风下风有无反复，最后以"一头一面"判输赢。所谓"一头"、"一面"乃是一回事，即下风蛐蛐遇见上风，贴着盆腔掉头逃走。如此两次，便是输了。倘向盆腔相反方向掉头逃走，名曰"外转"；向前窜逃，名曰"冲"，都不算"头"或"面"。不过监局也须大声报出，好让虫主及观众都知道。监局实负有裁判员的职责。胜负既分，监局在胜者的条子上写个"上"字，在负者的条子上写个"下"字。两张条子一并交到司账那里。司账根据条子在表格上胜者一栏的第一格里写蛐蛐的重量及所赢月饼的斤数，在负者一栏的第四格里写蛐蛐的重量及所输的月饼斤数。两张条子折好存在司账处，倘有人要复查，此是凭证。各家结账时据第一、第四两格的输赢数字，结算盈亏。

上述三人是局上的主要人员，此外还须一两人沏茶灌水，照料一切。一局下来，他们分抽头二成所得，每人可得几块钱。

倒不是我夸口，三十年代由我邀请的初级小局，玩得比较高尚文雅。来者虽三教九流，什么人都有，但很少发生争执或有不服气的行为。赌彩既微，大家都不在乎。不少人输了钱如数缴纳，赢了却分文不要，留给局上几位忙了一天的先生们一分了事。这当然和早秋季节有关，此时大小养家蛐蛐正多，心爱之虫尚未露面，骁勇之将或已亮相，但尚未立多少战功，所以上局带有练兵性质，谁也不想多下赌注。

　　中秋以后，天凉多风，院里已不宜设局。这时自有大养家出面邀请到家中对阵，蛐蛐局也就升了级。善战之虫已从几次交锋中杀了出来，渐有名声。赌彩倘仍是一两斤月饼，主人会感到和虫的身价太不相称了。

　　只要赌彩大了，事情也就多了，不同人物的品格性情也就一一表现出来。有的对上称的分量十分计较，老怕司称偏心他人，以致吃了亏。他在称儿的背面盯着戥子，嘴里叨唠着："不行吧，拉了一点儿吧，您再往里挪挪。"所争的可能还不到一毛（即一毫）的重量。甚至有人作弊，把戥子上的蜡珠偷偷抠下一点。自己占了便宜却弄得戥子的分量不一致。被人发现，要求对所有的戥子都审查核对，把局吵了，弄得不欢而散。

　　斗前比相，更是争吵不休，总是各自贬低自己蛐蛐的长相，说什么"我的头扁了，脖子细了，肚子又大，比您的差多了，不是对！不是对！"实则未必如此。有的人心中有一定之规，那就是，相上如不占便宜，就是不斗。

在观众中，随彩的也多了。有的只因和虫主有交情，随彩为他助威。有的则因某虫战功赫赫，肯定能赢，故竞相在它的身上押赌注。倘对局双方均是名将，各有人随彩，那就热闹了。譬如"义"字和"山"字对阵，双方已议定赌彩，忽一边有人喊道"义字那边写爽秋两块"，又有人喊"天字两块"。对面有人应声说"山字那边写叨字两块"，跟着有人喊"作字随两块"。这时忙坏了监局，他必须在两边条子上把随彩人的报字和所随的钱数一一记上，分胜负后司账好把随彩移到表格上。随彩者如没有蛐蛐，他的报字也可以上表格，只是第三格中不会有蛐蛐的分量而已。有时斗者的某一方不常上局，显得陌生，他就难免受窘，感到尴尬。因为观阵者都向对方下注，一下子就增加到几十元。如果斗，须把全部赌注包下来，未免输赢太大。不斗吧，又显得过于示弱，深感进退两难。

使抻子是一种高超的技艺。除非虫主是这方面的高手，总要请专家代为掌抻。运用这几根老鼠胡子有很大的学问。但主要是当自己的蛐蛐占上风时，要用抻子激发神威，引导它直捣黄龙，使对方一败涂地。而处在下风时，要用抻子遮挡封护，严防受到冲击，好让它得到喘息，增强信心，恢复斗志，以期达到反败为胜的目的。但双方都不能做得过分，以致触犯定规，引起公愤。精彩的对局，不仅看虫斗，也看人斗。欣赏高手运抻之妙，也是一种艺术享受。难怪自古即被人重视，《蚟孙鉴》有专条记载运抻名家姓氏，传于后世。

清末民初，斗局准许用棒，在恩溥臣《斗蟀随笔》中有所反映，而为南方所无。对阵时，占上风一方用装抻子的硬木棒轻轻敲打盆腔，有如擂鼓，为虫助威。这对下风当然大大不利。三十年代已渐被淘汰，偶见使用，是经过双方同意的。

监局既是裁判，难免碍于人情或受贿赠而偏袒一方。这在将分胜负时容易流露出来。他会对一方下风的"一头一面"脱口而出，甚至不是真正的掉头败走也被报成"头"、"面"。而对另一方下风的"一头一面"竟支吾起来，迟迟不报。执法态度悬殊，其中必有不可告人处。

局上可以看到人品性格，众生相纷呈毕露。赢了，有人谦虚地说声"侥幸"；有人则趾高气扬，不可一世，向对方投以轻蔑的眼光。输了，有人心悦诚服，自认工夫不到家，一笑置之，若无其事；有人则垂头丧气，默默不语，一虫之败，何致懊丧如此！更有面红耳赤，怒不可遏，找碴儿强调客观原因，不是说比相吃了亏，就是使火没使够。甚至埋怨对方，为什么催我上阵，以致没有过铃子，都是你不好，因此只能认半局，赌彩只输一半。

上面讲到的局，一般有几十元的输赢，还不能算真正的蛐蛐赌局。真正的赌局斗一对下注成千上万，这只有天津、上海才有。据说在高台上斗，由一人掌摁，只许双方虫主在旁，他人无从得见。这样的局不要说去斗，我一次还没有参观过呢。即使有机会参观，我也不会去！

北京过去最隆重的蛐蛐局要数"打将军"，多在冬至前或冬至日举行，它带有年终冠军赛和一季秋虫活动圆满结束的双重意义。襄生也晚，没有赶上本世纪初麻花胡同纪家、前马厂钟杨家、那王府、杨广宇、余叔岩等大养家的盛期。当时几乎每年都打将军，《斗蟀随笔》就有记载。

打将军或在家中，或在饭庄子，什刹海北岸的会贤堂曾承办多次。老友李桐华（"山"字）曾告我盛会的情况：邀请之家事先发请帖，届期各养家到会，把式们用圆笼挑着蛐蛐罐及汤壶（图5）前来。虫贩只限于资格较深并经主

5 后秋上局用圆笼

人烦请帮忙者始得与会。中堂设供桌，先举行请神仪式。上方正中安神位，供的是蚂蚱神。桌上摆香炉蜡签、五堂供，三堂面食，两堂果子。桌旁立着纸扎的宝盖、幡及七星纛。延请寺观清音乐乐队七人，一时笙管齐奏，法曲悠扬。先由主人上香行礼，继之以各位养家，长者在前，依齿而行，叩头或揖拜听便。此后虫佣虫贩顶礼，必须跪拜叩头。请神完毕，对局开始，过称、记账、监局等一如常局。惟斗后增加卖牌子活动。牌子由司称、司账等准备，红纸上书"征东大将军"、"征西大将军"、"征南大将军"、"征北大将军"、"九转大虫王"、"五路都虫王"等封号。胜者受到大家的祝贺，自然高高兴兴去买牌子。牌子二元、四元、六元、八元不等，买者买个喜气，图个吉祥，而带有赏赐性质，局上各位忙了一季，这是最后一笔收入。封完将军，虫王、将军皆陈置供桌上，行送神礼，虫佣虫贩须再次叩头。礼毕将宝盖、幡、七星纛等送至门外，在音乐声中火烧焚化。不知者会误以为是某家办丧事，烧烧活，实际上是玩家们在行乐。送神后入宴席，养家和佣、贩分开落座。前者为鸭翅席，后者为九大件。宴席后大家拱手告别，齐道明秋再见。

打将军封建迷信色彩浓厚，而且等级分明，它也不是以赌博为目的，而是佣贩帮闲伺候王公大人、绅士富商游玩取乐的活动。一次打将军主办者不惜一掷千金，要的是派头和"分儿",这种耗财买脸的举动,六七十年来久已成为陈迹了。

五　忆器

南宋时,江南养蟋蟀已很盛行。1966年5月,镇江官圹桥发现古墓,出土三具过笼。报道称:"都是灰陶胎,两只为腰长形(图6),长七厘米,两头有洞,上有盖,盖上有小纽,纽四周饰六角形双线网纹。其中一只内侧有铭文四字,残一字,'□名朱家'。另一只为长方形,长亦七厘米,作盖顶式,顶中有一槽,槽两侧饰圆珠纹。圆珠纹外周斜面上饰斜方如意纹,一头有洞。长方形的蟋蟀过笼,一头有洞,当是捕捉蟋蟀时用的。腰长形过笼两头有洞,宜于放置圆形斗盆中放蟋蟀用的。"(见《文物》1973年第5期封三)

6　镇江南宋墓出土蛐蛐过笼

所谓腰长形即外壁一边为弧形，可以贴着盆腔摆放。一边外壁是直的，靠着它可以放水槽。这是养盆中的用具，报道谓用于斗盆，实误。仅一端有洞的因不能穿行，已不得称之为过笼。北京有此用具，名曰"提舀"（见图11），竹制，上安立柄，用以提取罐中的蛐蛐。捉蟋蟀是用不上的。古墓年代约为十二世纪中叶，所出三具为现知最早的蟋蟀用具。可证明约一千年前它已定型，和现在仍在使用的没有什么区别。

宋代蟋蟀盆只见图像，未见实物。万历间刊行的《鼎新图像虫经》绘盆四具。其中的宣和盆、平章盆可理解为宋器，至于标名为王府盆、象窑盆，时代就难说了。此四盆并经李大翀《蟋蟀谱》摹绘，造型、花纹与《虫经》已大有出入。当因摹者随手描绘所致。故类此图像，只能为我们提供一些参考材料，而无法知道其真实面貌。李谱还有所谓"宋内府镶嵌八宝盆"、"元孟德盆"、"永乐盆"，未言所据，来源不明。这些图的价值，比该书《盆考》述及的各盆也高不了多少，它们的可靠性要待发现实物才知道，现在只能姑妄听之而已。本人认为谈蛐蛐罐不能离开实物，否则终有虚无缥缈之感。本文所及品色不多，去详备尚远，但都是我曾藏或曾见之物。不尚空谈，当蒙读者许可。

养家周知，蟋蟀盆有南北之分，其主要区别在南盆腔壁薄而北盆腔壁厚，这是南暖北寒的气候决定的。我所见到的最早实物为明宣德时所制，乃腔壁较厚有高浮雕花纹的北式盆。这是因为自明成祖朱棣于永乐十九年（1421）国都北迁后，宣宗朱瞻基养蟋蟀已在北京的缘故。罐通高11厘米，径14.5厘米（彩图2，图7～9），桐华先生旧藏，现在天津黄绍斌先生处。盖面中心雕两狮相向，爪攫绣球，球上阴刻方胜锦纹，颇似明雕漆器上所见。左右飘束绦。空隙处雕花叶。中心外一周匝浮雕六出花纹，即常见于古建筑门窗者。在高起的盖边雕香草纹。罐腔上下有花边两道，中部一面雕太狮少狮，俯仰嬉戏，侧有绣球，绦带飞扬。对面亦雕狮纹，姿态略

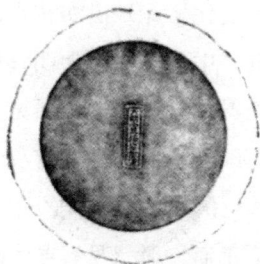

7　明宣德高浮雕狮纹蟋蟀盆盖内款拓本

8　明宣德高浮雕狮纹蟋蟀盆盖面花纹拓本

9　明宣德高浮雕狮纹蟋蟀盆

有变化。此外满布花卉山石。罐底光素，中心长方双线外框，中为阳文"大明宣德年造"六字楷书款，与宣德青花瓷器、剔红漆器上所见，笔意全同。故可信为宣德御物。中国历史博物馆藏有一龙纹罐，盖内篆文戳记"仿宋贾氏珍玩醉茗痴人秘制"十二字，罐底龙纹图记内有"大明宣德年制"款（见石志廉：《蟋蟀罐中的几件珍品》，《燕都》1978年第4期）。曾目见，戳记文字及年款式样均非明初所能有，乃妄人伪造。

我因久居北京，对南方盆罐一无所知。北方名盆，高中读书时开始购求，迨肄业研究院，因不再养虫而终止，前后不足十年，有关知识见闻，与几位秋虫耆宿相比，自然相去远甚。

秋虫耆宿，近年蒙告知盆罐知识者有李桐华、黄振风两先生。桐华先生谢世已数载，振风先生则健在，惟"十年浩劫"，所藏名盆已多成瓦砾矣。

北京盆罐为养家所重者有两类，亦可称之为两大系列，即"万礼张"与"赵子玉"。万礼张咸知制于明代，底平无足，即所谓"刀切底"。盖内有款识，盖、罐骑缝有戳记。戳记或为圆圈，名曰"笔管"，或为"同"字，或近似"菊"字而难确认。澄泥比赵子玉略粗，故质地坚密不及，术语称之曰"糠"。正因其糠，用作养盆，实胜过子玉，其带皮子有包浆亮者尤佳。同为万礼张，盖内款识不同，至少有八种，再加净面无文者则有九种，此非深于此道者不能言。桐华先生爱万礼张胜于子玉，故知之独详。我历年收得四种，再加桐华先生所藏，尽得寓目，并拍摄照片。又蒙高手傅大卤先生墨拓款识，故大体齐备：

一　万礼张造（图10）

二　白山（彩图3）此为万礼张中最佳者

三　秋虫大吉

四　永战三秋

五　永站三秋

六　怡情雅玩

七　永远长胜

八　春游秋乐

九　净面　光素无款识

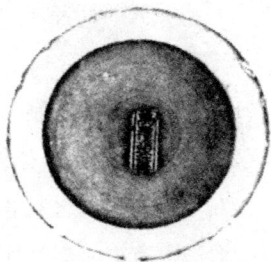

10 明"万礼张造"蛐蛐罐款识拓本（万礼张九种之一）

赵子玉罐素有十三种之说。邓文如师《骨董琐记》卷六记石虎胡同蒙藏学校内掘出蟋蟀盆，属于赵子玉系统者有淡园主人、恭信主人之盆、古燕赵子玉造、敬斋主人之盆、韵亭主人之盆等五种，不及十三种之半。清末拙园老人《虫鱼雅集》"选盆"一条所记十三种为：白泥、紫泥、藕合盆、倭瓜瓢、泥金罐、瓜皮绿、鳝鱼青、鳝鱼黄、黑花、淡园、大小恭信、全福永胜、乐在其中。《雅集》所述相虫、养虫经验多与虫佣、虫贩吻合，此说似亦为彼等所乐道。其不能令人信服处在前九种既以不同颜色定品种，何以最后又将四种不同款识之盆附入，一似列举颜色难足其数，不得不另加四种，凑满十三。故桐华先生以为子玉十三种应以不同款识者为限，分列如下：

一　古燕赵子玉造桐华先生特别指出此六字款如末一字为"制"而非"造"，皆伪，屡验不爽。都人子玉则真者末一字为"制"而非"造"。

二　淡园主人

三　都人赵子玉制

四　恭信主人盆（大恭信）

五　恭信主人之盆（小恭信）

六　敬斋主人之盆（大敬斋）

　　二号盆

七　敬斋主人之盆（小敬斋）

　　三号盆

八　韵亭主人盆

九　闲斋清玩

一〇　大清康熙年制

一一　乐在其中

一二　全福永胜

一三　净面赵子玉　光素无款识

黄振凤先生则别有说，认为赵子玉不仅有十三种，且另外还有"定制八种",亦即赵子臣所谓"特制八种",而"大清康熙年制"因非子玉所造,故不与焉。"八种"并经振风编成口诀,以便记忆:

> 全福永胜战三秋,
>
> 淡园韵亭自古留,
>
> 敬闲二斋双恭信,
>
> 乐在其中第一流。

"八种"之款识及戳记外框形式如下:

一　全福永胜　盖背横长圆形外框,一名"枕头戳",四字自右而左平列。足内长方形外框,"古燕赵子玉造",两行,行三字

二　永战三秋　四瓣柿蒂式外框,每瓣一字,"永"在上,"战"在右,"三"在左,"秋"在下

三　淡园主人方形外框,两行,行二字

四　韵亭主人盆赵子玉制　大方形外框,三行,行三字

五　敬斋主人之盆窄长方形外框,天津称之曰"韭菜扁戳"。一行六字

六　闲斋清玩　方形外框,两行,行二字

七　恭信主人盆赵子玉制　大方形外框,三行,行三字。此为"大恭信"。恭信主人之盆　窄长方形外框,一行六字。此为"小恭信"。大小恭信以一种计

八　乐在其中　盖背方形外框，两行，行二字。底足内

　　　　　　"都人赵子玉制"，长方形外框，两行，行三字。

　　　　此罐比以上七种更为名贵，故曰"第一流"。

　　以上惟淡园主人及小恭信为三号罐，余均为二号罐。又惟有敬斋及乐在其中两种底足外缘做出凹入之委角线，名曰"退线"，余六种无之。

　　振风先生背诵子玉十三种之口诀为：

　　　　　　瓜皮豆绿倭瓜瓢，

　　　　　　桃花冻红鳝青黄，

　　　　　　黑白藕合泥金盆，

　　　　　　净面都人足深长。

"十三种"中净面光素无款识。都人子玉款识为"都人赵子玉制"，长方形外框，两行，行三字。其余十一种款识均为"古燕赵子玉造"，长方形外框，两行，行三字。振风同意桐华先生之说，"古燕赵子玉造"款识凡末字为"制"而非"造"者皆伪。并指出"古"字一横下，或有一丝两端下弯之线，或无之，二者皆真。有弯线者乃戳记使用既久，出现裂纹之故。据此推测，戳记当用水牛角刻成。

　　一　瓜皮绿

　　二　豆瓣绿

　　三　倭瓜瓢　其色易与鳝鱼黄混淆。分别在倭瓜瓢盖

面平坦，而鳝鱼黄盖面微微隆起。亦曰"馒头顶"

四　桃花冻　其色红于藕合盆

五　鳝鱼青

六　鳝鱼黄

七　黑花

八　白泥

九　藕合盆　其色接近浅紫，十三种中惟此底足有退线

一〇　泥金盆　罐上有大金星及金片，如洒金笺纸

一一　净面

一二　都人赵子玉制　盖与足底款识相同，凡末字作
　　　　"造"而非"制"者皆伪

一三　深足子玉　罐底陷入足内较深

振风先生与拙园老人之说，可谓大同小异，故似出同
源。其所以被称为"十三种"，除确知为赵子玉所造外，
皆无定制者款识，与"定制八种"之区别即在此。黄先生
既能言之綦详，且谓"八种"、"十三种"曾与赵子臣商榷
印证，可谓全同。不言而喻，桐华先生之说与子臣大不
相同。

桐华、振风两先生之虫具知识，笔者均甚心折，而
子臣既出虫贩世家，更一生经营虫具，见多识广，又非养
虫家所能及，故其经验阅历，尤为值得重视。笔者自愧养
虫资历不深，名罐所藏有限，且有未经寓目者，因而不能

判断以上诸说究以何为可信，只有一一录而存之，以备进一步之探索及高明博雅之指教。惟究其始，赵子玉当年造盆，不可能先定品种"八"与"十三"之数，并以此为准，不复增减，其理易明。后人据传世所有，代为罗列排比，始创"八种"、"十三种"之说，此殆事物之规律。若然，则各家自不妨据一己之见而各有其说。各说亦自可并存而不必强求其一致矣。

赵子玉罐虽名色纷繁，然简而言之，又有共同之特征，即澄泥极细，表面润滑如处子肌肤，有包浆亮，向日映之，仿佛呈绸缎之光华而绝无由杂质之反射，出现纤细之闪光小点。棱角挺拔，制作精工，盖腔相扣，严丝合缝，行家毋庸过目，手指抚摩已知其真伪。仿制者代有其人，甚至有在古字一横下加弯线者，矜持拘谨不难分辨。民国时大关虽竭力追摹，外形差似而泥质远逊。

万礼张及赵子玉均有特小盆罐，或称之为"五号"，超出常规，遂成珍异。某家有一对，何人藏四具，屈指可数，为养家所乐道。实物如桐华先生之小万礼张，四具一堂，装入提匣，专供前秋、中秋上局使用（图11）。小子玉则有以郑西忠旧藏一对"乐在其中"，直径不到10厘米，盖背面款识为"乐在其中"，底足内为"都人赵子玉制"，堪称绝品（彩图4），可能为王府公主或内眷定制者。埴土虽贱，却珍逾球璧。

其他名罐如"瓦中玉土精盆"，雕镂蝴蝶而填以色泥，故又曰"蝴蝶盆"。"南楼雅玩"盆（彩图5），主人即《虫鱼雅集》述及曾养名虫"蜈蚣紫"，咬遍京华无敌手，死后葬于园中纤环轩土山上，并为建虫王庙之南楼老人。此盆并非用澄泥轮旋成形，而是取御用金砖

11 前秋、中秋上局用提匣
（内放万礼张小罐四具）

斧砍刀削，砥砺打磨而成。四字款识亦非木戳按印而是刃凿剔刻出阳文文字。所耗人力物力，超过泥埴窑烧，何止十倍，其他私家制罐，款识繁多，道光时"含芳园制"盆乃其佼佼者。用泥之细不亚于子玉，款式亦朴雅可喜。

一般养盆以有赵子玉伪款者为多，戳记文字、式样，不胜枚举。其他款识也难备述，大小造型，状态不一，因不甚被人重视，故缺乏记载可稽。

过笼，北京又称"串儿"，谓蛐蛐可经两孔串来串去。名贵的过笼同样分万礼张、赵子玉两个系列。

万礼张过笼轮廓柔和，造型矮扁，花纹不甚精细，不打戳记而代之以指纹，印在盖背面。下举二例：

一 万礼张菊花纽（亦称葵花纽）过笼除纽外全身光素，有大小两种（彩图6）。

二 万礼张五福捧寿过笼 纽为高起圆寿字，四周五蝠团簇（彩图7）。

赵子玉过笼棱角快利，立墙较高，花纹精细，不加款识。常见盖内印有叶形戳记中有赵子玉三字者皆是赝品。下举真者数例：

一 赵子玉单枣花、双枣花过笼 亦有称之为桂花者，除纽外全部光素。造型有大小之别，小者又名"寸方"，宜用于晚秋较小的盆中。又有扇面式的，月牙形水槽贴着摆放，可为盆内留出较大空间（彩图8）。

二 赵子玉五福捧寿过笼（彩图9） 与万礼张相似而花纹较繁，将光地改为纹地。于此亦可见前后的渊源关系。如过笼正面立墙有刀划花纹，则名曰"五福捧寿拉花"（彩图10）。"拉"，北京方言刀割之意。

三 赵子玉鹦鹉寿桃过笼 寿桃作纽，两侧各有展翅鹦鹉。亦名"鹦鹉偷桃"。如立墙有刀划花纹，名为"鹦鹉寿桃拉花"（图12）。

所谓旧串，和旧养盆一样，花色繁多。其佳者为"含芳园制"（彩图11）。盖上印有菊蝶、古老钱、蟠龙、花卉

12 清赵子玉鹦鹉拉花过笼成对

13 清不同花纹过笼四种

14 清黑花、红泥过笼两种

15 清各式水槽

等花纹者（图13）以及红泥、黑花等（图14）又逊一筹。

《虫鱼雅集》讲到："水槽亦有真伪。至高者曰蓝宝文鱼，有沙底，有瓷底。次则梅峰，怡情、宜春、太极、蜘蛛槽、螃蟹槽、春茂轩，不能尽述。"其中文鱼与梅峰、蜘蛛，瓷胎釉色相似，当为同时期物。螃蟹及青花大水槽亦较早，时代均在雍、乾间，或稍早。怡情朱色勾莲制于嘉道时。春茂轩各式乃太监小德张为慈禧定烧，出光绪景德镇窑（彩图12，图15）。昔年笔者一应俱全，且有德化白瓷、宜兴紫砂以及碧玉、白玉、玛瑙者。"十年浩劫”，散失殆尽矣。

上局用具还有净水瓶，即大口的玻璃瓶。或用清代舶来品盛洋烟的“十三太保”瓶，因每匣装十三瓶而得名。磨光玻璃有金色花纹，十分绚丽。其用途是内盛净水及水藻一茎。蛐蛐胜后，倾水略涮其盆，掐水藻一小段放盆内，供其滋润牙帘。

此外还有放在每一个罐上的“水牌”。扁方形，抹去左右上角。考究的为象牙制，次为骨或瓷。正面写虫名、买得日期、产地及重量。背面为每次战斗记录，包括日期、重量、战胜某字某虫等，如下图（图16）。它分明是为蛐蛐建立的档案。北京的规矩，非经同意不得翻看别人的水牌。

其他用具如竹夹子、麻刷子、竹制食抹等均为消耗品，从略。惟深秋搭晒所用竹帘，分粗细三等。极细者真如虾须，制作极精，今亦成为文物矣。

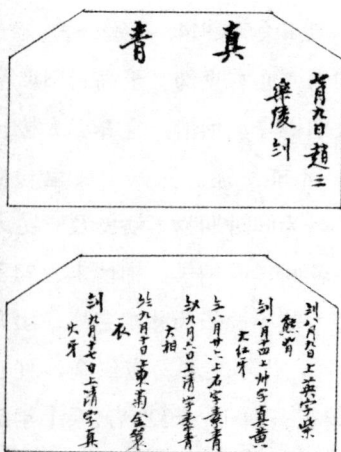

16 水牌（正面和背面）

六 忆友

七十年来由于养蛐蛐而认识的人实在太多了，结交成契友的也不少，而最令人怀念的是曾向我传授虫经的几位老先生。

赵李卿，武进人，久居北京。北洋政府时期，任职外交部，是我父亲的老同事，看我长大的。在父执中，我最喜欢赵老伯，因为他爱蛐蛐，并乐于教我如何识别好坏。每因养蛐蛐受到父母责备，我会说"连赵老伯都养"，好像理由很充足。他也会替我讲情，说出一些养蛐蛐有好处的歪理来。我和他家相距不远，因此几乎每天都去，尤其是到了秋天。

赵老伯上局报"李"字，所有卖蛐蛐的都称他"赵李字"。长腿王喜欢学他带有南方口音的北京话，同时举手用食拇两指相距寸许地比划着："有没有大黄蛐蛐?"他确实爱黄蛐蛐，因为养过特别厉害的，对黄蛐蛐也特别有研究，能说出多种多样的"黄"来 —— 哪几种不中用，哪几种能打到中秋，哪几种才是常胜将军。他想尽方法为我讲解，并拿颜色近似的蛐蛐评比差异。但最后还是说只有遇到标准虫才能一目了然，还要养过才记得住。这就难了，谈何容易能碰到一条。有一年还真是碰到了。陆鸿禧从马坊逮回来的头如樱桃而脑线闪金光的紫黄蛐蛐。他认为是黄而非紫。因是早秋，他说要看变不变。如变深了就成紫蛐蛐了，也就不一定能打到底了。如不变深，则是虫王。他的话应验了，金黄色始终未退，连赢八九盆，包括"力"字吴彩霞的红牙青。而"力"字是以特别难斗著名的。每次对阵紫黄都是搭牙向后一勒，来虫六足蹬着罐底用力才挣扎出来。一口净，有的尚能逃窜，有的连行动都不灵了。赵老伯看其他颜色蛐蛐也有经验，但自以为对黄的最有心得。我最早相虫，就是他领进门的。

赵伯母是我母亲的好友，也很喜欢我。她最会做吃的，见我去总要塞些吃的给我。至今我还记得她对赵老伯说的一句话："我要死就死在秋天，那时有蛐蛐，你不至于太难过。"二老相敬如宾，真是老而弥笃。

白老先生住在朝阳门内北小街路东，家设私塾，教二三十个启蒙学生。高高身材，微有髭须。出门老穿袍子马褂，整齐严肃，而就是爱玩蛐蛐。上局他报字"克秋"，故人称白克秋，名字反不为人知。

不认识他的人，和他斗蛐蛐，容易拴对。因为他的虫都是小相，一比对方就会欣然同意。但斗上才知道，真厉害！他的蛐蛐通常一两口就赢了。遇上硬对，又特别能"驮口"，咬死也不走，最后还是他赢。我还不记得他曾输过。养家经过几次领教，有了戒心，都躲着他。即使在相上明显占便宜也不敢贸然和他交锋。

我几次看他买蛐蛐，不与人争，总是等人挑完了才去看。尤其是到了蛐蛐店，明言"拿'下水'给我挑"。每次不多买，只选两三条。价钱自然便宜不少，因为已被人选过多次了。不过往往真厉害的蛐蛐并未被人挑走而终为他所得，真是千里马虽少而伯乐更难逢。

　　我曾向白老求教，请示挑蛐蛐的标准。他说："为了少花钱，我不买大相的，因为小相的照样出将军，主要是立身必须厚。你的大相横着有，我的小相竖着有，岂不是一样？立身厚脸就长，脸长牙就长，大相就不如小相了。"记得他有一条两头尖的蛐蛐名曰"枣核丁"，是上谱的虫，矫健如风，口快而狠，骁勇无比。每斗一盆，总把对方咬得满罐子流汤。如凭长相，我绝对不会要它。白老选虫还有许多诀窍，如辨色、辨肉等，也曾给我讲过，但不及立身厚那样容易领会理解。

　　白老每年只养二三十条蛐蛐，因此上局从不多带，少则两条，多则四条。天冷时，只见他白布手巾把一对瓦罐摞起一包，提着就来了。打开一看，两罐中间夹着一块热饼。一路行来，使火恰到好处。蛐蛐过了铃子，他饼也吃完了。他总是花最少的钱，用最简单的办法，取得最好的效果。

　　宣武门外西草场内山西街陶家，昆仲三人，人称陶七爷、陶八爷、陶九爷，都以养蛐蛐闻名。尤以七爷陶仲良，相虫、养虫有独到之处。当年蛐蛐局有两句口头语："前秋不斗山、爽、义，后秋不斗叨、力。""山"为李桐华，"爽"为赵爽秋，"义"为胡子贞，"力"为名伶吴彩霞，"叨"即陶仲良。意谓这几家的蛐蛐特别厉害，以不斗为是。而后秋称雄，更体现了养的工夫。

我的堂兄世中，是陶八爷之婿，故有姻戚之谊。不过我们的交往，完全由于同有秋虫之癖。

陶家是大养家。山西街离蛐蛐店很近，常有人送虫来。九爷家住济南，每年都往北京送山蛐蛐。他们最多养到十几桌，将近三百头。当我登门求教时，仲良年事已高，不愿多养，但蛐蛐房还是占用了三间北屋。

时届晚秋，"叨"字拿出来的蛐蛐宝光照人，仍如壮年。肚子不空不拖，恰到好处。爪锋不缺，掌心不翻，按时过铃，精神旺盛。下到盆中，不必交战，气势上已压倒了对方，这是精心调理之功。他的手法，主要利用太阳能，帘子遮挡，曝日取暖，帘子分粗、中、细三等，借以控制温度，而夜晚及阴晦之日则用汤壶。前"忆养"讲到的"搭晒"，就是他传授的方法。不过其不可及处在对个别蛐蛐采用不同的调理方法，并非完全一致。常规中又有变化，此又非我所能知矣。至于对爪锋及足掌的保护，他认为和罐底有极大关系。底太粗会挂断爪锋，太细又因打滑而致翻掌。因此后秋所用罐，均经严格挑选，一律用原来旧底而粗细又适度的万礼张。陶家当年藏罐之多也是罕有其匹的。

李凤山（生于1900年，卒于1984年3月28日），字桐华，以字行（图17），蛐蛐局报名"山"字。世传中医眼科，善用金针拨治沙眼、白内障等，以"金针李"闻名于世，在前门外西河沿191号居住数十年。

17 李桐华先生八十三岁小影

桐华七岁开始捉蛐蛐，年二十七，经荣茂卿介绍去其兄处买蛐蛐罐。其兄乃著名养家，报字"南帅"，选虫最有眼力。因患下痿，不能行动，故愿出让虫具。桐华有心向南帅求教，买罐故优其值，并为延医诊治，且常往探望，每往必备礼物四色。如是经年，南帅妾进言曰："何不教教小李先生？"半晌，南帅问桐华："你认识蛐蛐吗？"桐华不语。南帅说："你拿两把来看看。"桐华从家中选佳者至。南帅命桐华先选一头。桐华以大头相重逾一分者进。南帅从中取出约八九厘者，入盆交锋，大者败北。如是者三，桐华先选者均不敌南帅后选者，不觉耳红面赤，汗涔涔下，羞愧难当。南帅笑曰："你选的都是卖钱的虫，不是打架的虫。"桐华心悦诚服，自此常诣南帅处聆听选虫学，两年后，眼力大进。

　　桐华一生无他好，惟爱蛐蛐入骨髓。年逾八旬，手捧盆罐，犹欢喜如顽童，此亦其养生之道，得享大年。当年军阀求名医，常迎桐华赴外省，三月一期，致银三千元。至秋日，桐华必谢却赠金，辞归养蛐蛐。爱既专一，研钻遂深。中年以后，选、养、斗已无所不精，运掭更堪称首屈一指。有关虫事，每被人传为佳话。如虫友自天津败归，负债累累。借桐华虫再往，大获全胜，赢得赌注，数倍于所失。余叔岩摆蛐蛐擂台，久无敌手，桐华一战而胜。叔岩竟老羞成怒，拂袖而去。经人说项，始重归于好。李植、赵星两君已写入《京都蟋蟀故事》（共八篇，连载于1990年8月12日至12月2日《中国体育报·星期刊》），今不再重复。惟对桐华平生最得意之虫，尚未述及，不可不记。易州人尚秃子从山东长清归来，挑中有异色小虫，淡于浅紫，蛐蛐从来无此色，无以名之，称之为"粉蛐蛐"。多次赴局，重量仅六厘六，交牙即胜，不二口。是年在麻花胡同纪家打将军，杨广宇重赏虫佣刘海亭、二群，以上佳赵子玉盆四具，从天津易归常胜将军大头青，以为今年"五路都虫王"，非我莫属。大头青重八厘四，桐华自知所携之虫，无分量相等者。不料过称儿后，粉蛐蛐竟猛增至八厘四。与大头青对局，彼果不弱，能受两三口，但旋即败走。"广"字大为懊丧。行送神礼，虫王照例放在供桌上。二群三叩首，粉蛐蛐竟叫三声，与叩首相应，闻者莫不咄咄称奇。尤奇者，次日在家再过称儿，又减轻至六厘六。昨之八厘四似专为与大头青对局而增长者。后粉蛐蛐老死，六足稳立罐中，威仪一如生时。凡上种切，桐华均以为不可思议，不禁喟然曰："甚矣哉蛐蛐之足以使人神魂颠倒也！"

我和桐华相识始于1932年他惠临我邀请的小局。次年10月，在大方家胡同夜局，我出宝坻产重达一分之黑色虎头大翅与桐华麻头重紫交锋，不料闻名遐迩"前秋不斗"之"山"字竟被中学生之虫咬败，一时议者纷纷。11月，桐华特选宁阳产白牙青与虎头大翅再度对局，大翅不敌，桐华始觉挽回颜面。"不打不成相识"，二人自此订交。此后时受教益，并蒙惠赠小恭信盆及万礼张过笼等。先生有敬斋盆二十有三，恰好我有一具，即以奉贻，凑成一桌，先生大悦，常向人道及我赠盆事。

1939年后，我就读研究院，不复养虫，直至桐华谢世，四十余年间，只要身未离京，秋日必前往请候，并观赏所得之虫。先生常笑曰："你又过瘾来了。"1982年后，曾念及曷不请先生口述，试为总结选虫养虫及鉴别虫具经验。惟此时正忙于编写有关家具、髹饰诸作，趋请讲授只两三次，所获已写入本篇，未能作有系统之记录。今日思之，深感怅惘。

编辑《蟋蟀谱集成》，更使我怀念桐华先生。他如果健在，《集成》一定可以编得更好一些，《六忆》也可以写得更充实一些、生动一些。

本文为《蟋蟀谱集成》（上海文化出版社1993年8月）一书

的附录——《秋虫六忆》

冬虫篇

一　鸣虫种类与所用葫芦

人工孵育之虫使鸣于冬者，有蝈蝈、札嘴、油壶鲁、蛐蛐、梆儿头、金钟等六种，所用葫芦皆不同。其所以不同，乃因其生活习性、身材大小有别。故言葫芦当自言虫始。

六种鸣虫可分为两类。蝈蝈、札嘴餐风饮露于丛草之间，求侣觅食于枝柯之上，不妨称之为"缘枝类"。油壶鲁等四种，夏末蜕衣于乱草瓦石之底，秋凉藏身于土穴石隙之中，不妨称之为"穴居类"。兹分别述之于下。

1　缘枝类

一　蝈蝈　（彩图13）亦写作蟈蟈、聒聒或蛞蛞，字书称之曰络纬。络纬实蝈蝈一类鸣虫之总称，包括札嘴及南方之纺织娘等。

明刘侗《帝京景物略》称："有虫，便腹青色，以股跃，以短翼鸣，其声聒聒，夏虫也，络纬是也。昼而曝，斯鸣矣；夕而热，斯鸣矣。秸笼悬之，饵以瓜之瓤，以其声名之，曰蛞蛞儿。"[1] 潘荣陛《帝京岁时纪胜》曰："少年子弟好畜秋虫，曰蛞蛞。……此虫夏则鸣于郊

---

[1] 刘侗、于奕正：《帝京景物略》卷三，《胡家村》条，北京古籍出版
　　社1982年排印本。

原，秋日携来，笼悬窗牖，以佐蝉琴蛙鼓，能度三冬。以雕作葫芦，银镶牙嵌，贮而怀之，食以嫩黄豆芽，鲜红萝卜，偶于稠人广座之中，清韵自胸前突出，非同四壁虫声助人叹息，而悠悠然自得之甚。"[1] 按所谓"能度三冬"，未必是"秋日携来"之虫，而为人工孵育者。秋虫活至冬杪，百无一二也。

二 札嘴 （彩图14）似蝈蝈而小，翼较长，耸而尖，南方称之曰"札儿"。徐珂《清稗类钞》云："札儿全体绿色，长寸许，触角颇长，前胸背绿色带褐，翅梢短于体，上有凹纹如曲尺，发声器在右翅，薄膜透明，略似小镜，以左翅摩擦作声。尾端有毛四。栖息草间，秋日儿童多饲养之。"又曰："乾隆年末，有货札儿于江宁之市者，镂葫芦为笼，盖以玻璃而贮之，盖来自粮艘，天津德州间物也。"[2] 按札嘴产山东中部，实在德州之南。刘侗未言及之，因北京原无此虫。五六十年前罐家多孵育之，种虫即来自鲁中。近年北京已无人畜养，秋日街头亦未见有卖札嘴者。

---

[1] 潘荣陛：《帝京岁时纪胜》，《蛬蛬》条，北京古籍出版社1983年排印本。

[2] 徐珂：《清稗类钞》第十二册《动物》，页5667～5668，中华书局排印本。

缘枝之虫，高离地面，依其习性，容具宜有绰裕空间，故葫芦腰多偏上，且任其中空，不垫土底。正因其中空，故口上只安体质极轻之有孔瓢盖，不加框子及蒙心，以免头重脚轻，容易倾仄。瓢盖更具备有利发音，便于更换诸优点。葫芦口内设铜丝簧，以防盖脱虫逸。此一设施，亦惟蝈蝈、札嘴葫芦有之。至于葫芦尺寸，蝈蝈大故大，札嘴小故小，其造型则基本相同也。

2 穴居类

一 油壶鲁 （彩图15）有油胡鲁、油乎卢、油胡卢、油壶卢等多种写法，似蛐蛐而大。刘侗曰："促织之别种三，肥大倍焉者，色泽如油，其声呦、呦、呦，曰油胡芦。"[1]富察敦崇《燕京岁时记》曰："又有油壶芦，当秋令时，一文可买十余枚。至十月则一枚可值数千文。盖其鸣时铿锵断续，声颤而长，冬夜听之，可悲可喜，真闲人之韵事也。"[2]

二 蛐蛐 （彩图16）即蟋蟀，亦名促织。刘侗曰："考促织，《尔雅》曰：'螉，天鸡。'李巡曰：'酸鸡。'郭璞曰：

---

[1] 刘侗、于奕正：《帝京景物略》卷三。

[2] 富察敦崇：《燕京岁时记》，北京古籍出版社 1983 年排印本。

'莎鸡，一曰樗鸡。'《方言》曰：'蛬蜥，一曰蜻蛚。'《尔雅翼》曰：'蟋蟀生野中，好吟于土石砖甓下，斗则矜鸣，其声如织，故幽州谓之促织也。'"[1] 按北京养田野天生蛐蛐，以其善斗；畜人工孵育蛐蛐，只为能鸣。前者入冬已老，甚难养到岁末；后者身屠牙软，全无斗志也。

三　梆儿头 (彩图17) 刘侗曰："促织之别种三：……其首大者，声梆、梆，曰梆子头。"[2]身材似蛐蛐而略小，头部宽阔成三角形，向前突出，状似棺木之前端，故南方称之曰"棺材头"。性野善跃，迅捷不易攫捉，其声短促，无悠扬之致，故养者少而育者稀。

四　金钟 (彩图18) 刘侗曰："有虫黑色，锐前而丰后，须尾皆歧，以跃飞，以翼鸣，其声蹬棱棱，秋虫也。暗即鸣，鸣竟刻，明即止，瓶以琉璃，饲以青蒿，状其声名之，曰金钟儿。"[3]富察敦崇曰："金钟儿产于易州，……七月之季，贩运来京。枕畔听之，最为清越。韵而不悲，似生为广厦高尚之物。金钟之号，非滥予也。"[4]按北京秋日卖金钟，多称来自十三陵；实处处有之。喜群居，与蛐蛐大异。多在乱石中，或剌剌秧下[5]，甚难获得。捉者以去瓤西瓜扣如

---

[1] [2] [3] 刘侗、于奕正：《帝京景物略》卷三。

[4] 富察敦崇：《燕京岁时记》，北京古籍出版社1983年排印本。

[5] 剌剌秧为一种茎上有小剌之蔓草。剌，音là。

覆磬，夜置晨取，群聚其中，一举可得多头。

穴居类四种鸣虫，终其身不离土壤，为适其习性，所用葫芦皆垫土底。腰多偏下，俾可与底之斜坡相接，否则有碍发音。垫底葫芦，重心在下，故口上可以安框子及蒙心。油壶鲁葫芦粗于蛐蛐葫芦，乃虫之大小有别使然。梆儿头葫芦视蛐蛐葫芦细而高，为防其逃逸。金钟葫芦又粗于油壶鲁葫芦，因每养必双，且可两对雌雄同贮一器。所有鸣虫，一器只畜一雄，喜群居者，仅金钟一种。

兹取六种葫芦之比较标准者，依原大绘图，并标明各部位名称于侧，俾读者一览可得（图1~3）。明乎此，则葫芦入目便知为畜养何种鸣虫者。电视剧《末代皇帝》有幼年溥仪玩蝈蝈一幕，即误用油壶鲁葫芦作为蝈蝈葫芦。近年海外拍卖图册，文物广告，以致博物馆刊物，对各种葫芦一律称之为Cricket Cage，仿佛鸣虫只有蟋蟀一种，而且常将四种穴居类鸣虫葫芦之框子、蒙心安装在蝈蝈葫芦之上，实因昧于虫之习性，缺少养虫知识之故。今不辞喋喋絮絮，盖欲辨正谬误，并阐明其所以然。养虫虽小道，亦积数百年之经验，方法之沿袭，器用之定型，皆有科学根据，始逐渐形成习惯，故个中大有讲究。不作调查研究，只凭想象以为如何如何，则未有不误者矣。

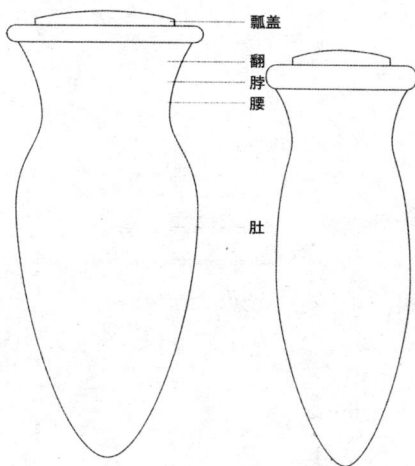

瓢盖

翻
脖
腰

肚

1 蝈蝈葫芦　　　　札嘴葫芦

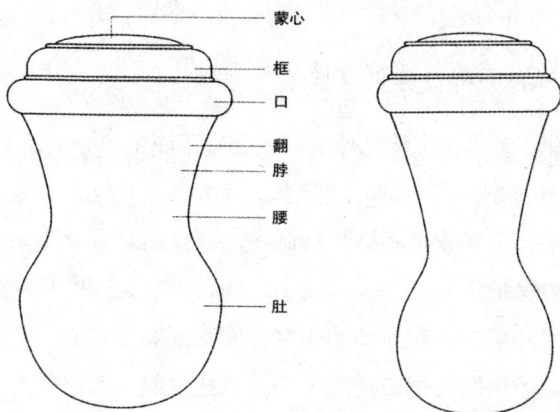

蒙心

框
口

翻
脖

腰

肚

2 油壶鲁葫芦　　　　蛐蛐葫芦

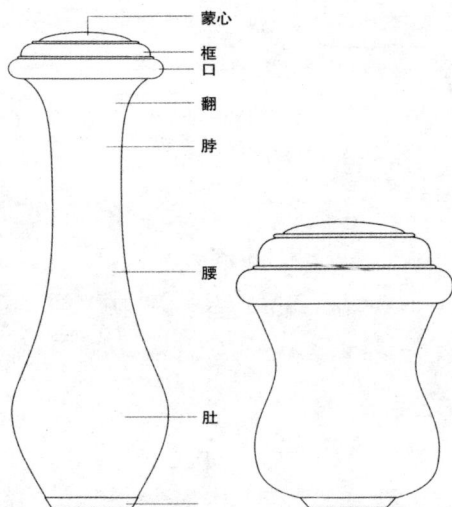

蒙心
框口
翻
脖
腰
肚

3 梆儿头葫芦　　　　　金钟葫芦

二　畜虫葫芦各部位分述

葫芦各部位名称已见前图，兹自下而上，分别述之。

一　平托　平托，一名底托，惟切去蒂柄之倒栽有之，用象牙、牛角或硬木圆片粘贴底部，使葫芦直立不倾，兼起加固保护作用。如栽切较多，切口中空，则圆片宜起小台，镶入切口，有如榫枘相接。倘蒂部突出不高，则不必裁切，而用厚托挖凹槽以承之。平托之制，悉视葫芦之造型而定。

二　肚　葫芦下半圆形部分为肚。蝈蝈、札嘴葫芦肚皆中空，油壶鲁等四种葫芦肚内垫土，通称"垫底"。底有二十至三十度斜坡，斜坡高处与腰之内壁相接。中心微凹，略如圆匙。底用三合土（黄土、白灰面、细沙）垫成。垫前须筛细并加水分，以捏之成团，搓之即散为度。如纯用三合土嫌底太重，可用粗草纸润湿后，捏成团垫入葫芦底，其上再垫三合土。垫底有特制工具，细木棍一端旋成马蹄形，名曰"压子"，用以按压三合土，使结实成形并砑押光洁。底干透后用孩儿茶（儿童用中成药）煎汁涮过，染成深褐色，宛如多年陈底。

三　腰　葫芦收束细小处为腰，在肚之上。腰之内部空间曰"膛眼"。蝈蝈有大小不同品种，故膛眼出入较大。大者可容四指，小者只容二指。札嘴葫芦如小型蝈蝈葫芦，膛眼约二指。油壶鲁葫芦膛眼一般为二指半，蛐蛐为一指半。梆儿头葫芦膛眼与蛐蛐同，只身材较高。金钟葫芦膛眼可容三指至四指，宽大以适其群居习性。

四　脖　自腰而上渐渐向外舒展部分为脖。葫芦之长脖者曰"雁脖"。

五　翻　自脖而上直到葫芦口曰"翻"，言其向外翻出。脖与翻皆贵在线条柔婉，即所谓"活脖活翻"。翻之大小须与肚相称，如小于肚，曰"亏翻"，如大于肚，曰"叉（音chǎ）翻"，皆不足取。肚、腰、翻三者比例适当，曰"三停匀称"，方是佳品。

六 口　葫芦上所镶之圆圈曰"口"，六种鸣虫葫芦均有之，用硬木、象牙、虬角等物质旋制，胶粘牢固。清至民初时期口扁而薄，有时有棱。本世纪三十年代以远，口尚肥厚，圆而无棱。故据口之状态可判断葫芦安口之时代。亏翻之葫芦可用口顺翻势向上接出，名曰"接翻"。

七 簧　蝈蝈、札嘴葫芦口内设铜丝盘成螺旋形装置，其名曰"簧"。有此，葫芦盖虽脱落，虫亦不致逸出，且可保护虫之长须（触角），不致因伸出盖孔而断折。或谓铜丝颤动，可以发音，纯属欺人之谈。油壶鲁等四种鸣虫葫芦无此装置。

八 瓢盖　亦惟蝈蝈、札嘴两种鸣虫葫芦有之。裁切大匏，锉成圆片，钻圆孔若干即成。制成后，染红色或紫色，本色者尤为朴雅。瓢质轻而松，有利发音，真正养虫家无不用此，其值甚微，却大有讲究。为使鸣虫发音达到最佳效果，须不断试用不同厚度、不同孔数（一般非五即七）、不同孔径及孔聚、孔散之瓢盖以求之。故一具葫芦往往备数块瓢盖。善试用不同瓢盖，能分辨音响之异并选用其效果最佳者，方是行家里手。而夸豪斗富，追求华美，用象牙作盖，甚至将油壶鲁葫芦之厚框子、高蒙心安装到蝈蝈葫芦之上，设非为卖与洋人，谋求高价，与好龙叶公何殊！

九　框　亦称框子，安在口上之圆圈，惟油壶鲁等四种鸣虫葫芦有之。用料厚薄之变化与口同。近年天津更流行特高之框，尤不足取。

十　蒙心　为使虫鸣声闻葫芦之外，框子之内镶嵌圆形镂空雕刻，名曰"蒙心"或"蒙子"。此饰件惟油壶鲁等四种鸣虫葫芦有之。蝈蝈、札嘴葫芦口上安瓢盖，不用框子，故无法安装蒙心。

蒙心用槟榔瓢、象牙、玳瑁、虬角、黄杨、硬木、玉石、翡翠等材料制成。

槟榔瓢乃北京养虫家通用名称，实即椰子壳。因椰子、槟榔树形相似，同属棕榈科，故有此名。所制蒙心，简称"瓢蒙心"或"瓢心"。常见者为深褐色，间有黄色者，曰"黄瓢心"。瓢蒙心受材料之限制，多为平片，或微微隆起。少数利用壳上突出之尖，雕出稍高之花纹。瓢蒙心一般用两片粘成，朝上一片文饰较繁，朝下一片，其名曰"屉"，只镂简单图案如胡椒眼、古老钱之类。屉之设为遮挡虫须伸出蒙心，以免伤损，并可防止油壶鲁啮伤蒙心。以下将述及之各种蒙心，大多数亦设屉。

象牙蒙心不受材料之限制，故有高有低，相去悬殊。平片者与瓢心同。稍高者平起如圆台，曰"平顶式"，穹然隆起者曰"馒头顶"。有高起一寸乃至两寸余者，曰"高蒙心"或"高牙心"。亦有物象周匝镂剔空透，又不使其脱落，故一触即动，名曰"动心子"或"动蒙心"。实例如晚清制刘海戏蟾蒙心。刘海立蟾背，两手握钱串，钱皆可旋转。蟾三足，滚滚海涛卷而过之，故人与蟾皆可活动。其刀工虽精，人物形象则殊庸俗。唐三藏取经活动高牙蒙心亦为同一时期之制品。牙蒙心有染绿者，通称"呛绿"。清宫内务府档案有时写成"茜绿"或"茜色"，不知何据[1]。实物如文三制染绿梅花纹牙蒙心。亦有绿白两色者，其制法为雕后通体染色，染成后，地子铲去一层，露出象牙本色，遂成白地绿文。亦有染红、染绿等多种颜色者。

　　玳瑁，即海龟甲，多为紫褐色。有浅色者，名曰"冰糖玳瑁"；有紫红色者，颇似琥珀；有深浅两色相间，可据颜色分布，设计花纹，巧制文图。清代玳瑁蒙心多为平片，本世纪初始出现高蒙心，乃将甲片加温，以模充顶成形后再施雕镂。其活动者以双龙、海八怪、十二蝠、十二鹤等为题材，名曰"两动"、"八动"、"十二动"。凡生物之翼、足、颈、尾，皆有云气或波涛环绕，镂镂空透，故皆可活动，轻摇之簌簌有声。据雕工言，玳瑁加温，柔韧不脆，故小形物象得另取零星材料雕后嵌入，并

------

[1] 按"茜"为茜草，乃红色染料，故象牙染红有"茜红"之称。后人不解，将茜作为动词，加于各种颜色之上，遂有"茜色"、"茜绿"等称。

非全仗镂刻，不知底蕴者每为所绐。亦有象牙蒙心嵌玳瑁雕饰者，或玳瑁蒙心嵌象牙雕饰者，乃失手伤损后，借此补救。故真正精制之蒙心，却是不动、不嵌、不镶者。此惟真识者知之，不足为浅人道也。

槟榔瓢、象牙、玳瑁三种物质为制蒙心主要材料，虬角以下几种物质制者比较罕见。玉石、翡翠等太重，根本不适宜作蒙心。好事而斗富者或不惜重金定制，不值养虫家一笑也。

制蒙心亦有名家，虽从不署名，识者亦能知其大略。最有名者为白二、文三、常连祖孙三代。白二所刻多瓢心或平面牙心。刀法简练，貌似粗糙，却见神采。实例如太狮少狮瓢蒙心。文三常刻象牙，用料厚于乃父，平顶者居多，刀法圆润精到，构图亦有法度。实例如龙凤纹牙蒙心。父子火画风格之差异，亦正是雕刻风格之差异。常连刻件兼用瓢、牙、玳瑁三种材料，至本世纪二十年代始专刻高玳瑁蒙心，穿枝过梗，叶叠花重，精细绝伦，仁义顺葫芦店诸工，难与抗衡，遗作有牧牛图瓢心及梅花纹、牵牛花纹等玳瑁心。北京沦陷后惜染海洛因恶疾，竟潦倒以终。

象牙高蒙心首推李润三。所谓"叫五子"乃其首创。鸡笼疏透，中伏一雌，翼下覆五雏，或探头，或紧偎，或半露，喔喔唧唧之声，仿佛相应。老友金疯子有所制圆雕月季花蒙心，高二寸，一花一蕾，一枝一叶，无不玉润珠圆，宛如涴露。在当时象牙雕刻艺人中，润三亦堪称高手。

象牙、玳瑁蒙心均有所谓"广做"者，雕制年代自清中期至民国初期，刀不藏锋，多见棱角。高牙蒙心中亦有广东制者。按粤中牙雕技艺甚高，颇疑葫芦蒙心出于一般工匠之手，故精美者不多见。

百数十年来除高牙蒙心变化不大外，其他蒙心之发展趋向可概括为直径由大变小，尺寸由矮转高，此与听鸣虫之"本叫"抑"粘药"有直接关系，将于《鸣虫之畜养》一章中言之。

高牙蒙心虽华美精细，陈置茶肆桌上，即有人围观，啧啧称赞，但只堪炫耀外行，实不足取。其弊有三：妨碍鸣虫发音一也，使葫芦头重脚轻，易于倾仄二也，葫芦套上之绦索稍不慎即与象牙雕刻纠结勾挂，极易伤损三也。何况雕刻艺术多不高，庸俗不耐观赏，即使有佳者，亦不过一件晚清牙雕而已。故真正养虫家宁可为上好葫芦耗资，不愿为高牙蒙心破费。论其价值，实不及白二之瓢，文三之牙，常连之玳瑁诸制也。

十一 套 葫芦有囊护之，其名曰"套"。套可用锦、缎等丝织品为之，其高约与葫芦口框相等。缘套口缀双层薄绸两片，细绦穿之，可抽紧挽结，以防蒙心及框子脱落。套墙有实纳者，针密如鱼子；有素缎绣花者，如用旧锦，尤为古雅。墙及底宜软硬适中，太软葫芦难以立稳，太硬不便入怀。套里及套口薄绸，大忌颜色鲜艳，水湿走色，沾染葫芦，悔之莫及。

三　秋山捉蝈蝈

冬日鸣虫，皆购自罐家，惟蝈蝈有取诸野生者。盖因蜕衣成虫（俗称"脱大壳"[音qiào]，此后始有翅而能鸣），早晚不齐，如得晚蜕者，饲养得法，可活至冬日。更以山中所生，身强体硕，力大声宏，远非人工"分"者所能及。故养虫家皆谓："要过瘾，只有山蝈蝈。"三十年代，管平湖先生过隆福寺，祥子出示西山大山青，其声雄厚松圆，是真所谓"叫顶"者。惜已苍老，肚上有伤斑，足亦残缺，明知不出五六日将死去，先生犹欣然以五元易归（当时洋白面每袋二元五角），笑谓左右曰："哪怕活五天，听一天花一块也值！"此时先生以鬻画给朝夕，实十分拮据。1955年与先生同就职中国音乐研究所，每夜听弹《广陵散》。余于灰峪捉得大草白，怀中方作响，先生连声称"好！好！好！"顺手拂几上琴曰："你听，好蝈蝈跟唐琴一弦散音一个味儿。"时先生已多年不畜虫，而未能忘情，有如是者！

野生蝈蝈有数种。南郊平原所产小而绿，花生地者尤青翠欲滴，老年妇女多钟爱。西北郊野亦处处有之，身稍大而色较深，曰"地秸子"，所值均不过数文。惟山蝈蝈索高价，问津者皆为此道中瘾君子。

　　西山蝈蝈曰"西大山"，著名产地近有灰峪、孟窝，远有代城峪、安子沟。东山所产曰"东大山"，东、西葫芦峪颇有名。北山以秦城牛蹄岭、上庄、下庄产者为佳。北京罐家及虫贩多于处暑前后由京郊或山东捉蛐蛐归来，至秋分业已售罄，再上山捉蝈蝈，寒露前后回城，此后专心"分"虫，不复外出矣。

　　养虫家绝少自捉自养者，捉蝈蝈之劳累不亚于"拉练"急行军，而余独好之，不以为苦。五十年代，灰峪、孟窝即有佳者，或当日往返，或寄宿军庄小店，次日回城。"十年浩劫"中，除非禁锢在"牛棚"，秋分、霜降间，晴朗之日，常在山中。生逢乱世，竟至国不成国，家不成家，无亲可认，无友可谈，无书可读，无事可做，能使忘忧者，惟有此耳。惜西山近处，由于污染，蝈蝈已稀少，且无佳者，不得不远往安子沟或牛蹄岭。当时每月领生活费二十五元，实无余资乘长途汽车，只有骑车跋涉。半夜起程，抵沟嘴或山麓，日初升，待入沟或越岭，已上三竿，而蝈蝈方振翅。午后三时即返回，入城已昏黑多时。骑车往返百数十里，入沟登山，往往手足并用，亦不下二三十里，迨至家门，臀腿早已麻木，几不知如何下车。巷口与邻翁相值，见我衣衫零落，狼狈不堪，笑谓："你真跟打败了的兵一样。"此语诚对我绝好之写照。私念得入山林，可暂不与面目狰狞、心术险恶之辈相见，岂不大佳。夜蜷铺板（床已被抄走），虽力尽精疲，亦未尝不默感上苍，于我独厚，使又得一日之清静也。

山村童竖捉蝈蝈，只用两指捏虫项，十得八九，瞠乎莫及。顾余所用具，亦殊简陋。罩子一把，线手套一只，席篓内纸盒数个而已。此外干馍五六团，清水一壶，可尽一日之游矣。

养虫家捉蝈蝈，要好不要多，得一二叫顶者，三五亮响，分赠同好，便不虚此行，自与虫贩多多益善有别。故涉涧穿峡，登坡越岭，一路行来，聒聒之声不断。待听有叫顶者始驻足侧耳，分辨传来方向，循声蹑足，渐趋渐近，直至所栖之丛木枝柯。山蝈蝈随时序而变颜色，与周围之草木多相似，虽近在咫尺，不闻其声，不知其所在。且性黠而动捷，或闻步履，半晌寂然，或窥人影，倏忽下坠，落入草中，疾驰遁去，不可踪迹。闻其声也佳，见其形也美，故逸去而志在必得，则只有就地蹲伏，耐心等待。有顷，始再作声，初仅三五响，短而促，或尚在近处，或已移往他许。此时仍不可少动，应俟其惊魂稍定，鸣声渐长，徐徐爬出草丛，又缘枝柯而上，攀登已稳，泰然振翅不停，始可看明方向位置，枝叶稠疏，相度如何接近，如何举罩相迎，方可攫捉。此时往往荆棘在前，芒刺亦所不顾，故血染衣袜，或归来灯下挑刺，皆不可免。捉时左手擎罩，右手戴手套，骤然掩之，受惊一蹿，正入罩中，此时我与蝈蝈，皆怦怦心动，只一喜一惊，大不相同耳。倘袭而不中，又落草中，只有再等待，而所需时间，必倍于前。倘天色有变，浮云蔽空，则更不知将等到何时。因惟有阳光照射，蝈蝈方肯振翅。余尝于某周末在秦城大山包阴坡喜遇叫顸大山青，三捉三逸而日已西趋。次晨须出勤，竟不惜请假一日，终为我得。

以上云云，尚属山坡岭背，有径可通者。如蝈蝈绝佳，又高在峭壁危崖，则只有腰围绳索，一头在树石上系牢，始敢探身攫捉，此又非手脚矫健、捷如猿猴者不能为。当年刁元儿、陆鸿禧皆以善捉他人所不敢捉者闻名。尝见渠等在东西庙，游人正多，手托蝈蝈，大声宣讲虫声之优异，山形之险恶，攫捉之艰难，不禁唾花横溅，色舞眉飞。以此招徕主顾，夸诩侪辈。

京郊诸山，安子沟最险，蝈蝈最大。由潭柘寺折向西南，迎面高起者为松树岭。越而过之，健者亦须半日。又五六里，抵代城峪，下坡再三里，入安子沟。沟长三十里，陡坡峭壁，聒聒之声不断。此为五十年前光景。"文革"中，骑车前往，岭下凿山洞，公路已通，飞车而过。

交通虽便，但沟中蝈蝈稀而小，大不如前。迨1973年干校归来，汽车直达代城峪，而入沟一二十里，只闻两三蝈蝈声，败兴而返。山村人言，果树皆施农药，生态破坏，殃及蝈蝈。至于京郊平原，"地秸子"更早已绝灭。当年朱六爷、管平湖大葫芦叫大蝈蝈，其声嗡嗡然，已成陈迹，只堪缅然追忆矣。

四　育虫与选虫

《汉书·召信臣传》："太官园种冬生葱韭菜茹，覆以屋庑，昼夜燃蕴火，待温气乃生。"[1] 此为我国用温室培植冬日蔬菜之较早记载。以同法育虫，使喧唧于夏秋者，破严冬之沉寂，始于何时，有待考证，但至迟明末已有从事培育者。刘侗《帝京景物略》称："促织感秋而生，其音商，其性胜，秋尽则尽。今都人能种之，留其鸣深冬。其法土于盆，养之，虫生子土中，入冬以其土置暖炕，日水洒绵覆之，伏五六日，土蠕蠕动，又伏七八日，子出白如蛆然。置子蔬叶，仍洒覆之，足翅成，渐以黑，匝月则

---

[1] 班固：《汉书》卷八十九，《列传》第五十九《召信臣传》，上海古籍出版社 1986 年《二十五史》本。

鸣，鸣细于秋，入春反僵也。"

培育鸣虫，京中称之曰"分"（音fèn），专业者用直腔瓦罐作工具，故曰"罐家"，三四百年来其法无大异，今不妨更言其详。

蝈蝈、札嘴与油壶鲁、蛐蛐等习性不同，故"分"法亦分别言之。

蝈蝈及驹子（蝈蝈之雌者曰"驹子"，背上无翅，尾有长枪，可能状似马驹，故有此名），山中捉归，置大罐或篓子中，底垫土层，使生子于内。筛土取子，似米粒而细长，植入浅盆（俗称瓦浅儿）沙中，置温室炕上，不时水洒日晒，促其生长。惟自秋徂冬，为时过短，即使催育，破卵后尚须蜕衣（术语曰"脱壳"）七次，方能成虫，故最快已是来春三、四月间，早逾冬日养虫季节。罐家验知催育不可行，改为推迟，使本当来春破卵出土者，推迟至八、九月间，于是成虫恰好在初冬，此罐家所谓"压子"法。故冬日上市之蝈蝈，乃出自去年所生之卵，甚至有出自前年或更早所生者。

蝈蝈卵呈绿色，经培育，由细而粗，迎日照之，可见两黑点自一端生向另端，此为蝈蝈之双目。待达彼端，名曰"封顶"，而破卵将出矣。育者每据双目之高低，预测破卵之时日，决定温湿度之增减。总之，罐家日夜以求者，乃使蝈蝈成虫于初冬，非如此不能利市十倍。而不早不迟，恰如人意，端在温、湿度调节与控制。

　　蝈蝈蜕第三壳，已可分辨其性别，雌者被淘汰，雄者放入小瓦罐或花盆中，每器一头，上蒙冷布，饲以羊肝豆泥。待蜕五六壳，器内架秫秸两段，横直各一，供其栖止。蜕大壳（第七壳）多在夜间，六足抱秫秆，窍自背脊裂开，倒悬而蜕。此时须张灯看守，精心护理。因初蜕出，孱弱无力，倘失足跌落，难免腿弯翅卷，蜕成畸形，前功尽弃矣。蝈蝈每蜕一壳，必须将蜕下之衣，趁未干时食尽，通称"吃壳"，最后一壳尤为重要，否则数日内必死去，通称"落（音là）"。死后身软如泥，因赖以支撑身躯之物质，竟在蜕下之衣中。此则札嘴、油壶鲁、蛐蛐等鸣虫皆然，不仅蝈蝈一种。

　　近年天津有人创大棚分蝈蝈法，温室内播麦黍，秧瓜豆，任其自行觅食，自由生长。虽突破陈规，获得成功，可节省人力，大量培育，惟成虫体小，与旧法培育者相去颇远。

　　札嘴分法与蝈蝈同，惟雌雄成虫均须从山东捉来生子。当年常有贩虫者至京，沿街叫卖，而将成对札嘴送往罐家，供生子繁孳。

　　同为分蝈蝈，优劣大有等差。相虫者要求翅宽而长，或虽不太宽而甚长，曰"筒子膀"；翅贵厚，翅上有筋，筋贵粗；盖膀近项处有沟，沟贵深；两翅交搭贵严，不严者曰"喝风"，不足取；两翅至尖贵高耸，低而贴在肚上曰"叭拉膀"，不足取；身贵大，尤贵头大，因头大身自大。蝈蝈初脱壳，肚收缩未下，但观其头，即可知其下肚后身之大小。

油壶鲁、蛐蛐等四类鸣虫，皆分别生子瓦罐土层中，因太细小，不复筛土另植，是为"子罐"。上炕水润后，破卵出土，密如游蚁，人口嘘气吹入另罐。罐内土层上叠放榆树皮，片片交搭，凡四五层。上铺白菜叶，调玉米面煮成糜粥，敷叶上饲之。菜叶每日一换，榆树皮两三日洗刷一次，是为养罐。三四壳时，油壶鲁色黑如墨，只腰间有白线一匝。蛐蛐色较浅，脱大壳后始转深，故有"黑虫"与"白虫"之称。此时已可用鸡翎拂之入瓷盏，将雌者汰去。至五六壳，择其大者，集中一罐，加食喂养，待其脱大壳，是为"脱罐"，又称"起罐"，言将从此起出成虫也。自出卵至成虫，约七日脱一壳，共需五十日。其中除梆儿头养者不多，所需甚少，每附生于蛐蛐罐中，余皆分罐培育，不使羼混。

油壶鲁、蛐蛐生子后即催育，成虫亦常恨太迟，而压子又难压至次秋，于是罐家又创"倒子"之法。即当年之子，使提前在今冬或明春成虫，再用其子孵化，据其出卵之迟速，决定倒一次或两次，总之，务求其成虫恰好在初冬，故曰"倒子"。其理易晓，法亦易行，但老罐家告我清末民初，知"倒子"者不多，尚属不传之秘，仅少数罐家年年以此获利，其后则广为人知矣。

大罐家多辟专室，筑暖炕，大罐小盎，高叠过人。室内灯火通明，热蒸如浴室，赤背短裤，操作达旦。未晓，行贩已围坐外室，帘开送虫出，每人取数十头而去，名曰"发货"。其最佳者，早已装入小瓷缸，罐家将亲自持送特殊主顾。次佳者则在茶馆出售。特殊主顾者，每年供给煤火之资，而青黄不接时，亦不免登门求贷。二三十年代，罐家甚多，四面陈、长腿王在前，继有赵子臣、润瘤子、杨永顺、小祥子、小梁子、怯郭、小寇、王更子、戴八等不下数十户，已不能尽忆矣。

虫以翅鸣，故贵贱等差，除身大胜于身小外，悉视其翅为稀有抑寻常而定。其中尤以油壶鲁之佳者价值最高。所谓稀有乃指两翅生长异常，不知者将误以为另一品种。最难得者曰"大翅"，后端宽而长，覆盖其身。曰"尖翅"，长若大翅而宽略逊。曰"长衣子"或"长膀子"，宽长皆不及大翅，但仍超过常虫。以上均千虫万虫，难有一二，故罐家统称之曰"邪相儿"。以下则为"好膀儿"，实指一般油壶鲁之佳者。复次则为寻常之虫，名曰"笨油壶鲁"（彩图19～21）。

大翅、尖翅等虽非畸形，亦属变体，故难免有翅动而不发声，或发声而不悦耳。但亦确有鸣声雄而宏，恍若黄钟大吕，不同凡响，其可贵正在此。据余所知，三十年代赵子臣曾以一大翅所得，易麦穗羊裘一袭，其身价可知。惟罐家送呈特殊主顾，多在油壶鲁初蜕壳，尚不能鼓翅之时，此后是否一鸣惊人，抑徒有其表，尚难肯定。一旦知为弃材，罐家从不归还所得，不过相见时跪腿请安，说一声"某某爷，下回补付您"而已。

"大翅"、"尖翅"实非我辈力所能及，罐家亦不出以相示，而好膀儿及笨油壶鲁中自有鸣声甚佳者。

选油壶鲁贵在身大、翅宽而头小。色贵青（黑色）或紫，黄者多因脱壳时过热所致，名曰"顶火"，其翅透明而薄。翅贵长而宽，翅筋贵粗而突起。两翅交搭贵严，以利相擦发音。不严者曰"落（音là）膀"，罕有佳者。飞子（翅下两片色较浅之翼，可借此飞行）贵在合成一线，伸出翅外，曰"线飞子"。粗糙不齐者曰"烂飞子"，不为人喜。

选蛐蛐法与上同，亦有大翅、尖翅、长衣子等，价格不及油壶鲁之半。梆头儿、金钟甚少有翅大异常者，一般只以大小论优劣。

五　鸣虫之畜养

霜降前后，已凉未寒，罐家榆树皮下已有脱大壳者，此后成虫日多，渐入分虫旺季。养虫家似有无形之手搔其心曲，竟不耐家中坐，巡庙市，诣罐家，冀有所得。秋声不感人于秋而感于冬，畜虫之癖使然也。

油壶鲁、蛐蛐壳初蜕，色苍白，随食壳而转黑，此时慎勿受寒，入葫芦而纳于怀，温而不燥，于虫最适。第衣衫内外，冷暖不齐，蝈蝈、札嘴宜在贴身最暖处，油壶鲁次之，蛐蛐、金钟又次之。当年不论御长袍或短袄，皆右衽，以带束腰，围身皆可揣葫芦。养虫家怀中不过三五具，多则两肋不适，气迫难舒。罐家则有揣至前胸突出，后背如驼者。

养虫家多备圆笼、汤壶、毡棉裹之，周匝安放葫芦及山罐（有釉小陶罐，薄铁为盖，底垫土，可养油壶鲁、蛐蛐等四种鸣虫），每日晨昏或一昼夜换沸汤一次。此为"蹲虫"之具。"蹲"者谓暂置于此，俟其振翅发声，再选其佳者入怀。

初蜕虫不能鸣，旬日后方振翅，半晌一二声，名曰"拉膀"。又旬日，连续而渐长，曰"连膀儿"，选虫斯其时。顾一二十虫在一笼，鸣声此歇彼起，不知入选者究在何许。予每坐圆笼旁，卷长纸筒凑近葫芦，侧耳寻之。老妻笑我嬉戏如顽童而静肃又若老衲，拈笔速写如图（图4），并以"听秋"名之。

为使虫鸣，亦另有法。选兔须之长而有锋者一茎，用蜡粘于长针针鼻一端，名曰"鞭儿"。两指捻针，针转须动，须锋拂虫身，虫以为雌来相亲，或雄来进犯，遂振翅而鸣。借此亦得知虫之翅力及音响。惟其声或柔或急，与其平时鸣声不尽相同耳。

4 王世襄听秋图（袁荃猷速写）

连膀后之四五十日，其鸣最佳，此后声渐小而嘶，曰"落（音lào）调"。迨其将死，又默不作声矣。

油壶鲁、蛐蛐等鸣于夜，如不嫌其扰人清梦，则不妨听其自然。若欲以虫会友，鸣之于茶肆，则惟有夜晚降温，使其噤声。如是数日，方能颠倒其习性，鸣于白昼。

蝈蝈、札嘴乃日间鸣虫，以其聒耳，只养一两头，亦可入圆笼，惟在怀时为多。犹忆就读燕京大学，邓文如先生在穆楼授《中国通史》，某日椅近前排，室暖而日暄，怀中蝈蝈声大作，屡触之不止。先生怒，叱曰："你给我出去！是听我讲课，还是听你蝈蝈叫！"只得赧然退出。同学皆掩口而笑。此后谒先生，未再受呵责。两年后季终命题《论贰臣传》，呈卷竟予满分。盖先生未尝以学生之不恭而以为终不可恕也。

饲养油壶鲁、蛐蛐等，每日用水或茶洗涮葫芦一次。白菜嫩帮切成小块，约三四分见方，厚分许，豌豆面调水成泥，抹其上，镊子夹入葫芦饲之。有菜垫底，可保持葫芦清洁。蝈蝈、札嘴则须放出葫芦，将豆泥送到嘴下饲之，曰"捅着喂"。尤喜食活虫，玉米秧、苇子秆中剥出者为佳。

欣赏虫鸣，分"本叫"与"粘药"（亦称"点药"）两种。本叫乃天然鸣声，粘药则点药翅上，变其音响。所谓"药"，乃用松香、柏油（或白皮松树脂）、黄蜡加朱砂熬成，色鲜红，近似缄封信函之火漆，遇热即融，凉又凝固而酥脆。虫连膀约半月，翅干透，音亦定型，始可用药点之。

粘药之目的在借异物之着翅以降低其振动频率，于是虫声之本高者，低矣；尖者，团矣。能使一般之虫声预而沉，恍若大翅、尖翅。当然，大翅、尖翅之佳者，自非粘药之虫所能及，至多差似而已。

粘药不知始于何时，其设想之巧妙，非殚精竭智不能得，而方法之符合声学原理，又不禁使人惊叹。相传清末宫中内监悬蝈蝈笼于松树下，一日忽闻鸣声大变，苍老悦耳。谛视之，乃松脂滴虫翅上。自此悟出蝈蝈点药法。行之有年，始施之于油壶鲁、蛐蛐。其广泛流行则在本世纪二三十年代。

蝈蝈粘药须先冻之使半僵，以迟缓其行动。左手中、无名、小三指托手帕，置虫于上，如是方不为所噬，拇指与手帕下之中指相抵，捏住蝈蝈之后腿，食指横按虫项，如是可妨其挣脱。粘药由右手操作。长针一根，蜡烛一枝，药在瓷碟中碾碎备用。右手拈针，在烛焰上一过，以针尖挑碟中药屑，药融附着针尖。针腰再就烛增温，急速直立，使融化之药顺针尖流下，点在蝈蝈上翅右上侧，药落下即凝固，似粟米而大，宛若小红珠镶在翅上，此为"盖药"（彩图22）。改变左手手腕角度，稍向外转，亮出蝈蝈底膀之背面，如前再用针将药点在底膀背面透明圆膜（名曰"镜儿"）上部之膀筋分岔处（名曰"三岔"），此为"底药"。至此蝈蝈粘药便告完成。

油壶鲁、蛐蛐粘药，方法与蝈蝈略同。惟虫小而弱，故难度较大。粘时不须垫手帕，用食、拇两指捏住两大腿下截（必须同时捏住两腿，如只捏其一，虫用力挣扎，腿即脱落），将药点在上翅右上角第三道膀筋之中部，此为"盖药"（彩图23）。粘底药则取细铜丝弯成支架，状似阿拉伯数字之"7"，名曰"支子"，用右手支起虫之底膀。支起后，支子交由左手食、拇两指，与虫腿同时捏住，以便腾出右手，将底药点在底膀背面左上角。

粘药之动作，只须眼明手捷，便可胜任，故不难。难在对虫之观察与理解。因天生鸣虫，并不尽同，其上下两翅（盖膀与底膀）虽大都力量相等，亦有上大于下者，下大于上者，其粘法皆不同。上下力量相等者，一般盖药大于底药；上大于下者，则只粘盖药，不粘底药；下大于上者，则底药大于盖药。故必须对虫之膀力有充分理解，始能粘好。惟充分理解，往往经几次粘药失败后始能获得。

其更难者为如何用已有之葫芦，粘已入选之虫，使鸣声达到最佳效果。盖虫与葫芦及虫之粘法，三者存在十分密切之有机联系，而必须有全盘之考虑。善粘虫者量材粘虫，量虫选器，务使虫尽其材，器尽其用。经多日之观察思考，几次之对烛拈针，果然按拟定之方法粘此虫，入此器，一一获得成功。携入茶肆，妙音溢出，四座为惊，斯时粘者之乐可知，而其难亦不言而喻矣。

为求得最佳效果，自难一举而得，故粘蝈蝈有"甩药"法，粘油壶鲁、蛐蛐有"续药"、"撤药"法。所谓"甩药"乃当蝈蝈既粘之后，发现膀力尚可胜更多之药，于是在已有之药旁再点小药一处或数处。在此过程中，并试用五孔、七孔、孔聚、孔散不同瓢盖，比较何者为佳。

所谓"续药"，乃指油壶鲁、蛐蛐之膀力尚可胜更多之药，于是在已粘之药上再增少许。"撤药"乃指虫之膀力不胜已粘之药，只得用热针吸去少许。以上之加减损益，均要求准确无差，减少反复，否则可怜虫将不胜人之蹂躏，此难之又难也。

予幼年畜虫，只知听本叫。后学粘药，性急不耐续药、撤药。且压颈捏足，虫之大厄，心实悯之，故终不能善其事。七十以后，目昏手战，虽欲粘药亦不可能，故频年所畜又尽是本叫。但求冬夜不寂寞，有曲为我催眠，高、低、尖、团，既均为天籁，岂不应一视同仁，而转觉粘药为多事矣。

养虫家性情习惯，各不相同。有斗室垂帘，夜床欹枕，独自欣赏者。有一年四季，每日到茶肆，与老友纵谈古今天下事，冬日虽携虫来，其鸣声如何实不甚介意者。有既爱己之虫，亦爱人之虫，如有求教，不论童叟，皆竭诚相告，应如何养，如何粘，虽百问而不烦者。更有无好虫则足不出户，有好虫始光顾茶馆，不仅听人之虫，且泥人听己之虫，必己虫胜人虫，始面有喜色而怡然自得者。当年如隆福寺街之富友轩，大沟巷之至友轩，盐店大院之宝和轩，义㦗大院之三和堂，花儿市之万历园，白塔寺内之喇嘛茶馆，皆养虫家、罐家聚会之所。如到稍迟，掀帘入门，顿觉虫声盈耳。其中部茶座，四面围踞者，均为叫虫而来。解衣入座，店伙送壶至，洗杯瀹茗后，自怀中取出葫芦置面前，盖先至者已将葫芦摆满桌面。老于此道者葫芦初放稳，虫已鼓翅，不疾不徐，声声入耳，可知火候恰到好处。有顷，鸣稍缓，更入怀以煦之。待取出，又鸣如初。如是数遭，直至散去。盖人之冷暖与虫之冷暖，已化为一，可谓真正之人与虫化。庄周化蝶，不过栩栩一梦，岂能专美于前耶!

茶馆叫虫，三冬皆盛，均在白日，惟正月十三至元宵，特为开夜市三夕，名曰"叫灯"。与会者不惜以最佳葫芦贮最佳之虫，俗称"亮家伙，比玩意儿"，实有评比竞赛之意。养虫家于此盛会，倘有观者瞩目，里手垂青，将以为有始有终，未虚度一岁，且兆来年畜虫大吉。故颇有一两月前即物色佳虫，专备叫灯之用者。元宵过后，天渐转暖而虫事阑珊矣。

鸣虫畜养，略如上述，养虫人物，亦不可不记。

养蝈蝈高手，首推朱六，能使管平湖心折者惟此翁耳。人尊称朱六爷，名与字反不为人知。每年深秋至初冬，必有极佳蝈蝈，响彻京华茶肆。所养多为西山大山青，东山大草白。葫芦一大一小，蝈蝈皆叫顶，大者雄而沉，小者宏而亮，互唱如对答，人或称之曰"阴阳音"。粘药并不大，竟有不粘药者，甚至凭蝈蝈外貌，不信能有如此妙音者。故金谓六爷相虫，别具只眼，有独到之处。

5 管平湖先生小影

其最钟爱之葫芦乃其大者，松脖本长，色泽紫红，花脐一侧有小蛀孔鼎足而三为记，后竟为予所得。惟此后数十年，竟无一虫能发音如当年者。蝈蝈因污染退化，固可为我解嘲，但北京语云："有千里马，还须有千里人！"朱翁诚不可及也。

古琴国手管平湖（图5），博艺多能，鸣虫粘药，冠绝当时，至今仍为人乐道。麻杨罐中喜出大翅油壶鲁，其翅之宽与长，数十年不一见。初售得善价，旋因翅动而不出声被退还。平湖先生闻讯至，探以兔髭，两翅颤动如拱揖状。先生曰："得之矣！"遂市之而归。不数日，茶馆叫虫，忽有异音如串铃沉雄，忽隆隆自先生葫芦中出，四座惊起，争问何处得此佳虫。先生曰："此麻杨的'倒拨子'耳！"（售出之虫因不佳而退还曰"倒拨子"）众更惊异，竞求回天之术。先生出示大翅，一珠盖药竟点在近翅尖处，此养虫家以为绝对不许可者。先生进而解答曰："观虫两翅虽能立起，但中有空隙，各不相涉，安能出音！点药翅尖，取俗谓'千斤不压梢'之意，压盖膀而低之，使两翅贴着摩擦，自然有声矣。"众皆叹服。先生畜虫，巧法奇招出人意想者尚多，此其一耳。

讷翁绍先，身材雄伟，白皙无须，乃铜锤名净，享盛名远在裘桂仙、金少山前。喜养蛐蛐，出怀置桌上，即琅琅有声。随身必带小葫芦，内贮雌虫三尾，名曰"三尾筒"。到茶馆后，先用雌触其雄，须一交搭即起出，于是蛐蛐长鸣不已。人称此老讷叫蛐蛐法。黄鸟赵，一温醇长者，瘦小有须，出必长袍马褂，提黄鸟相随，故得此名。养蛐蛐从不带三尾，亦出怀即鸣，声缓而长，有秋残凄楚之意，格外动人。人称此黄鸟赵叫蛐蛐法。二老皆养虫耆宿，而手法迥异，可见畜虫虽小道，亦不妨凭各自之经验体会，采用不同方法，达到相同之目的。或有论者，以为赵翁全凭人体温暖将养调节，使虫悠然长鸣。而老讷须求助于三尾，引逗出求偶之音，故赵翁实高出一筹云。

金某，号仲三，但无人不称其"金疯子"。喜放风筝及畜虫，性执拗而好胜，年老犹气盛，凡事不甘居人下。茶馆有人粘得佳虫，必思粘一更佳者，移座相就，与之较量。较而不胜，则白日巡游庙市，出入罐家。夜间燃烛拈针，重粘已粘之虫。于是翅上之药，续而撤，撤而续，所有葫芦，一一试过，兔须鞭儿，一捻再捻，不知东方之既白。故日日夜夜，竟无宁刻。人问："岂不以为苦？"笑而答曰："不冤不乐！"以是人称之曰"金疯子"。

"不冤不乐"，北京俚俗语，却合乎辩证，富有哲理。大凡天下事，必有冤始有乐。历尽艰辛，人人笑其冤之过程，亦即心花怒放，欢喜无状，感受最高享乐之过程。倘得来容易，俯拾即是，又有何乐可言！揆以此理，吾之捉虫养虫固冤，铁鞋踏破，走遍鬼市冷摊，搜求葫芦，乃至削木制模，开畦手植则更冤。以望八之年，骑两轮车，出入图书馆及师友之门，查阅图书，求教问字，乞借实物，拍摄照片，归则夜以继日，草写此稿，衬纸复写，力透四层，头为之眩，目为之昏，指为之痛，岂不冤之又冤。但驱吾使然而终不悔者，实因无往而不有乐在。故吾以"不冤不乐"终吾篇。

本篇为拙作《说葫芦》一书下卷的文字部分

獯狗篇

"貛"（图1），或写作"獾"，似狗而矮，有利齿锐爪，穴居，昼伏夜出，食农作物，是一种害兽。貛油可治烫伤，皮可作褥子，肉古代认为是美味（《吕氏春秋·本味》"肉之美者，猩猩之唇，貛貛之炙"）。不过我曾尝过，并不好吃。

经过训练，用以猎貛的狗曰"貛狗"。养狗猎貛是清代北京社会中下层，尤其是八旗子弟中摔跤习武以及游手好闲之辈的一种癖好，目的纯为娱乐而不为猎取皮肉，故远出郊野，夤夜猎貛，称曰"逛貛"，无异说这是一种玩乐享受或体育活动。此风一直延续到本世纪二三十年代。

本篇包括两个内容：甲章　貛狗谱；乙章　训狗与逛貛。参阅二者，可对绝迹已逾半个世纪的北京这一习俗癖好，有一个基本了解。

1 貛

甲章　獾狗谱

獾狗要求壮硕勇猛，必须经过严格的挑选。在积累了多年的相狗经验后，有人总结出一套顺口溜，名曰《獾狗谱》，又曰《相狗经》，流传在养狗家们口中。五六十年前，有不少人能背上几句，而以荣三记得最多，背得最全。荣三是本世纪初著名养狗家胖小荣的三弟，京剧艺术家四大名旦之一程砚秋的三叔。他一生耽鹰爱狗入骨髓，豢养技艺，堪称双绝。精于相狗，与白纸坊的聋李四齐名，有北荣南李之称。

我十七八岁时学摔跤，拜善扑营头等布库（满语，或写作“扑户”、“扑护”）瑞五爷、乌二衮为师。受他们的影响，开始遛獾狗、架大鹰，并结识了不少位养狗家如小崇、亮王、王老根、大马把、聋李四、菜胡、白把等，而和荣三过从尤密。为了学习相狗，请荣三口授，把《獾狗谱》笔录下来。后又请其他几位背诵，把荣三口授所无的及字句有出入的记了下来。合在一起，在分段上稍作整理。经过记录，我也琅琅上口，能背上几段。

时过境迁，我不再养獾狗，手录《獾狗谱》遂束诸高阁，其中字句也渐渐淡漠了。

“文革”洗劫，家徒四壁，《獾狗谱》不知去向，亦不复忆及。不料去年打开最后领回被抄的烂纸捆，此谱竟在。睽违一甲子，见此蠹余，恍如隔世。一时兴起，拈笔重抄。随后又想到局外人未必能读懂，故增添了不少解说，成了下面的样子：凡用楷体分行写，行首空两格的是原谱，不分行连着写的是我的解说。

獾狗有谱自古传，

"自古传"，古到何时，颇难稽考，因有关獾狗的文献记载尚待发现。据荣三说清兵入关后就有人养獾狗，狗谱也已传了多少代了。但他未能说出具体的时间。

六十年前曾见道、咸间（1821～1861）民间画工所绘逛獾出围图、摔跤图成对横幅，乃一手所作。画中摔跤人物即牵狗人物。可见布库喜养獾狗是时已然，故遗风至清末不替。但两幅画只能说明养獾狗在1840年前后是流行的。

安在狗绊上的铁转环，天圆地方磨盘式，佳者密不间发，錾刻龙头，传为造办处制。从金工工艺及龙头造型来看，当不晚于乾隆，可作为清中期养獾狗之证。

狗谱有清文"希里哈"一语（详后）。据说雍、乾之际八旗子弟已渐汉化，日常生活中很少用满语。若然，则谱中某些字句可能为清前期人所作。

谱中字句文雅俚俗颇不一致，当由多人增续而成。昔年曾访求，未见亦未闻有刻本或写本，看来是以歌诀的形式流传在养狗家口中的。百数十年间，究竟有多少人参加过创作？一共创作了多少句？恐怕和其准确年代一样，都无法得到具体的答案。

> 如何挑选听我言。
>
> （一作：愿上贼船听我言。）

北京对沾染上某一种癖好曰"上贼船"。尤指必然要耗费时间、精力、钱财的癖好。它还是一个双关语，带有坦白承认的味道。因为獾狗绝大多数是偷来的。只有极少数因找到关系密切的人肯为说项，或因偷而未成，才转而请客送礼，用所谓"寻"的方法请求赠给。

> 后腿有撩（儿）名叫犬，
>
> 撩儿不去惹人嫌。

养狗家对狗和犬的定义是：十八个脚趾的为狗，二十个脚趾的为犬。犬在后腿上比狗多两个不着地的脚趾，名曰"后撩儿"。切勿小看狗谱的作者，以为赳赳武夫，不识字知书。他对狗与犬的定义和《说文解字》完全相符。《说文第十》写得明白："犬，狗之有县（悬）蹄者也。"两个后撩儿就是不着地的悬蹄。

獾狗养家既然养的是狗，自然绝对不能要犬。否则会遭人耻笑，被人问一声："您养的是狗还是犬？"将无言以对。因此遇到可以入选的犬，必须把两个后撩儿剪去，或用老弦勒扎，血脉不通，坏死后自行脱落。这样也可以消除一个隐患，奔跑时不会因两个后撩儿兜碰而流血。上述手术容易做，去掉后也不会留痕迹。

以上四句可谓是开宗明义，为狗正名。

先相狗神后相形，

行动坐卧看分明。

此两句及以下六句皆所谓"相神"，即在相形之前先仔细观察它在行动坐卧中所表现出来的神态，看够不够入选为獾狗的条件，颇有九方皋相马，"识之于牝牡骊黄之外"的味道。

毛里毛糙缺心眼（儿），

稳中有巧智多星。

狗的确和人一样，有的毛手毛脚，勇而无谋。有的稳健善斗，以巧胜敌。其品质性情在训练和咬獾的过程中都会明显地表现出来，而善相者观察狗平时的行动坐卧已能

窥见端倪。乙章中的《遛与蹲》、《勤瞧懒逛》亦有所
述及。

> 春秋争槽时机好，
> 一招一式看得清。
> 掐架不能占魁首，
> 日后咬獾也无能。

獾狗从来要公不要母。荣三告我光绪间有名德子者，
养一黑色母狗，健而剽悍，咬獾不让雄者。从此他赢得了
一个绰号 ——"母狗德子"。德子每欲与人结伴出围，屡
遭谢绝。人曰"我们只咬獾，不配狗"。一时传为笑柄。

养狗家称母狗曰"槽"。农历二、八月发情期，雄狗
逐雌，曰"跑槽子"。雄狗相争，曰"争槽"。此时正好
观察雄狗是否善于掐架，故曰"时机好"。"掐架"，北京
俗语，即打架或咬架，如谓"两个蛐蛐掐架"。狗善掐架
者必善咬獾。

以上八句讲相神。

> 头号狗长三尺六，
> 二号狗长三尺三，
> 三号狗小别小看，

长得筋豆也咬獾。

南城菜胡养黑狗，小于三号，赢得"獾虼蚤"美名，言其像虼蚤一样，獾无法将它摆脱掉。小狗咬獾，必须长得筋豆。"筋豆"，北京俗语，一般指食物强韧耐咀嚼，例如说"这碗面吃起来很筋豆"（见《国语辞典》页1912）。此处用来形容狗的短小精悍，并有禁得起磕碰、挫折之意。

> 选狗选头最要紧，
>
> 好比相面看五官。
>
> 筒子头长似柳罐，
>
> 牛头舒展脑门宽。
>
> 又长又宽除非画，
>
> 百里挑一难上难！
>
> （一作：千里挑一难上难！）

狗头贵大。头大不仅勇猛，而且威武好看。头大不外乎长和宽。晋傅玄《走狗赋》"丰颅促耳，长又缓口"，实际上在赞扬头之又大又长。养家称长者曰"筒子头"，谓其像柳罐。柳罐有两种。一种径大而圆，用于大口井。一种径小而长，用于小口井。此处指后者。

细腰吊肚大前胸，

此语与傅玄《走狗赋》"修颈阔腋，广前捎后"正合。

与上语相通的有北京形容习武者的一句话："细腰扎背"，即腰细而肩阔。体格得之天生，来自锻炼，亦与年龄有关。人到中年，腹肌松弛。狗到四五龄，体形亦发生变化，失去其初长成时的英姿，即使有种种可取之处，年龄一过就不堪入选了。

尾巴摇摆一条鞭。

赶上砸腰螺丝转，

抖开骨节也冲（chòng）天。

要命就怕压根（儿）压，

没辙难倒活神仙。

（一作：没辙愁死活神仙。）

为了美观、边式，狗尾巴要求直而稍稍有弯，高高矗起，活动自如，大忌僵直，故曰"摇摆一条鞭"。傅玄《走狗赋》有"尾如腾蛇"一语，形容绝妙，可见自古对狗尾巴就有高而活的要求。养狗家还有"两头翘"的说法，亦可写作"两头俏"。一头指狗头，一头指狗尾，可见尾巴的重要。另外还不要尾巴有虚尖。故总是把末一节剪去，结顶形成一个钝尖。

有的尾巴搭在狗背上，名曰“砸腰”。有的卷成圈，名曰“螺丝转”，都不合格。如狗堪入选，只是尾巴长得不好，则须请老行家来治理。其法是将尾巴的骨节撅一下，并把筋抽去，术语叫“抖搂开，捋直了”。要撅哪几节，使多大劲，须根据具体情况来制定手术方案，其中大有学问。成功的手术尾巴长好了直而不僵，即所谓“也冲天”。失败的手术不是因撅过了头以致虽直而僵，便是撅得不够以致依旧砸腰或卷转。老行家不愧是一位獾狗整容师。局外人可能想不到为了治理一条狗尾巴，事前要请客送礼，事后要登门叩谢。

无可救药的是狗尾巴被人去得太短了，甚至齐根剁去，即所谓“压根儿压”（“压”读yà）。尾断不能复生，也无法嫁接，故曰“没辙难倒活神仙”。记得1935年前后，王府井八面槽一家羊肉床子养了一条大狼青，长成足够头号，柳罐头，真是长绝了。一时在养狗家中传开，都要到八面槽来看看。可惜大青狗尾巴只有两寸来长，太秃了。行家们围着狗转，为之扼腕，为之跺脚，不禁说：“太损了，怎么剁得那么苦，哪怕给留一拃（“拃”读zhǎ，即张开手，拇指尖到中指尖的距离，接近20厘米）也好！”因为一拃刚够“棒槌尾儿”（“尾”读yǐ），是养狗家对尾巴的最低要求。狗主人羊肉床子掌柜的说不定正在一旁暗笑，心里说:"要不是我给剁短了,早被你们偷走了!"

> 两眼掉坑筷子戳,
>
> 眼角瘀肉似血鲜。
>
> 泡子眼珠耽误事,
>
> 嘴滑不咬尿又奸。

獾狗眼睛要求深陷小而圆,养狗家用"筷子戳似的"来形容它。眼角积肉,色红而厚,名曰"瘀肉",也是性情刁狠的特征。哈叭狗以眼大努出者为贵,獾狗恰好相反。"嘴滑"亦称"滑口",一咬就撒嘴,是胆怯怕受伤的表现,故曰"尿"(读sóng,害怕、懦弱之意,见《国语辞典》页3734)。"奸"有偷懒、惜力之意。

某年城北李某得黄狗,外貌雄伟,但为泡子眼。荣三断定为弃材,李某盛赞为神獒,二人争辩不休,终至打赌。经人作证,以白板羊皮袄博胜负。来春出围沙河,獾从黄狗一方潜返,虽出击,但咬一口,松一口,直将獾送入洞穴。荣三谑曰:"这哪是咬獾,简直是送情郎!"李某大惭,甩下皮袄,不顾而去,从此不言獾狗事。荣三眼力固高,亦见谱诀不虚。

> 耳根要硬不要软,

硬根摘帽不碍难。

将狗耳上部剪去一块曰"摘帽儿"，是为獾狗的标志。北京狗种，两耳上部多下垂，撒毛时拍打有声，易惊獾逸，故必须剪去一部分。耳根软者，剪少仍下垂，剪多恨秃短，难于下剪。耳根硬者，下剪容易奏功，故曰"不碍难"。

毛糙抹拭能挡手，

"抹拭"，读作mā sè，北京常用语，如说"把衣服抹拭平了"。

狗毛贵硬而糙，逆向拂之，仿佛会阻碍手向前进。柔软者，术语曰"氄"（读rǒng），不可取。

皮松骨头一身圆。

狗未长成时皮松。年老肌肉萎缩也显得皮松。此处当然指的是前者。皮松说明狗龄只不过一岁左右，还有长（"长"读zhǎng，为生长之长）头。皮松，不紧紧包着骨骼，故显得"一身圆"。骨头圆和皮松有连带关系。

馒头爪儿高桩样，

狗站立时，尤当后肢坐地，前肢挂地时，足趾形状容易看清，要求如高桩馒头模样。此为趾掌之下肉厚而有弹性之证，善于奔跑。

> 腿似硬弓绷上弦。

似硬弓的部位在后腿的上半截，即臀肘之间的一段。弯度越大，奔跑起来越有力。

> 黑花舌子性猛烈，
> 拉出一遛显不凡。

北京狗种，舌头一般为红色，仅少数舌上有黑斑，曰"花舌子"，为性猛善斗之证，故备受重视，身价十倍。

狗平时口闭不张，舌上有无黑斑，无从得见。只有遛它时拽着人向前爬行（参阅乙章《遛与蹲》一节），一程下来，舌头耷拉下嘘嘘出气，于是花舌子便一览无遗。如被行家看见，定啧啧称赞。故曰"拉出一遛显不凡"。

> 虎牙第一要完整，
> （一作：虎牙第一要完好。）
> 缺了咬獾合不严。

狗有四个长牙，位置在上下牙床的前方，左右各一，名曰"虎牙"。虎牙有时因啃骨头或掐架而断折伤损，咬獾遂难合拢扣严，故选狗时必须注意虎牙的完整。

> 颔下长须有说词，
> 要一去二还留三。

"有说词"即有讲究之意。

在狗的咽喉之上，下颔正中，长有长须约二三寸长，数量一根、两根或三根不等。经多番考验，一根、三根者多勇猛善咬獾，两根者多懦怯缺少斗志，颇为灵验，但也有例外。曾求教于老养家，只知其然而不知其所以然，未能获得令人信服的答复。

> 还有一点不用讲，
> 要是四眼全玩（儿）完。

四眼为养狗家之大忌。只要是四眼，其他部位长得再好也白费，故曰"要是四眼全玩（儿）完"。荣三讲到清末有名广子者，家有四眼狗，居然咬獾。它给主人招来了绰号，"四眼广子"，伴其终生。

以上三十四句皆言相形。

黑狗准，

　　青狗狠，

　　狸狗机灵黄狗稳。

　　"准"是说多数入选的黑狗都咬獾，比其他毛色的更
有把握。"狠"是说入选的青狗往往有狠口，能置獾于死
地。狸狗的机灵和黄狗的稳亦为此二毛色常具之特点。以
上可视为四种毛色的总论，只能理解为大抵如此而不宜绝
对化。

　　"狸狗"指有深浅两色条纹的狗。因猫亦有此花色，
名曰狸花猫。且常写作"狸猫"。又黄、黑相间之牛曰
"犁牛"（"犁"音lí）。疑"狸"、"犁"二字有关连或
相通。

　　以上三句为毛色总论，以下分论各色。

　　黑有几种黑，

　　闪红彤毛黑，

　　"彤毛黑"还有一个比较通俗的名称，曰"火燎烟
儿"（读huǒ le yānr）。谱中不用此称而用较为典雅的"彤
毛黑"，也使人感到狗谱作者中有知书识字之人。

闪灰是曹黑，

"曹旧"，北京常用词，例如说："这件衣裳穿得曹旧了。"此"曹"字究竟应如何写，辞书未能查到。故宫所藏清代宫廷衣物，往往贴有太监所书黄色纸笺，有时出现"曹旧"字样，或写作"糟旧"。可见亦随意采用谐音字而无规定写法。或谓其义近"糙"，但"糙"无cáo的读法。

白爪送炭黑，

"送炭"乃"雪中送炭"之简称，指白爪或有小截白腿之黑狗。北京亦称白爪黑猫曰"雪中送炭"。

白胸瞎子黑，

北京称熊曰"黑瞎子"。熊胸口有白毛一撮，故与此花色相同之狗曰"瞎子黑"。

白腿黑点豹花黑。

"豹花黑"指黑狗白腿，腿上有黑色碎点。

青有几种青，

闪黑叫铁青，

闪白叫狼青，

闪红叫火青，

上青下黄马粪青。

　　"马粪青"为青中之下品，从名称也可以知道不为
人重。

　　　白青本名希里哈，
　　　燕蝙蝠在脑门挂。

　　荣三告我"希里哈"为满语，指青中之最浅，四足呈
白色者，其额顶却有深色如蝙蝠花纹，在青狗中属上选。
近因为谱作解说，特向第一档案馆满文专家屈六生先生请
教，承告"希里哈"即"精选"之意，与白青色无涉。看
来《獾狗谱》口授相传，字句难免有夺脱。原意或谓"白
青"乃从青狗中选出之至佳者。背诵者对满语渐不知晓，
遂误解其本意。
　　燕蝙蝠读作yàn bó hǔ，北京对蝙蝠之俗称。

　　　铁背苍狼真不赖，

自古人称乌云盖。

"不赖"，不差也，且有很好之意。

铁青狗背色之深而匀者名"乌云盖"。凡乌云盖均属铁青，但铁青未必是乌云盖。

青狗难得白脸狼，

獾子见了准遭殃。

青狗白脸无不勇猛刁狠，而且勇中有巧，堪称獾之克星。

青狗最怕黑乌嘴，

摆忙只会瞎汪汪。

"黑乌嘴"之"乌"，读作wù。马粪青往往伴有黑乌嘴，越到嘴尖色越深，几成黑色。

"摆忙"（见《国语辞典》页52），讥人妄动之词，如言：你安静一会儿罢，别摆忙了。獾狗大忌摆忙，不耐心看守，动作频繁，甚至吠叫有声，将獾吓走不归。

狸狗又叫虎皮豆（儿），

道儿要真色要透。

北京称狸猫、狸狗之毛色曰"虎皮豆儿"。《国语辞典》页1644：虎皮豆为"豆之一种，形似黄豆，色黑赭，作虎皮纹，故名"。按另有大于蚕豆一种，有条纹，亦名"虎皮豆"。

狸狗之色（读shǎi）透，条纹自清晰，亦即所谓"真"。

条纹真，其色自透，故二者实为一事。

　　　　狸有几种狸，

　　　　闪黄叫火狸，

　　　　闪青叫青狸，

　　　　道儿不真叫浑狸，

　　　　十年不遇是白狸。

狸狗不论为火狸或青狸，均少于黑、青、黄诸色，故较名贵。至于白狸，更为罕见。凡条纹深浅反差较大，浅纹灰中呈白者即为白狸，并非真黑、真白相间如斑马之纹。

　　　　黄有几种黄，

　　　　浅黄为草黄，

深黄为酽黄，

酽者，浓也。此字较文雅，却是北京俗语。如说："多放茶叶，沏一壶酽茶。"大鹰黄色深者曰"酽豆黄"。

不深不浅是正黄，

黄狗白脸金不换，

初八晾狗人争看。

黄狗白脸，性最猛烈，咬獾百无一失。胖小荣一生养狗不下二三十条，以得自西四牌楼北大街柳泉居饭馆之白脸黄狗为第一。事隔数十年，荣三讲到它时还眉飞色舞，不能自已。

为狗摘帽，须将狗嘴及四足捆住。耳朵剪去一部分后，用烧红烙铁熨炙伤口。凡狗经受折磨，遭此苦难，解开绳索后难免疼痛萎缩，数日始能恢复。荣三为柳泉居黄狗摘帽，照例安排好三人同时为它松绑，他自己则手持瓢勺，口含井水，准备喷向狗头，在这刹那间，呼唤为狗新取的名字。这都是养狗家的规定程式，目的使狗忘记过去。不料荣三一口喷出，水花未落，黄狗突然跃起，张口扑向荣三咽喉。他急闪身，大褂领口被狗叼住，裂帛一声，大襟从领口到下摆撕成两片。荣三为摘帽老

手，阅狗多矣，但性情如此猛烈者，不仅为前所未见，亦
非意中所有，故被它吓出了一身冷汗。此狗被胖小荣名曰
"狼儿"，后来咬獾创最高纪录，并往往一人一狗"逛独
围"。某年秋逛牛栏山，追一只大獾上坨子，多半个身子
已钻进洞中，狼儿竟一口叼住后腿又把它拖了出来，真可
谓力大无穷。故名扬九城，养狗家无不知此白脸黄狗。

正月初八为白云观晾狗日，养狗家都牵狗赴会。凡毛
色出众或咬獾得力者皆有人围观，受到称赞。

三块黄，

四块黑，

豹花碎点满身飞。

养狗家喜爱养花狗，尤其是块块分开，不搭不连，所
谓"单摆浮搁"（"搁"读gē）的花狗。"三块黄"、"四
块黑"均属此。花狗中有一身碎花者，有片块之间分布碎
花者，皆罕见。"满身飞"形容碎花大小、疏密之漫无规律。

青花狸花真少有，

遇见谁都不撒手。

花狗中黑花最多，黄花次之，青花又次之，狸花最少。

眼镜、偏儿、抓髻花。

谱上有名人争夸。

"眼镜"指一眼或两眼周围有色毛，仿佛戴上了眼镜。如是黑色则有如熊猫。"偏儿"亦称"阴阳脸"，即半边脸有花。"抓髻"指耳朵上有花，最好是花到两耳耳根，有如儿童的双髻。如耳部花得太少，容易因摘帽而被剪去。

诧色还有一身紫，

老爷赤兔想如此。

"诧"读作chà，北京俗语，有特殊、不同凡俗、使人惊异之意。如白鹰、脯红红靛颏儿（鸟名），皆被称为"诧毛"。曾见有人写作"岔"或"差"，似去本意稍远。紫色皮毛在洋狗中甚多，北京狗则十分罕见，故视为"诧色"。"老爷赤兔"指关羽之赤兔马。关羽北京通称"老爷"，或"关老爷"。京剧中所谓"老爷戏"即关公戏。

难得紫毛一堂（儿）灰，

灰鼠皮袄反转披。

"堂"读tǎng。"一堂儿",完全浑一的意思。灰色狗亦极少有,以短毛者为正品。

> 要说盖盖(儿)数白狗,
> 各色皮毛它居首。
> 鼻子顶个屎壳郎,
> 白狗黑鼻真叫棒。
> 紫鼻、红鼻太可惜,
> 不算白狗不为奇。

"盖盖儿"即压倒一切、高于一切之意,可能是现在流行的"盖帽儿"一语的前身。于此可见北京语言的变化。

紫鼻(亦称"豆腐干鼻子")或粉红鼻的白狗不为罕见,而只有黑鼻子才算是真正的白狗,最为难得。"顶个屎壳郎",形容狗鼻之黑如黑色甲虫。

数十年来,只听说西城石老娘胡同军阀张宗昌宅邸出过一条黑鼻子白狗,为回族摔跤家大马把所得。为追查失狗,四名马弁提着盒子枪到处搜寻。马把为养此狗,匿居远郊回民区,频频迁移住所,不仅避开了缉捕,还多次出围逛獾,在养狗家中被称为硬汉子。我认识马把时他已不养狗,在东四牌楼南大街本司胡同口开烧饼铺。问起当年的白狗，他顿时精神百倍，谈笑风生。他说："豁出命养活它也值，这一辈子只有这一个乐儿。"

以上五十二句讲不同毛色。

> 只要古谱背得熟，
>
> 好狗率来不用愁。
>
> 春秋两季（儿）把獾咬，
>
> 挂在茶馆齐叫好。
>
> 里外三层人围观，
>
> 人更精神狗也欢！
>
> （一作：人又精神狗又欢！）

"熟"读shóu，与愁谐韵。逛獾分春秋两季。春季自獾出蛰开始，至初夏庄稼长起停止。秋季自庄稼收割开始，至初冬獾入蛰停止。

咬獾归来，一路上总要进茶馆喝水吃饭，将獾挂在茶馆天棚下，狗拴在一旁，名曰"挂獾"，有凯旋得胜之意。围观者颇众，有时里外三层。

京剧《珠帘寨》有两句戏词："华喇喇打罢了二通鼓，人又精神马又欢。"狗谱末句只把"马"字换成"狗"字。此句可能为知京剧者所作，亦可能为梨园行中养狗者所作。我们确知著名花旦路玉珊（艺名"路三宝"）就是一位养狗家。承朱家溍兄见告，梅兰芳先生曾师事路玉珊，并亲聆梅先生说路能头顶满碗水跑圆场而水不倾洒，可见武功造诣之深。逛獾夤夜牵狗出猎，什么样崎岖的地形都可能遇到，没有武功功底是不可能参加此种活动，享受其乐趣的。

最后六句，归到咬獾，挂獾，总结全谱。

（荣三等口授，王世襄笔录、解说）

乙章　训狗与逛獾

（一）狗种与狗源

獾狗皆就地取材，用中国狗种。

中国狗由来已久。现在广泛生长在南北各地的狗，和汉画像、壁画、陶俑描绘塑造的颇多似处，可看到千百年来血统的延续（图2～4）。不过当年北京地区的狗比南方的要大得多，壮硕勇猛，有的是长毛或半长毛，显然混进了蒙古狗种（图5、6）。蒙古狗又名"鞑子狗"，体大毛长。体大故能驱狼护羊，毛长才能御风耐寒。徐珂《清稗类钞》有所述及："内蒙之犬，大如犊而性猛，鸣声如牛，俗

2 东汉中期石刻狗图像

3 东汉晚期陶狗俑

4 东汉晚期陶狗俑

5、6 黑花獾狗

呼为'鞑子狗',汉商多养之。日中锁以铁链,晚放之,使守门户,盗贼多不敢近。"汉商既多养之,自然会把它带到汉族聚居地区来。

我自幼在洋学校读书,却是什么都是中国的好,月亮也是中国的圆。那时不少亲友同学都养洋狗,什么police dog(警犬)、terrier、spaniel、bull dog等等,而我觉得只有北京的笨狗(养洋狗者对北京大型狗的贬称)好,后来知道能训练它咬獾,就更加喜爱了。

北京狗可能不及警犬聪明,但决不比未经正式训练的警犬差,而体形要比警犬魁伟,毛色也好看。它对主人忠诚友好,但又不贫(北京俗语,指无休止地向人表示好感),不像某些外国观赏狗那样下贱,一身媚骨,扭来扭去,絮烦可厌。它勇敢坚强,吃苦耐劳,对生活待遇要求很低,真是优良品种。当然以上指的是经过挑选的北京狗。新中国建立后,为了防止狂犬病流行,北京地区的狗惨遭捕杀,一只不留。那时我已不养狗,但为之十分痛心,又自恨无能为力。我感到这与拆掉北京城墙和某些重要古代庙宇同样可惜。但愿北京远郊区及偏僻乡镇还有幸存者,待人们认识到它可贵可爱时,花力气去繁殖恢复它,不使它绝种。

当年北京养狗之风甚盛,主要是用来看家而不为观赏。养得最多的是一些大买卖家,如粮栈、布铺、皮局子、山货店、砖瓦铺、饭庄子等等。往往多到十来条，几代兼收并蓄，叫做"窝子狗"。其次是官商宅第、大户人家。就是一般住户和商店也大都养狗。加上远近郊区农民所养，数量确实不少。故在大街小巷乃至农村乡镇，都可以看到三五成群的狗，有足够的狗源供獾狗养家从中挑选。

我曾问荣三，过去白云观、太阳宫晾獾狗能有多少条参加。他说在他年轻时（约1900年）有五六十条，听老辈说早年间能有一·二百条。北京狗总数当以若干万计。一二百条入选，也不过是在几千条中取其一二而已。

（二）"偷猫盗狗不算贼"

北京有句老话："偷猫盗狗不算贼。"这是偷了别人的猫或狗，而又想减轻罪责编造出来的一句话。明明是偷了，怎么不算贼呢？简直是强词夺理！不过这一类盗窃者的心理是可以理解的。首先偷者认为所偷的只是猫或狗，而决不偷其他东西。其次认为偷猫或狗动机纯粹出于极端的喜爱，但又无法花钱或其他方法求得，百般无奈才出此下策。偷来之后，只作为宠物喂养，决不牟利或作他用，而且对它的爱护要远远超过其原主人，这和一般的窃贼又不相同。存在着上述心理，便认为这种偷不无可原谅处，于是就编造出这句歪话来。

说起偷狗，北京过去有两种人。一种人称"坐狗的"，主要在冬日偷盗，剥狗皮，卖狗肉，谋财害命，罪不可赦。此种人为数不多而贼技特高。他们独往独来，徒手作案。只要一把掐住狗嘴，不论狗有多大，用力一甩，另只手攥住后腿就能把狗围在腰里，向后一坐，狗命已经呜呼，披上皮袄，扬长而去，竟难发现身上还围着一条狗。这是真正的狗贼，獾狗养家恨之入骨。原因是有些被选中的狗遭到他们的毒手，实在可恨、可惜。当年北城曾有一条上好的黄花，被卖了狗肉。养家纠集了几个人，找碴儿把坐狗的打了个半死。从此他们也有了戒心，对够材料的狗不敢再下手。另一种偷狗的就是养獾狗的人。

挑选獾狗首先要在茫茫狗海中发现可造之材，《獾狗谱》就是为此而编的。养狗家一般都养鸟或架鹰，清晨有遛鸟的习惯。即使不养鸟，一早也要绕个弯儿进茶馆。如果有人存心物色狗，他不辞踏遍九城。恰好看家的狗在院子里关了一夜，清晨也要跑出门去拉屎撒尿，往往颠儿颠儿地跑遍几条胡同才回家。因此，清晨是一天之中觅狗、选狗的最佳时刻。

养狗家不论住城南城北，也不论曾经养或正在养，多数都相识，或至少有个耳闻，经介绍便一见如故。除非他还想拴一条狗，故有所发现也秘而不宣。否则相遇于路途，聚会于茶馆，话题往往离不开狗。有一次遇到一位中年养家，在路上碰见荣三，连忙上前跪腿请安，然后凑到一起低声絮语起来。事后知道原来他在某处发现一条狗，要请荣三给他掌掌眼，看够不够獾狗条件。

在茶馆里我曾听到一位说，某天在北新桥冒出一条黑狗白前胸，长得如何俏式。另一位说在西华门看到一条乌云盖，大概是路南粮栈的。又有人插嘴，那天在平则门（即阜成门）看到跟着驮灰骆驼进城的一条花狗，简直长绝了，肯定是门头沟石灰窑的等等。茶馆可算是獾狗情报交换站。

又一次我和荣三从西华门茶馆出来，碰到小阎来找他，非请他吃饭不可。饭后一起去看一条狗，因两耳耳根软硬不一，尾巴有个弯儿，所以请教荣三如何拾掇。狗尚未到手，他们已在研究如何为狗整容了。

常来茶馆坐的养狗前辈更爱拍老腔儿，说什么哪里哪里一条狗准干活儿，"谁要养活它不咬獾，我替它咬去！"这一句话不要紧，可非同儿戏。如果真有了主儿，到时候竟不咬，岂不栽了。一世英名，将付诸流水！我养的一条青花，名叫"雪儿"，就是瑞五爷给相中的。出围西沙屯，可谓一口定乾坤。这也成了瑞五爷的得意之作，提起雪儿他就拍胸脯儿，"怎么样，我老眼不花吧！"

狗被选中，首先要查明它来自何方，常在哪里，找到它的家，行话叫作"脖眼儿" [1]。其次是摸清它每一天的行动规律，并在此过程中进一步观察它的形态神情。下一步是食物引诱，行话叫"本"。例如说"今天我本上它了"，就是今天我喂上它。食物用盒子铺卖的酱肝或小肚，取其不糟不软，可切成丁儿像儿童弹玻璃球似的弹到狗脚下。喂过几次，狗跟人走，到一个合适的地方，如小巷拐角、墙旮旯、关着门的门洞儿等，将带着的食全部抖搂给它，名曰"放食"。如此数次，经过脖眼儿，不喂它也会跟人走，时机已渐成熟了。

曾听人说，当年吴佩孚之弟吴四爷住宣外保安寺街，家中有一条头号大青狗被聋李四看中。吴宅大门出入频繁，人多眼杂，无法向狗投食。后来出钱请了一个叫花子常在门口乞讨，把狗喂熟了，终于偷走。又听人说有的狗对食不亲，喂它也不跟人走。只好改用"美人计"，特地养了一条母狗，待到发情期，让它发挥作用。北京老话说："不怕贼偷，就怕贼惦记。"养獾狗的什么招儿都有，真是防不胜防。

如能把狗喂熟，跟人到家，是乃上策，人省事，狗也不受罪。不过多数狗远了不去，只好在"脖眼儿"附近找个"坑儿"。所谓坑儿就是借用人家一个院子，把狗带进

---

[1] 养獾狗者术语，即狗主人家。

去，可以"关门打瞎子"。名曰借，可能得到院主人的同意，也可能他根本不知道。借不到坑儿时，或许利用胡同里的一个拐脖或哑巴院（胡同中与别处不相通的凹进地段），要求以"打闪纫针"的速度完成。技术高的在比较空旷的地方也能完成任务，手艺潮的即使关门打瞎子也会演出"狗急跳墙"的闹剧来。

养狗家套狗会使它受些苦，但决不肯伤害它，故一般要有三个人参加并有较周密的部署。套狗的工具名曰"条子"，清代用羊肠制的弓弦，穿过设在一端的小铁圈，形成一个活套，另端用布缠成把手。本世纪初改用四股或六股铅丝拧成的麻花条。它可围在腰里，有如腰带。一人设法用条子套住狗颈，一人抓狗后腿，一绷就把它放倒在地。套者随即松开条子，抓住狗耳，按住狗头，一腿跪压狗肩，倒手攥住狗嘴。第三人抓前腿。三人同时掏出大线（松软不易还扣的麻绳），将嘴和前后腿捆住，行话叫"码上"，装入麻包，搭上人力车簸箕。一人坐车上，揪住麻包口，注意狗情，既不使它挣开，也防止它窒息。一人拉车，一人护送，向目的地飞驰而去，如是冬天，一定用的是有棉篷子的人力车。

荣三告我庚子（1900年）前北京各城都有偏僻的胡同，行人稀少。老养家绰号"獾狗恩子"，套狗技术特高，不像上面讲的那样费事。只见他解开大褂纽扣，把条子藏在大襟之下，远立街心，脸背着狗。他示意后边的人拣砖头打狗，狗奔驰而来，经过身旁时，他下腰探臂，一个卧鱼儿就能漂漂亮亮地把狗套住，赢得同伙们的喝彩。他也不把狗嘴和腿捆上，只用条子半提半曳地拉着狗走。性烈的狗这时会扑他咬他，他不慌不忙地借势把狗拖个滚儿。几次之后，狗就不敢扑了。就这样他能把狗对付到家。不过荣三说，这是那年头儿，现在北京人多了，恩子要是活着，也露不了这一手了。

有时得狗却"踏破铁鞋无觅处，得来全不费工夫"，被养狗家称为"飞来凤"。那就是乡间的狗跟随运送物品的车马人众进城，被养狗家诱拐截走。凡此，大都是一年左右，刚长成，活泼好动的狗。1942年我由学校搬回家中，獾狗已经不养了，而爱狗之心未灭。一日去参加同学的婚礼，在东华门附近遇见一条黑狗，浑身圆骨头，已长到三号出头，毛糙而深黢，只胸口有一撮白毛，活泼非凡，无一处不具备獾狗条件。婚礼我不参加了，到宝华春买了酱肝，把狗喂到了家，成为我最后一条观赏狗。为了纪念这个值得纪念的日子，我从一对新人的名字中各取一个字，名黑狗曰"小宝"。我发誓决无亵渎同学之意。小孩的乳名和猫狗本多相同，外国用人名名狗更为常有。谁要用我的名字名狗，我也决不介意。

（三）摘帽儿 —— 入伍的"洗礼"

为了不使獾狗撒毛时两耳拍打出声，必须将耳朵上半剪去一部分，名曰"摘帽儿"。

剪耳朵是獾狗的标志，人们一见便知它已摘了帽儿，参加到獾狗的行列。从此任何养家都不得再偷它。如需要它当师傅，带领新狗咬獾，倒可以登门向它的主人求借。这里面有哥儿们义气，也是玩獾狗的行规。

帽儿摘得好坏有关狗的仪表，故养家甚为重视。两耳如何剪始能和头相配称，应当各剪多少，是否左右相等，还是为了校正两耳的差异，一边应略为多去或多留，这些事先都经过研究。有时还请客送礼，烦求老养家掌剪，仿佛有一种仪式，显得相当隆重。狗为此要遭受一场苦难，而它将由一条看家狗变成猎獾的狗，改换门庭，有了新主人，生活也有很大的改变。这一切使人感到摘帽颇有受"洗礼"的味道。

在一般情况下，狗运回家，跟着就摘帽儿，因嘴和腿都已经捆好。只有因路途遥远，或天气炎热，怕狗受不了，才为它解开绳索，换上锁链，将息休养几天再摘帽儿。

摘帽儿用的工具是剪刀一把。笸子一个，拆下两根竹梁，对劈后用以夹住耳朵，两端用小线捆牢，沿着竹梁上缘下剪，以求平直。小铁烙铁一把，在煤球炉上烧红，剪后用烙铁熨烫伤口，这是十分有效的消毒方法。熨烫后，解下篦梁，经过十天到两周，伤口脱落一条硬痂，再过一周到十天，又脱落一层血痂，伤口便完全愈合。狗如有后撩儿或尾巴有弯儿，一般都在摘帽时顺手为它拾掇好，也是为了省去再捆绑折腾一次。

狗在摘帽儿后，换上铁锁链，三个人同时为它松绑，一齐撒手，以免遭它噬咬。这时还有人朝狗头上喷凉水，呼喊为它取的名字。据说经过这番苦难折磨，喷水使它猛然清醒，听唤新名，容易记住，并会忘掉过去。

狗宜安置在罕有人到的院子里，窝宜向阳，上有遮蔽。拴锁链的橛子要紧贴地面，切忌钉在高处。否则狗向前扑，锁链勒咽喉，难免受伤，甚至死亡。铁链套狗颈一端，采用可紧可松的装置。制作简单而便于套上取下（图7）。贴着狗颈的一段细布缠裹并用线缝牢，减少摩擦伤损颈毛。

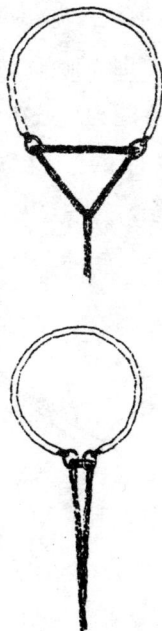

7 拴狗锁链示意图

狗用食水盆具，宜掘地置放，使它俯身就盆，有利其前胸的生长。以上种种用具，早在摘帽儿前都已准备齐全了。

（四）遛与蹲

在摘帽儿后耳痂两次脱落的二十多天中，是人和狗初步建立感情的时期。每天几次给它喝水，夜晚喂它食（一般是凉水泡玉米面窝头），用锁链牵着它放屎放尿，随着伤口的愈合，狗渐渐精神起来，此后即转入训练阶段。

训练狗可以概括成"遛"与"蹲"两个字。

遛狗总是在夜晚进行，更深人静，避开灯火为宜。为遛狗制的绊，粗布重叠八层或十层，密针实纳。颈绊宽一寸有余，乃一整圈，穿过铁转环下部的扁方。胸绊宽不及寸，也穿过转环，开口，大小松紧用别子来调整（图8、9）。遛

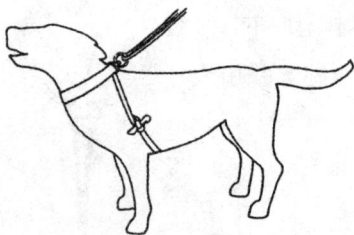

8 遛狗用绊示意图

9 铁转环

142

狗绳，骆驼毛打成，粗如手指，长二丈四尺，对折使用。中间一段正当转环处，皮革包裹，名曰"耐磨"。绳穿好后，两股在握，长一丈二尺，最后三圈留在手中，以备捯步放绳。由于狗昼夜拴在院中，只有夜晚遛它时是惟一活动时间，其兴奋振作，自不待言。故时辰一到，总是急不可待。给它换上绳绊，会拉着人冲向大门，脚下稍不利落，躲闪不及，很可能被门槛绊着，或撞到门框上。这时要松放手中的绳圈，借以得到缓冲。来到街上，它更会用力向前拉拽，恨不得把胸脯子贴到地面，术语曰"爬"。人不能跟着它跑，只有挺腰稍向后仰，把绳子绷得像一根棍，压着步向前走，隔着老远，就可以听到狗哈哈嘘气的声音。这时街上如有积水或层冰，也要放绳一跃而过。狗的奋力前拽，说明它上了性儿，而人拉着它，也显得特别威武。惯跤家们说，遛狗的放绳捯脚，左右跳跃，有助摔跤脚下工夫的锻炼。这也是布库门喜欢养獾狗的原因之一。

　　1932年我开始养狗，第一条是德胜门大街小崇送来的黑花，半长毛，足够二号，黑头，身上有三块黑，白腿，长得特别壮硕雄伟，圆乎乎的，可以用"浑得鲁"三个字来形容。更因它浑头浑脑，掐架时，不挑地方，逮着就是一口，口很重，咬住就不撒嘴，但有时也被别的狗咬伤，故名之曰"浑子"。不久，由回族杨把送来又一条黑花。它长得不及浑子那样虎头虎脑，而从其行动坐卧来看，特别刁钻生（读gǎ）古，掐架老占上风，故名之曰"生子"。

我把浑子拴在家中，又在附近一条死胡同尽头租了一间房，后院拴着生子，由荣三照管。从是年九月投入训练，每晚九时以后，我们拉着一对黑花，从朝阳门南小街进北小街，穿过东直门大街，进东直门北小街，直到俄罗斯馆（读作俄罗素馆，后来苏联大使馆即在此地）北墙外的城根，也就是北京城墙东北角的里侧。

那时城北颇偏僻，过了东直门大街，夜晚已路静人稀。到了城根，更是一片空旷，杳无人迹。我们拉着狗坐在泊（读bó）岸上（泊岸即城墙墙基），要到午夜后才回家。这就是所谓的遛与蹲。狗和儿童一样，开始蹲时，它坐不住，时而面向着人，时而急躁起来，吱吱呷呷，鼻中出声，闹着要走。蹲就是要磨练它不耐烦的性儿，使其知道既来之，则安之，一任月黑风高，寒风刺骨，也要蹲够时刻才回去，闹是没有用的。

从城根到俄罗斯馆北墙，有一大片空地，长着杂草，堆着瓦砾垃圾，夜里有小动物野猫、刺猬、黄鼬、狸子等出没。蹲过二三十天后，狗不再出声了，头转向外，时坐时立，把注意力转向了外界。不同的狗对不同的小动物会有不同的反应。或两耳向后一背（读bēi），挑起鼻尖，辨别气味；或脊毛立起，前爪不停地踏地；或全身紧张地颤抖起来。这时它可能向后稍退，突然出击。为助其声势，叱其向前，举手扬绳，如马脱缰而去。它可能一口把野猫咬死，也可能追得无影无踪，是否动作敏捷，勇敢坚强，是日后咬不咬獾的一种预测，也是对它的一个考验。

经过上述几个月的训练，狗出门，尤其是蹲后回家，不像过去那样傻爬了，而在途中也会注意四周的动静。如爬上一个坡，会拖下尾巴，立定抬头环顾一下。过一条沟，会跳下去寻找一番，这就是所谓"遛出劲儿味儿来了"。达到此种程度，可在适合的地方，将它放开，术语叫"捯（读lié）开"，任其驰骋，看它在奔跑中有无搜索的意识。养家称其自由奔跑曰"围头"。围头要大要好，大指跑得远，好指动作细腻机警。

经过上述的训练，对狗的性情和动作会有进一步的了解，人狗之间也渐渐有了默契，出围逛獾的时机便已成熟。如狗选得好，训练肯下功夫，两条生狗完全可以把獾咬回来。生狗咬獾又是养狗家认为值得夸耀的事。

（五）勤瞧懒逛

逛獾应先从北京气候、獾的习性及所居洞穴说起。

北方天寒，冬日田野找不到食物，故獾有冬眠习性。立冬以后，它蜷伏不再出洞。来春地暖，开始蠕动，惊蛰前后才出洞觅食。经过一冬的消耗，春獾瘦而灵活，反扑迅捷，狗每为所伤。秋獾饱餐数月，体重膘肥，奔跑稍缓，但力大制服较难。早春獾不耐夜寒，出洞不久即返回。随着天气转暖，往往终宵觅食，拂晓尚在田野。深秋以后，归洞又渐提前。暮春到中秋一段时间因草木、庄稼茂盛，障碍物多，故不出围。而在暮春前、中秋后所谓春秋逛獾季节，也必须了解气候冷暖和獾的活动关系，才能准确掌握其出洞归洞时间，纵狗擒之于洞穴之外。

獾既穴居，山中洞窟多在坡高土厚处。京郊平原，坟圈子里的土丘，常被钻洞作窝。养狗家通称獾窝曰"坨子"，而坟后土丘，又依其环抱之状，名曰"围脖儿"，盖属坨子之一种。山中陂陀起伏，涧壑纵横，只有少数熟悉地形者会在戒台寺、妙峰山等地逛獾，一般养家出围只在平原。当年溥心畬常住戒台寺，府中仆从有人养狗，曾在山中咬獾。

养狗家流传着一句话——"勤瞧懒逛"，堪称是尊重科学、符合辩证法的经验总结。因为只有勤瞧，也就是仔细观察，才能掌握獾的活动规律。在观察阶段，不要急于牵狗上阵，故曰"懒逛"。否则会弄得人困马乏，徒劳无功。观察是为逛獾作必要的准备，并不会耽误逛獾。这和"磨刀不误打柴工"同样道出了值得玩味的道理。

当年京郊有不少住着獾的坟圈子，如京东的三间房、燕郊；京南的固安、廊坊；顺义的牛栏山；沙河的西沙屯

等等。养狗家通常是邀集
三四人，拉着两三条狗，
换下遛狗的绳子，改用出
围用的皮条，皮袄打成
包，把钩獾用的钩子和打
獾用的犴达罕（驼鹿）角
棒子（图10、11）也打在包
内，背在背上，带着水和
干粮出发，正是那幅逛獾
出围图所画的情景。

第一天至少要走几十
里才能到达落脚的小店。
第二天狗倒可以拴在小店
里休息，人却须立即开始
"勤瞧"。

坟圈子离小店近则
三五里，远则十来里，一
早步行前往。围脖儿多在
坟头之后，大者高三四
丈，广数十步，多年无人
照管，上下前后被獾掘了
无数洞穴，远看竟如漏勺

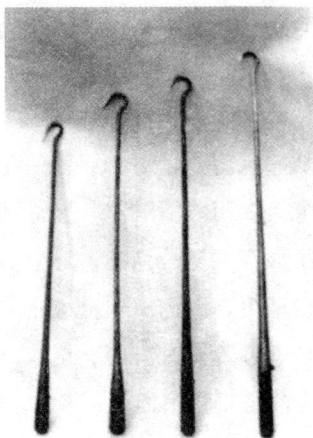

10 逛獾用的钩子

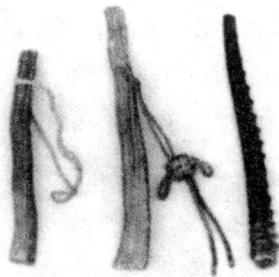

11 逛獾用的棒子

一般。首先要对这些洞穴进行仔细的观察分析。其中绝大多数是"老洞"，土质松干，有的还张着蜘蛛网，久已不从此进出，只备救急时钻入。洞口狭小，角度接近垂直的是"气眼"，留着通风并窥听动静。经常出入的只有一两个，名曰"活洞"，光滑潮润，有出入脚印，还可以发现蹭落在洞壁的獾毛，乃至活跳蚤。活洞确认后用细土在洞口铺平，术语曰"拾掇窟窿"，使夜晚出入留下踪迹，供来朝勘验。有人还立草标，把几茎草扦在洞门，据其倾倒方向辨别獾出獾入。老养家则不屑为之。

拾掇完窟窿就要登上坨子观察四周地形，辨明方向。根据回窝可能性的大小，定出看守方向的主次，制订狗力分布的方案。

其次是走出坟圈子去寻找足迹和因觅食而留下的"扒子"和"拱子"（指用爪子扒出、鼻子拱出的地面泥坑）一直追踪到主要觅食所在。接着要寻找它饮水的水源和排泄粪便的处所，即所谓"茅厕"（"厕"读si）。前者因泥软，脚印清晰，有助于判断獾的重量和只数的多少。后者因獾有固定在一地拉屎的习惯，茅厕也可以作为守候袭击的地点。更为重要的是查明獾的"截窝"，相当于狡兔的三窟。它在归途中听到动静，便悄然逃走，潜入截窝，数日不归。截窝往往不止一处，每一处都要把窟窿拾掇好。

所谓勤瞧就是要查明上述各处，并不间断地进行观察勘验，借以摸清獾的活动规律。在摸清了规律之后，往往对最初制订的狗力分布方案又要作一些调整或修改。

我第一次逛獾在1933年春分前几天，地点是三间房。荣三认为这里有老窝，哪一次来也没有漂（指失败，空手而归）过。他拉着生子，我拉着浑子，西华门小阎拉着黑狗熊儿，加上一位帮忙的玉爷。整整走了一天，掌灯时分才住进了小店。

坨子在店东北五六里处。第二天一人留店，三人去看窟窿。荣三说这里变化不大，活洞还是在围脖的阳面半中腰，朝着西南。地形是西面沟渠较多，且有小树林。西北一里外有三五户人家。东面是大片耕地，空旷开阔。南面有个苇塘，只中间有水，苇芽已长到约半尺高。苇塘之外是一条大道。两个截窝，一在东北，一在西北，各有两个洞穴。由于荣三熟悉这里的地形，不到一天就观察了一遍，并把活洞及截窝都拾掇好了。

根据已往的经验，荣三作了如下的部署：他拉着生子看守地形比较复杂的西面。让我拉着浑子面对东面。小阎和黑狗守南面打接应。北面因有人家，放弃看守。

当晚约十一点我们拉狗上了坨子。首先查看活洞的脚印。查看的方法是两人披着皮袄，左右手提着衣襟，面对面，手挨手，向下一蹲，两件皮袄形成一个罩，罩住洞口，然后用手电筒照看，这样光线不致外射。一看荣三就说不好，分明有出进两道脚印，而且是进脚压出脚，说明我们来晚了，獾出洞后又回去了。

第二晚我们提前上坨子，不到十点已经到达。查看活洞，清清楚楚有一道出去的脚印，于是我们悄悄坐下。三条狗表现都不错，聚精会神地看守着。不料坐了许久，风越刮越冷，三星倾斜，已到了后半夜。按季节说，獾早就该回洞了。荣三说我明白了，因来时希望早些到坨子，取道正北，经过人家，招出几声狗吠，惊动了獾，因此住截窝了。天亮后下坨子，我们去看截窝，果然西北的一处，洞口有一道入脚，说明荣三的判断是正确的。

第三晚仍提前出发，但避开人家，绕道从东面上坨子。静候到午夜，我忽然看到浑子脊毛立起，浑身颤动起来，往后略退，冲向前去。我一扬手，皮条单根在握，它向东面田野飞奔而去。这时忽然听到呼噜的声音，我提着钩子追下去。好在这时荣三也已听到了声响，报了一声"獾子"，接着是一声"叱喝"。我还是第一个跑到前面，借着朦胧的月亮，看见浑子大口叼住了獾的后腿，而獾则转回身。两只利爪抱着浑子的头，用利齿去啃前额。浑子忍着疼痛却咬得更牢了。这时生子跑到，一口咬住獾的耳门子，獾才放开了浑子。黑狗接着赶来咬住了獾的前腿。我已经看呆了，手中空攥着钩子，不知所措。荣三跑到。真是老把式，顺着生子脚下伸钩子，一翻腕子就钩住了獾的下颏，提起来震了两棒子獾就老实了。荣三只说了一句话："没有想到獾从东面上来了。"

原来逛獾的规矩是只要听到呼噜声，说明确实有了獾，这时应立即用力报声"獾"，好让大家都把狗撒开，齐力投入战斗。倘狗冲出去，而听不到呼噜声，则不得报獾，可能是别的动物，狗没追上，又回来了，名曰"谎皮条"。此时如误报了獾，别人把狗放开，因前无共同之敌，狗和狗会打起架来，乱成一团，把围给吵了。不但谎报者要受到责难，传出去还遭人耻笑。

这次胜利回城，我们在朝阳门外大街荣盛茶馆挂獾吃饭，三条生狗咬回獾来，随即传遍了九城。

1934年我就读燕京大学，成府刚秉庙东有我家一个园子，朝南十间花洞子拴狗最为理想。荣三、小崇搬进园子来住，浑子、生子之外，青花雪儿也已入伍，三条狗可自成一围了。是年秋我们逛了另一处荣三熟悉的坨子——沙河西沙屯。小阎因狗被人借走，空身随往。

这里的地形是围脖儿高大，洞穴甚多，找到了活洞，脚印不止一只，老獾之外还有小仔。前面有一片松林，树高参天，下多蔓草。再往前是一条三里多长的沟，东西两头各有一处截窝。坨子四周留下了许多扒子、拱子，把我们带到了花生地白薯地及两处水塘。说明这里獾十分猖獗，危害着农作物。

一连三夜我们守候在围脖上，直到天明，杳无消息。经过查看，荣三、小祟发现了问题。原来獾回坨子总是先到松林里潜伏，窥听动静。只要稍有声响，便退回沟里，溜向截窝。只因林密沟深，守在坨子上不易发现。两人用了一天的时间，找到了茅厕，决定不再蹲围脖，改为咬茅厕。

　　茅厕所在，也很蹊跷，在沟南水塘西边的一片旱苇子中，那里有不少粪便，尚有未消化的花生和青蛙骨骸，有陈有新，说明它不断地来此。旱苇子之南是一道缓坡，有几株老柳和三五个坟头，决定将狗埋伏在这里，面对北方，兼顾东西两翼。

　　我们蹲到后半夜，獾从把守西翼的浑子那一方上来。它飞奔出击，立刻听到了呼噜声，四个人都报了"獾"。跑近一看，黑乎乎好大一团。原来浑子并没有吸取三间房的教训，又是一嘴咬住了獾的后腿，而把自己的脑袋整个地交给獾了，被它回身抱住，乱抓乱啃。幸亏雪儿、乓子来到，一个咬住了头，一个咬住脖梗子，三狗协力，外加两把钩子，才把这四十来斤的大公獾给拿住了。回到店里，发现浑子满脸是血，受的伤比前次还要重。而抬回来的獾，后脚提（读dī）棱搭棱地摆动，骨头都被浑子给咬碎了。大家不禁说："这浑子可真够浑的！"

　　事隔两年，我又逮了一次獾。此时小祟已病故，荣三也因患疝气而回家休养，又一位精通鹰狗曾在庆王府当过差的王老根和他的儿子二海来到园中。浑子、生子已年满七八龄，退役看家了。雪儿有人求借，当师傅去了。换班的却是三条实力更强的新狗——名叫狼儿的柳罐头青狗，名叫熊儿的半长毛项上有一撮白毛的黑狗，名叫愣子尾巴多少有些砸腰的火青。它性格有点鲁莽，故名字取"愣头青"之意。每条都够二号，而且长相都很好，因此王老根有信心用这三条生狗把獾咬回来。

我们没有想到离园子只有五六里的老公山子住上了獾子。坨子在海淀西南，长河东岸，隔河就是有不少住户的蓝靛厂。老公山子因靠近太监茔地而得名，但并不是围脖儿而是挖稻田堆起的土丘，高四五丈，长二三百步，东西向形成一道屏障。

养狗家都知道离人家越近的獾越难咬，特别狡猾，不易捉摸，行话称之曰"柳"。为了练兵，离家又不远，从初秋起，三天两头拉着狗去。王老根说得好："有一搭，无一搭，我们只当是遛狗。要是真碰上了，也就不客气了。"过了中秋节，狗也训练得差不多了，我们才带着钩子、棒子正式出围。

老公山子的地形是洞穴不多，活洞在阴面半中腰，面对着一大片稻地，有好几顷，是獾觅食之地。截窝在山子东南方。

从八月下旬到九月中旬有十来个夜晚我们守在山子上，天亮才离开，竟终宵平静。奇怪的是清晨看稻地，却有新扒的拱子。经研究才知道当月下弦，田埂的阴影在东边，獾就在东边觅食。当月上弦，田埂的阴影在西边，獾就在西边觅食。故在土山，虽居高临下，也不容易发现它。直到九月中旬，那夜月明如昼，天气已凉，约到半夜，獾从稻田爬上来，意欲回洞。狼儿冲下山去，獾受惊向东逃窜。月光下看得清楚，只见狼儿追到和它并肩，头一斜就把獾头咬住，使劲往地下杵，獾屁股朝了天。熊儿赶到，正好叼住后腿。两狗用力一绷，竟把二十多斤的獾抻离了地面。因使劲太猛，两狗一獾形成了一条直线，的溜地像走马灯似的转了起来。这真是我平生第一奇观。愣子来了，因无处下嘴，急得用两爪去扑，这才停止了转动，一口咬住了肚囊子。王老根钩獾，将它打死。这是我出围时间最长，咬得最艰苦的一次，也是最精彩的一次。

我们在海淀三叉路口的茶馆挂了獾，生狗咬柳獾[1]，又在养狗家中传开。王老根很得意，他说："我没有让荣三给比下去！"

如果要对逛獾作一个结语，倒可以引用荣三爱说的几

---

[1] 柳獾，为养狗者术语，指警惕性强，很难被咬到的獾。

句话:"想看咬獾这个乐儿,不能走不行,不能跑不行,怕受累不行,怕冷不行,怕老婆不行,胆小怕鬼不行,不能挨渴挨饿不行,不能憋屎憋尿不行,不能熬夜不行,怕磕了碰了不行,没有耐心烦儿不行,不会用心琢磨不行!"可见是要付出很大代价的。

(六)"人更精神狗也欢"

"人更精神狗也欢"是《獾狗谱》描写出围归来,拉着狗、抬着獾,在茶馆门前高高挂起那种兴高采烈的情景。据我的亲身体会,确实很高兴,有胜利凯旋,值得炫耀一番的心情。看的人、问的人越多显得越来劲儿。不过,说实在的,接连几日夜的奋战,又步行了多少里才渐近家门,没有一次不是精疲力尽,浑身酸懒的。真是"谁累谁知道"!说到狗,它也累了,拴在天棚下直冲盹儿。要是像浑子那样挂了彩,就更可怜了。脑门、腮帮子都肿了,一按就从伤痕中冒血,眼睛也眯成一条缝,它欢不起来了。但獾总还是要挂,这早已成了养獾狗的一个定例。

不妨一提的是同为挂獾,颇有差异,它显示不同养家的气质禀性,火候修养,社会的世态人情。有人回到城郊,过一个茶馆挂一次,不渴不饿也要沏壶水,被人讥为"挂臭了街"。有的人回家故意绕了远儿,例如该进东直门,他却进了德胜门,把獾挂到别位养家的眼皮底下。这叫惹是生非，别家咬了獾回敬，心里的劲儿越摆越大。接着是你咬一个我得咬两个，你咬两个我得咬三个。因此有人把獾狗和鸽子、蛐蛐一样，都叫"气虫儿"。这气都是由人招出来的。

荣三说过，真正让人伸大拇哥的不是上述养家。早年北京有一两位只养一条狗，逛独围，早春抢咬第一只獾，咬完只在茶馆挂一下就收围了。早春因獾出洞的时间短，最难咬。到晚秋，再咬难度很大的末一只獾，也只在茶馆挂一下。此后如无人再咬到，也就收围了。这叫咬两头，才显出老玩家的分儿呢。

（七）白云观晾狗

北京晾獾狗，原有两处——正月初八白云观，二月初二太阳宫。等我养狗时，太阳宫已无人与会，只剩白云观了。

白云观为道家寺院，在西便门外一二里许。西墙外高坡上一片松林，枝干多欹偃，故其地曰"磨盘松"。届期日上，养家络绎牵狗至，拴松树上，任人观看。午后陆续散去。

初八这天，实际上只有半天，对养狗家来说却是一个十分重要的日子。南征北战，屡建殊勋的狗，老养家固然要牵来晾一晾。新得到的生狗或在去年一年中咬了獾的狗，也要拉出来显摆显摆。晾狗的为了行动利索，往往穿的是大襟短棉袄或皮袄，腰里系着骆驼毛绳。扎腿裤子，外穿犴达罕皮套裤。头上扣个毡帽盔儿。狗也换上专为这一天用的绳绊。考究的是青色或宝蓝丝绳，绿皮子耐磨。实纳缎子绊，针脚密如鱼子，上安天圆地方造办处铁转环，饰以各式皮革花纹。我每年去白云观总把最心爱的绳绊牵最心爱的狗。环子是独一无二、广为人知的五毒转环。它原为京剧名旦路玉珊所有。中部磨盘上踞一蟾蜍，其上圆环梁外分别錾蜈蚣及蛇，其下扁方，肩上各錾蝎子、壁虎。绊上缉绿谷子皮五毒花纹，乃出小祟之手。他不是皮匠，但双线行对他的手艺无不佩服，自叹弗如。可惜此绊连同七八副龙头含珠转环绊"文革"中遭劫夺，至今下落不明。

到磨盘松看热闹的人不少，哪里有老养家到来就有意思了。尽管他已多年洗手不玩了，可这一天准到。甚至说"要是我不来就是听蛐蛐去了（意即死了）"。在这里可以听狗主人向老养家介绍有关狗的一切——叫什么名儿，原来是哪儿的，如何逮到的，谁摘的帽儿，哪里见的獾，咬得如何如何等等。也可以听到老养家说老事儿——这条狗和过去的哪一条相似，哪里强点儿，哪里差点儿，哪一条狗咬得如何等等。老养家之所以要来，你说他为会会老朋友也好，过过老瘾也好，说说当年勇也好，拍拍老腔儿也好，给后辈开开讲也好，以上动机可能都有。总之，初八是新老养家，各路英雄，群贤毕至，少长咸集的一天。有几位养家如白纸坊的聋李四，南苑的李宝宸，小红门的郑三，豆腐脑白把，九隆斋炮仗铺铺东韩掌柜等，我就是在白云观相识的。

从1933年到1939年我一连去了七年，明显感觉到人和狗一年比一年少。使人感到养獾狗和白云观庙会一样，到了初八已是残灯末庙了。

一种民间习俗癖好的衰亡消逝，有种种原因，是不可抗拒，也无法挽回的。遗憾的是我当年再也没有想到有一天会把老北京社会中下层这种摸爬滚打，抓土攘烟的土玩意儿用文字写出来。如果曾想到，我一定要多作些笔记，把掌故轶事写下来，多拍些照片配合文字，一定能比现在所写的丰富得多，精彩得多。

原载《中国文化》第9期，1994年2月

大鷹篇

养獾狗、玩大鹰是过去北京同一社会阶层的两种娱乐癖好，二者有不可分割的联系，故俗语有"獾狗大鹰"一辞。

"鹰"，其广义被用作猛禽的总称，包括体型最大的雕（别名曰鹫）类；体型次大的鹰（即所谓"大鹰"）和鹘（北京称兔虎，乃兔鹘一音之转）；体型最小的隼类（鹞子、细雄、伯雄、松子等皆属之）。狭义的"鹰"把雕和鹘排除在外，只包括捉兔的"大鹰"、捉雉的"鹞鹰"和捉鸟雀的隼。因各种隼都不大，故通称"小鹰"，捉兔的鹰大，故通称"大鹰"。

人类养鹰，历史悠久。中外文献记载及形象材料十分丰富。全国各地区不仅所养鹰种不同，打鹰、驯养、出猎亦方法多异。经过搜集、采访、记录，可以写成数十万言的专著。不过本篇只讲我亲身驯养过的大鹰，分为打鹰、相鹰、驯鹰、放鹰、笼鹰五节。

一 打鹰

凡是对鹰感兴趣的，都愿意知道鹰是如何打到的。因此讲玩鹰当从打鹰说起。不过讲打鹰只有打鹰人最有发言权，其次是鹰贩子，也有机会看到。至于一般养家，恐怕只有少数人见过。

打鹰可真不容易，一上山就是一整天，带着星星出家门，踏着月色回村子，爬过十几道山梁，饿了啃几口干馍，渴了喝几口随身带的凉水。要是喝光了，只有去捧山沟里飘着羊粪蛋、绿不绿、黄不黄的积水喝。养鹰家很少愿为看打鹰去受这样的罪。至于打鹰的地方，远在二三百里外的塞北"大山"不用说了。即使是较近的"小山"，如冷风口、天桥、西陵、九龙山等，离京也百里开外，不去上几天不行。最近的地方也在香山卧佛寺之间的山头上和宝珠寺上坎，不下五十里。近虽近了，鹰却少于小山各地，很可能守上一天见不到一只大鹰飞过。有谁肯不辞徒劳往返而去看打鹰呢！

我很幸运，1938年秋曾去西山看打大鹰，居然一去就看到了。欣喜之余，随手把这一天的经历写了下来，可算是一篇纪实。久庋故箧，遭劫而未失。今日取读，还历历如昨。不然的话，事隔五十多年，即使是赏心惬意之事，也不可能记清了。

以下约四千言均录自旧稿。但有些关于打鹰知识，当年写纪实时还不知道，现在觉得应补充进去。特用方括弧〔 〕括出，作为后增的标志。

我今年买的第一架鹰是我看它俯冲入网的。养了六年鹰，还是第一次开眼。尽管它长相平常，抓兔本领也一般，不及我后买的鹰好，而直到隆冬才送给了朋友，多少有些缘分和感情。

去年我在护国寺，买过赵凌青（行四）一架青鹰，从此和他相识。赵四家住青龙桥西北镶红旗北门。今年农历八月十八日，我前往拜访的目的倒不是为看打鹰，只想给他留个信儿，撂些定钱，打着好鹰好给我留着。

镶红旗北门迤东一点，路北三间破瓦房是他的家。院墙坍了一大半，花墙子门楼也没了顶儿。但从村子的格局来看，官房栉比相连，当年旗营子确实兴旺过。我隔墙喊了一声："赵凌青在家吗？"一位老太太拉着个小姑娘走出屋来，对我说："儿子打鹰去了。"她迈出大门，回身指给我看西北山坡上的宝珠寺，寺北半山腰上一条白沙沙的路名叫白道子，是去三招（当地称烽火台碉堡曰"招"）必由之径。擦着三招西墙一直往上走，绕过山环就到打鹰的地方了。

我觉得路途不远，故未加思索便解开大褂的纽子，撩起大襟，向白道子大步走去。真是"望山跑死马"，看着仿佛很近，走了半天，再看反而更远了。八月的天气已不热，太阳也不高，走忙了照样出汗。好容易爬到了白道子，原来只是青石头被钉鞋踩成沙砾，远看竟如有雪一般。从白道子上三招，更不好走，路窄而曲折，待我背靠碉堡往山下看时，汗已浸湿了衣衫。稍稍歇歇脚，又往上爬，以为打鹰的地方已不远了。不料过一个山头又一个山头，没有赵四的踪影。不由得埋怨起自己来。此行既为买鹰，留话就行了，何必跑上山。既要上山，又为什么不问清道路，免得在山上乱转。接着我又想开了，今天只当来逛山，多转转总不至于找不到。顶多饿一天，渴一天，又算得了什么?!

对面来了个打柴人，挑着山草要下山。我向他打听赵四，他说半个月来天天碰到他，只要顺着俺下山的道路往上走，准能找到他。我的精神马上来了，道声"劳驾"，三步当两步，又往上爬了。

打柴人说得不错，上去不远，有用石块垒的矮墙，是打鹰人隐身之处，名叫"鹰铺"。但是墙内没有人，墙外也看不见网。

我心里有点纳闷，赵四哪儿去了呢? 只希望等等他会来。于是靠在岩石上望着云彩出神，不知不觉地睡着了，不知在那里靠了多久。

太阳到了正午，靠久了被山风一吹，又有点凉，把大褂纽子扣上，掸了掸土，无可奈何，只好下山回去了。

没有走半里路，又碰上打柴人。他很诧异我会在山上呆那么久。待告诉他赵四没找到，他迟疑了一下说："来、来、来，跟我走。"经过方才靠着休息的岩石，贴山环往北绕，连小道儿都没有了，只能找石头缝和草根多处下脚，走不远，发现面对正北深谷的山头上，矮墙后面蹲着一个人，正是赵四。我轻轻地走过去，坐在他身旁。他已在此守了一个上午，连只小鹰也没有看见。

待我来描述鹰铺的地形和鹰网设施。

鹰铺位在距顶峰不远的山坡上，坐南朝北，居高临下，在稍有小坳可容一二人处垒起一道石墙，高三尺余，宽约六七尺，打鹰人就呆在墙后。墙上留两个洞，靠下的洞一根铁丝由此穿出，名曰"弹绳"，是用来拉网的。靠上的洞，两根绳索由此穿出，是用来提拉"油子"的。油子就是活的诱饵，鸽子、胡伯喇各一。胡伯喇比麻雀大不了多少，一名鹦，即所谓"伯劳燕子，各自东西"的伯劳。

网约六尺见方，周匝粗线作纲，张挂在四根斜偃着的竹竿上，贴近网边的两根粗些，网中间的两根细些。弹绳和网上缘的"网纲"及竹竿上顶相连。网纲另端又和一根铁丝相连，约有两三丈长，拴在一根桩子上，名曰"脑橛"。经观察，发现竹竿下端有孔，夹着它是两个栽入山坡的橛子。橛子架着穿过竹竿孔的横轴，故整片网下有四个活轴，使网像一张书叶子似的能向左或右翻转。由于鹰从东方飞来时为多，网总是东面敞开，向西倾斜。翻扣过来，被网覆盖的坡面名曰"网窝子"，两个油子就安放在这里。从石墙的洞向坡下望去，弹绳和脑橛遥遥相对，在一条直线上。竹竿下的橛子则向西偏出两三尺，如果将几个点连起来，就形成一条近似弯弓的曲线。正因如此，当鹰来攫捉油子，猛拉弹绳，网就会迅速地向东面扣过来。

　　再说油子。鸽子和胡伯喇分别拴在一个　形木架上。木架的直棍上端拴绳，通到石墙靠上的小洞。横棍的两端被有孔的一双木橛子支起，使它起着轴棍的作用。只要提拉木架，就可以牵动油子。更因另有短绳连着直棍和栽入山坡的橛子，故架子只能拉到一定的高度，约和坡面成70度而止，不致被拉翻。可怜的油子，眼皮都被细线或马尾缝上，不使透光。只有如此才能任凭打鹰人摆布，要它什么时候飞，提拉木架，它就扑漉漉地拍几下翅膀，随又跌落到坡面。如果油子眼睛能见天，有鹰飞来，它早已吓成一摊泥，趴在地上不敢动，又怎能引诱鹰来入网呢？赵四告诉我，要是来了小鹰，他就提拉胡伯喇；要是来了大鹰，他就两只油子一起拉，因为大鹰既抓鸽子也抓胡伯喇。

　　[有关鹰网及其设施的最早记载当是唐段成式《酉阳杂俎·肉攫部》中的一条："鹰网目方一寸八分，纵八十目，横五十目。……有网竿、都杙、吴公。磔竿二：一为鹑竿，一为鸽竿。鸽飞能远察，见鹰常在人前。若竦身动盼，则随其所视候之。"[1] 可见当时的网为长方形，也有

---

[1] 段成式：《酉阳杂俎·前集》卷二十《肉攫部》，页193，1981年中
　　华书局排印本。

[1] 段成式：《酉阳杂俎·前集》卷二十《肉攫部》，页193，1981年中华书局排印本。

网竿。"杙"字本义为系畜之桩，疑指钉网的橛子。磉竿为拴油子的木架。油子用鸽子和鹌鹑，不用胡伯喇。鸽子也可当看雀使用。一切足以证明，现在打鹰的网及其设施早在一千多年前已经有了。]

[我曾把当年写的纪实念给老友常荣启[1]（彩图24）听。他认为我所见到的是京西小山的鹰铺，和大山的设施颇有出入。如明、清两代为官府进鹰的赤城（在河北北部云州附近，距内蒙古不远）鹰户，鹰铺不垒石墙而用山草树枝搭成窝棚。网竿只有两根（图1）。可见各山自有它的传统方法而彼此时有差异。大山鹰铺还用大鹰和兔子皮作油子，引诱大雕来袭击，将它扣入网内。因大雕有和鹰争抢食物的习惯。更有使用截然不同、无需人看守的"攒叉网"和"锅网"等，设计简单而巧妙，值得采访记录，但非专著不能详及。]

打鹰难，难在必须手捷眼快，心手相应。鹰来时，快如电，疾如风，真是"飞将军自天而降"。手稍一慢，油

---

[1] 常荣启，比我小几岁，但养鹰数十年未间断，且得到王老根的真传，深谙鹰性，技艺精湛。曾多次去大山、小山买鹰，知识渊博，经验丰富，非我所能及。他壮年时因追鹰撞在田野的电线杆上，碰了个"大窝脖儿"，从此落下了一个绰号"窝侯爷"，北京养鹰玩鸟家无不知晓，本名反不为人知。

1 河北赤城山上的打鹰网

子就可能被鹰抄走或攫死。人怕眼睛跟不上，早就想出了好办法，利用鸟来替人站岗放哨，搜索长空。被利用的鸟即所谓的"看雀"。又是一只胡伯喇，一只不缝眼皮的胡伯喇。

赵四又开讲了。他说："打鹰必须分辨风向。鹰和鱼抢上水一样，总是顶着风走。今天早晨刮北风，鹰擦着阴坡向西飞，所以网安在北铺。现在眼看风要转变方向，说不定我们得往南铺搬呢。"他叫我注意山上的草，果然连动也不动。可是再看山头上受得着南风的草，都已向北偃倒了。他用手远远一指，远，远极了，差不多在东头望儿山上面，有鹰飞过。他一望而知地说："是鹞子，它一定向南飞，擦着阳坡走。没有北风，这里休想过鹰。别在这里白耗着，我们赶快起网吧。"

赵四跑下坡解开网竿的绳，把网在竹竿上绕成一个球。弹绳盘好了，油子也拿了。我替他举着看雀，背着兜子，不慌不忙地往南坡行来。路上我发现他兜子里的干馍已经吃完，水壶里有半下子水，据说是刚打的。我渴急了，呷了一口，差点没呛死，真难喝，不禁想起漂着羊粪蛋的山沟积水，再渴我也不喝了。

南铺安好了网，赵四说，这块鹰铺有来历，隐老头传给他父亲，父亲传给他，别人是不得占用的。因为山头有块大石头向东南方突出个包，尖头尖脑，人称"黄鼠狼"，是西山六七块南铺中最好的一块。秋天很少刮南风，但只要刮，这里打鹰就有几分把握。我听他如此一说，又把渴和饿给忘了。

南风越刮越大，赵四也越来越高兴。他说，现在差不多四点钟，正是好时候。鹰来时，说话不要紧，可千万身体别动，更不得和鹰对眼神。注意看雀，它会告诉你什么时候鹰来了。

我全神注视着看雀（图2），真太有意思了，人想出来的办法太妙了，不愧是万物之灵。但随又想到正因为是万物之灵，也能成为万恶之首。人常常利用动物来陷害动物，油子、看雀都是明显的例子。

看雀胡伯喇拴在一根长长的枣树枝上，赵四将它扦在离人不远而视野广阔的地方。胡伯喇脖下拴着线，线下端有个铜圈套在枝子上，它可自由地顺着枣枝上来下去跑。枝底有个凹坑是它的防空洞。当天宇澄清，平静无

2 胡伯喇（即伯劳，打鹰时用作"看雀儿"）

事，它神色自若，气度安详，理理毛，拉拉膀，伸伸脖子，颠颠尾巴，好不自在。忽然眼神一愣，毛儿一紧，说明发生了情况，远处有鹰出现。它一边密切瞭望，一边一段一段地往枝下出溜。蓦地掉进了凹坑，这时鹰也来到了当头。赵四在胡伯喇开始紧张时已经接到了警报，一手将弹绳握紧，一手把油子提拉得乱飞。果然把饥鹰从远方引诱到山前。我也看明白了，原来是一只花狸豹（比大鹰小，鹰中最不中用的一种，不堪驯养），在离网五六丈的空中"定油"（两翅紧扇，定在空中不动为"定油"）。忽然它识破了

巧机关，飕地两翅一斜，往南掠空而去。胡伯喇顿时解除了警报，从坑中跃上枣枝，越爬越高，直到顶端，又自由自在，神气起来了。

我不由得责怪自己，花狸豹八成是被我给看跑了，连忙向赵四表示歉意。他却故意安慰我道："不一定，有时没有对眼神它也跑。再说就是看跑了又算老儿，花狸豹卖给楦标本的只给两毛钱。"

正说着，忽然看雀扑的一声掉进了凹坑。抬头看，只觉得眼前一黑，仿佛一块砖头从半空扔了下来。赵四站起来喊："好大个的儿鹰子！"（当年的雏鹰叫"儿鹰子"）定睛再看，大鹰已扣在网窝子里，唧溜唧溜地乱叫。我愣住了，竟没有看见从哪一个方向飞来的。

赵四跑下坡，从网里把鹰掏出来，用绳儿"紧上"（一种暂时性的缚束法，翅、爪都贴身捆好，使鹰不能动弹而又不会伤害它，便于携带）。淡豆黄，窝雏眼，大黑趾爪，慢桃尖尾（详后），足有三十二两。虽长得不甚出色，却也挑不出大毛病，只颜色淡了些。赵四笑着对我说："鹰是从西北方向上来的，我早就看见了，只是没有对你说。"我心里明白，准是怕我再给看跑了，所以不言语。

赵四高兴，我更高兴，为买鹰而看见打鹰，看打鹰而居然看见打大鹰，真是做梦也没有想到。赵四钉了半个多月网，小鹰打了不少，大鹰这还是头一个。

太阳转过山头，偏东南的山坡，比平地黑得还要早，山影已经快把三招遮上。赵四说咱们起网回去吧，晚了鹰要入林，再说鸽子刚才被鹰攥了一下，受了伤，飞不动了，不能再当油子使了。

下山还是我给赵四背着兜子，因为里面有大鹰，走山道加倍小心。

回到镶红旗，老太太拉着孙女早在那里等候，头一句便问："打着大鹰了吗？""打着了！"赵四回答也透着精神。大鹰就是油盐柴米呀！

我们以十二元成交。我笑嘻嘻地捧着鹰走，他们笑嘻嘻地送我上路，真是"皆大欢喜"。

走到青龙桥，早已掌灯。连忙进茶馆，吃饱喝足了才回成府东大地。

二　相鹰

判断鹰的好坏，全凭它的形象长相。古代定有《相鹰经》一类谱录，惜未能传至今世。惟辞赋歌诀，论说笔记，乃至片语只言，亦复不少。内容涉及雌雄、年龄、颜色、形相等方面。以下分别述之，先引古人之说，次取北京养家相传之经验口诀，意在参较印证。经发现上下千百年，竟绝大部分吻合一致，足见师承传授，屡验不爽，故能世代相传。间有参差抵触，不相契合者，则据个人所知，试论以何为是。

（一）雌雄

鹰类与一般禽鸟相反，雌大于雄。隋魏澹（字彦深）《鹰赋》已有"雌则体大，雄则形小"[1] 之句。《酉阳杂俎·肉攫部》亦称："雊鹰虽小，而是雄鹰。"此话只说了一半，另一半应为："兔鹰固大，却是雌鹰。"因雊鹰、兔鹰乃同一鹰种的雄与雌。当代鸟类学家对此自然早有所知，《大英百科全书》将两性大小之异写入Falconiform条，指出鹰类一般雌者比雄者体重大百分之二十至百分之一百 [2]。北京养家知小鹰中之"松子"为雄，"伯雄"为雌；"细雄"为雄，"鹞子"为雌。而"伯雄"、"鹞子"均大于"松子"、"细雄"。至于大鹰，承窝侯爷见

---

[1] 魏澹：《鹰赋》，见《全上古三代秦汉三国六朝文·全隋文》卷二十，页4132，1958年中华书局影印本。

[2] 《大英百科全书》第七册，页152，1974年第十五版。*Encyclopaedia Britannica*，vol.7，15th Edition，1974 Hemlen Hemingway Berton Publisher.

172

告："老辈相传鸡鹰是公，大鹰是母。"而鸡鹰、大鹰即古人所谓的雄鹰与兔鹰，故与《肉攫部》之说完全吻合。

大鹰、鸡鹰，一大一小，不难分辨。北京养家为了猎兔，只在大鹰中挑选优劣，而鸡鹰则不屑一顾。因其体小力弱，猎雉又须远入山中，故无人养它。

（二）年龄

偶检字书，有"一岁曰黄鹰，二岁曰鸧鹰，三岁曰鸽鹰"[1]之说。鸧、鸽二字，《肉攫部》不断出现。如："凡鸷击等，一变为鸽；二变为鸧；转鸽；三变为正鸽。自此以后，至累变皆为正鸽。"除"变鸽"一语费解，有待查考外，所谓"鸧"乃二年之鹰，"鸽"为三年及三年以上之鹰，该书各条可以互证，其义甚明，且可知为唐代养家所习用。即此一端，已足使我惊异。因任何动物，如果古人为其不同年龄命名造字，那末它一定是和人的关系非常密切，如马、牛、羊等家畜才会有。今鹰亦然，有力地说明在古代鹰和人的关系是何等的密切。其密切程度超过了我的认识和估计，因而使我感到惊异。

---

[1] 陆佃：《埤雅》卷六，页11下，《玲珑山馆丛书》本，清刊本。

《肉攫部》讲到鹰"一变背上翅尾微为灰色，臆前纵理变为横理"；又曰"一变为青白鹞，鹞转之后，乃至累变，臆前横理转细，则渐为鸽色也"；完全符合大鹰羽毛纹理变化的规律。原来大鹰自幼到老，每年换羽毛一次，每次换羽毛纹理都有变化，而以第二年第一次的变化最为显著。鹰初长成，胸部（即臆）每根羽毛上都有上细下粗的长点，即所谓纵理（彩图25）。次年换羽毛，长点变成了横道，即所谓横理。以后每换一次羽毛，横道就变得细一些，毛色也白一些。故养家一看纹理是纵点，就知道是刚刚长齐毛的当年鹰，通称"儿鹰子"。如横道较宽，而且有退落未尽的纵点羽毛，就知道是脱过一次毛的二年鹰，通称"一脱"。此后据横道的宽窄，白色的等差，估计其为三年鹰、四年鹰、五年鹰……，而称之为"两脱"、"三脱"、"四脱"……。当然两脱以上的估计未必完全正确，但亦大致不差。还有凡是脱过一次毛的鹰统称"破花"，脱过三次、四次或更多次的曰"老破花"（彩图26）。

每年中秋以后选购新鹰，多数养家爱买儿鹰子，取其稚气尚存，野性未固，较易驯养。但也有人爱买破花乃至老破花，取其价钱便宜，攫捉本领又非儿鹰子所能及。但野性难除，工夫不到家，就会远走高飞，逃之夭夭。记得1934年我初入燕京大学那一年，在大沟巷鹰店花了十多元

买了一架酽豆黄之
后，荣三偏要我再花
六元饶一个老破花，
因为长相太好了。下
地之后，果然本领不
凡，几乎每拳不空。
后被人借走，前夜上
架早了，后夜上胳膊
晚了，次日竟盘空扬

3 清郎世宁绘白鹰（台北故宫博物院藏。名
曰白鹰，毛心有淡紫色痕）

去。气得荣三直跺脚，当着许多人对借者很不客气地说了
句："懒骨头别玩鹰！"

　　以上关于大鹰年龄的识别，对养家说来是基本知识，
而非此道中人自然未必知道。1936年鹰店来了一架白色儿鹰
子，与《肉攫部》所载北齐赵野叉呈进的白兔鹰十分相似，
"头及顶部遥看悉白，近边熟视，乃有紫迹在毛心。……
翅毛亦以白为地，紫色节之。臆前以白为地，微微有纁赤
纵地"（图3）。一时养家争看，轰动京城。我费了许多
周折，向亲友借贷，始以百金购得。当时有位画家，并以
谙悉都门风物著称，撰文刊登在《北平晨报》，对此白鹰
大为赞赏。但末了来了一句"看来它年事已高"却露了大
怯。语云"隔行如隔山"，外行而想充里手，总难免要弄
巧成拙的。

175

（三）颜色

魏彦深《鹰赋》有"白如散花，赤如点血"语。前一句当即《肉攫部》所谓的"散花白"，是脱过几次羽毛、胸前呈灰白色的老年紫鹰。后一句指紫色儿鹰子，其纵点颜色深于他处，故予人点血的感觉。紫鹰当然属于上品。

《肉攫部》有多条以不同颜色的鹰作标题。计：黄麻色、青麻色、白兔鹰、散花白、赤色、白唐、黄色、青斑、赤斑唐、青斑唐、土黄、黑皂骊、白皂骊等。并注云："唐者，黑色也，谓斑上有黑色。"其中被认为是"下品"的只有青麻色，当即青不青、黄不黄，北京养家所谓的"白花子"。余未加评论，似均堪名登谱录。此外还有以产地命名的，如代都赤、漠北白、房山白、渔阳白、东道白等等。各种名色今已难知其详。有的即使现在能见到也不可能知道就是《肉攫部》讲到的某一种。据此可知唐代养家对鹰色分得很细，对产地记得很清，足证当时养鹰风气之盛，对鹰学研究之深，都远远超过清末以来北京的养家。

三十年代东西庙（隆福寺、护国寺）及大沟巷鹰店所见可分为紫、黄、青三色。所谓紫，色如作画用赭石，自然亦可称之曰"赤"。一般体重不到三十两（以落网时之重量为准，秤为十六两制），短小精悍，攫捉巧捷，公认是好鹰。黄色深者曰"酽豆黄"，次为"豆黄"，浅者曰

"淡豆黄"，以色深者为佳，体重在三十二两至三十六七两之间。青鹰色深者背色黑，色浅者胸色近白，或称之曰"黑"及"白"。青鹰有大至四十两以上者，倘是儿鹰子，胸前深色纵点如垂珠，大而稀，十分醒目，力大而猛，又是上品，但颇难得，或数年一见。

（四）形相

魏彦深《鹰赋》确是重要文献，论形相一段不假辞藻堆砌，亦摒典故铺陈，而言之有物，内容翔实：

> 若乃貌非一种，相乃多途。指重十字，尾贵合卢。立如植木，望似愁胡。嘴同剑利，脚若荆枯。亦有白如散花，赤如点血，大文若锦，细斑似缬。眼类明珠，毛犹霜雪。身重若金，爪刚如铁。或复顶平似削，头圆如卵。臆阔颈长，筋粗胫短。翅厚羽劲，髀宽肉缓。求之群羽，俱为绝伴。

在详陈种种可入选的形相之后，又列举若干不可取的长相：

> 或似鹑头，或如鸥首。赤睛黄足，细骨小肘。嫩而易惊，奸而难诱。住不可呼，飞不及走。若斯之辈，不如勿有。

《肉攫部》篇幅虽长，言及形相的只两句：

细斑短胫，鹰内之最。

朝鲜李焰纂辑的《新增鹰鹘方》（图4）是一本罕见的书 [1]，中有《相鹰歌》：

> 论鹰何事最堪奇，贪驯居上疾次之。
> 胸轩脊分定快骏，目光如电爪如锥。
> 若知禀性柔且驯，吻欲短兮头欲规。
> 两脚枯粗枝节疏，竞道能攫真不欺。
> 大者头小小者大，毪毯欲见羽参差。
> 刷翎跳身伸脚攀，名为弄架定应良。
> 趾成十字尾合卢，彦深著赋为赞扬。
> 羽毛要欲善折破，坐则尾短飞则长。
> 伦类亦有数般色，黑白间见黄赤常。
> 人言小驯大则悍，在山驯者在手翔。
> 头修嘴长善回顾，虽云能捕终飞扬。
> 猎家所诀略如此，余详大好眼中看。

---

[1] 李焰：《新增鹰鹘方》，1942年笔者据日本宽永癸未初秋二条鹤屋町南轮书堂刊本手录。其中《鹰鹘总论》、《调养杂说》、《养鹰鉴戒》三篇均署名"星山李燗编"。查字书无"燗"字，疑为"㷊"之误。按"㷊"同"焰"，故今简为"焰"。卷中有两处用朝鲜文作注，李当为十七世纪朝鲜人。

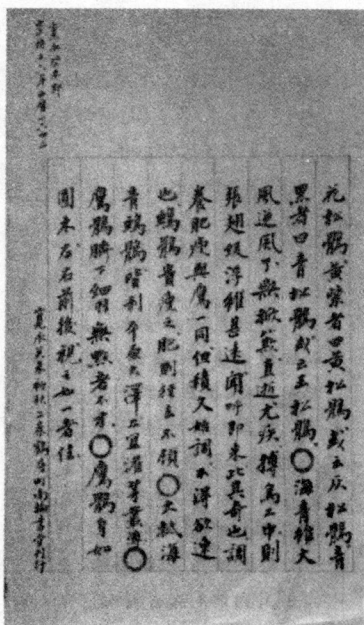

4 朝鲜李焰纂辑《新增鹰鹘方》首末两页，王世襄据日本宽永癸未
（1643）南轮书堂刊本手抄

《相鹰歌》后还有《闻见常谈》，当为李焰所记，摘
录有关形相数条：

鹰鹘身如圆木，左右前后，视之如一者佳。

鹰上则圆大，下则尖杀，如菁根者良。

小者足粗大胫长者良，大者足清劲胫短者佳。皆
贵瘦硬无肉，鳞甲粗而怒起者良，最忌软细而伏。

指如十字，爪短而直者佳。指同川字，爪曲如钩者下也。

剑翮干劲，叶薄尖如铦刀，末端直挺不内曲者快。

颊欲圆短，项欲秀长。

目向前而深者良，若向脑而凸者性悍。

收入《古今图书集成》的《鹰论》[1]，署名"臣利类思"，乃西洋人，汉译及呈进时期可能在康熙年间。内容分鹰与鹞两部分，中有《佳鹰形象》一则，所记为欧洲养鹰经验。综观全论，多言猎鸟雀，绝少涉及攫兔，可知所养以鸡鹰及鹞为主。论形象亦未见超出前人之说，故不录引。

古人论形相，只能择其重要者，试为阐述。

"立如植木"，"鹰鹘身如圆木，左右前后，视之如一者佳"，"上则圆大，下则尖杀，如菁根者良"，都是指鹰的整体形象而言的。菁根又名芜菁，俗称蔓菁，近似芥菜疙瘩，身大尾尖。北京对此种体型往往说："这鹰都长在头里了。"凡此生相，前胸必宽广，即所谓"臆阔"。

古人相鹰，均尚头圆、顶平、嘴短。头小如鹑如鸥，

---

[1] 利类思：《鹰论》，见《古今图书集成·博物汇编·禽虫典》第十二卷《鹰部汇考》，民国影印本。本书亦收入王韬辑《弢园丛书》，署名"西洋利类思译"，现藏上海图书馆。

皆不可取。北京选鹰，以雕头为贵。雕头之顶即平于一般鹰头。又谓头大主憨厚，头小主奸狡。古今相法，基本一致。

足胫（膝下至踵曰胫）宜长宜短，古人似无定论。《鹰赋》、《肉攫部》尚胫短，而《闻见常谈》则谓："小者足粗大胫长者良，大者足清劲胫短者佳。"北京称胫短之鹰曰"短桩"，善于掠地攫捉；胫长之鹰曰"高桩"，能离开地面下把。窝侯爷以为高桩鹰逮得花哨，下跑上飞，显得好看；矮桩鹰有一股撮劲，连尾巴都能兜上，起截堵的作用，论实效短桩为优云。至于骨骼，不论高、矮，足胫均以粗壮为贵。

胫足颜色或正黄，或黄中偏白，或黄中偏绿。北京分别以黄、葱白、柳青名之。《鹰赋》将黄足列入"不如勿有"之列，而北京以为胫色无关优劣。胫足鳞片，北京名之曰"瓦"，粗糙为佳，与古人"脚等荆枯"，"两脚枯粗枝节疏"，"鳞甲粗而怒起者良"，"最忌软细而伏"，完全吻合。

"指重十字"，不可如"川"字，不难理解。鹰爪有四趾，"十字"谓左右两趾长得开张，几成直线。"川"字谓迎面三趾不开张，并拢在一起，遂近"川"字之形。《闻见常谈》以趾爪短而直者为佳，曲如钩者下。北京选鹰宁要趾爪粗而短，不要细而长。细者无力，长爪易伤。

爪色尚黑如墨，与《鹰赋》"爪则如铁"俦合。

"尾贵合卢"曾久思不得其解，近日始有所悟。字书释"卢"，乃矛戟之柲，而古人制柲常用积竹法。长沙浏城桥东周墓出土铜戟，柲中心为菱形木柱，外包青竹篾一周，共十八根，周围用丝线缠紧，再髹漆粘牢[1]。江陵天星观楚墓出土戟柲，中为木心，外包长条竹篾两层，丝绸缠裹后再髹漆[2]。故"合卢"乃形容鹰尾有如由多根篾条合成的戟柄。如此理解，便觉古人描绘颇为形象了。北京养鹰称赞好鹰有"尾巴拧成一根棍儿"的说法，与"合卢"辞异意同。

关于鹰翅膀，《鹰赋》有"翅厚羽劲"之说。北京相法，膀拐子（即从正面看，鹰胸两侧可见的翅膀部分）贵薄，大忌臃肿肥厚，似与魏氏大相径庭，而与《闻见常谈》之"翮宜薄尖如铦刀"并无矛盾。膀拐子厚者起飞迟而回旋欠灵活，累试皆验，故养家深信不疑。

最后待我拈出北京相鹰流传最广一语："雕头鹕背桃尖尾。"雕头前已言及。鹕为鸿雁之一种，俗有"天鹅

[1] 湖南省博物馆：《长沙浏城桥一号墓》,《考古学报》1972年第1期页64—65。

[2] 湖北省荆州地区博物馆：《江陵天星观一号楚墓》,《考古学报》1982年第1期页86。

地鵏"之说。"鹘背"谓鹰背羽毛有与鹘背相似之花色，每片中部色深，外有浅色边。"桃尖尾"指尾上花纹。鹰尾翎十二根，上有四道深色斑纹。其正中两根自下向上数第二道花斑合成桃形或元宝形为桃尖尾。无白边，花纹不突出者为"慢桃尖尾"，价值远逊。桃尖尾鹰捉兔时能"犯哨"，即忽然腾空而起，又俯冲疾坠，砸中兔身，动作惊险，成功率极高，故为人重。口诀"十个桃尖，九个上天"亦指其能犯哨而言。

三　驯鹰

驯鹰始于买到鹰之日。

"小山"鹰，网家打到即送鸟市去卖。"大山"因路远，要凑够一挑才进城。每挑前后的两个大草圈上，可以拴八头鹰。鹰户乐意整挑卖给鹰店，好立即回山继续钉网。老年间北京鹰店不少，三十年代只剩下东四大沟巷一家。门外三根长杠，鹰都戴着帽子，一字儿排开，拴在上面。买妥后先问明落网时重量多少，往往还要称一下，看所说的是否可靠。此鹰日后熬到多少分量下地捉兔，这原始重量是一个重要依据。例如落网时重三十二两，熬到二十六两，也就是说约减去其体重的五分之一，下地较为适宜。重于二十六两鹰有逃逸之虞，轻于二十六两又将因体亏而无力搏兔。称的方法用秫秸扎一个三角形架子，横梁承鹰，顶角钩秤，简便易行。

生鹰怕人，白天必须戴上帽子，不使乱飞，翅尾方能保全，入夜则把帽子摘掉。看看这顶扣在头上的小玩意儿，已令人对始作帽者的聪明才智赞叹不已。它由一块长方形的皮革制成，正面留一个三角形口，鹰嘴和鼻孔由此伸出。沿着帽口上下边缘切几个小口，一根窄长的皮条贯穿切口一周匝后又互穿到帽口的另一侧，把长长的头伸在外面。再用两根宽而短的皮条和窄长皮条系牢。这样两侧各有两根一窄一宽的皮条伸出。只要拉一下窄皮条，帽口就抽紧；拉一下宽皮条，帽口又松开，便于给鹰戴上或摘掉。更为巧妙的是帽子前方靠上有两个鼓包，只有裁剪缝缀得法才能形成。无此鼓包，便会磨伤鹰的眼睛，所以十分重要。有的鼓包像螺蛳转儿那样转成的，更为精美。帽顶垫一个皮钱，翘起两根皮条尖。考究的代之以一簇红缨，显得更加英姿飒爽（彩图27）。这不只是装饰，两指捏之，便于戴上或摘掉。

鹰的脚下也被人加上了许多零碎儿。套在爪腕上是一拃来长的两条东西，名曰"两开"，因并不相连而得称。两开用棉线或丝线编成，但下地时必须换上皮革制的，取其柔韧而不会被枳荆剐住。两开下与一个二寸多长的绦结挽扣相连，绦结之名为"蛤蟆"。转环穿在蛤蟆的下半圈。转环古人称之曰"镟"（杜甫《画鹰》诗"绦镟光堪摘"）。转环或铜或铁，或银合金，亦有鎏金者，有磨盘、瓜棱、花篮、盘肠、天球诸式。清代造办处制錾雕龙头的尤为精美（图5）。转环下与线编的"五尺子"相连，由一根长丈许的绦绳双折而成，外加两条细而短的穗绳，近似飘带。"五尺子"因双折后的长度而得名(图6)。

架鹰也叫举鹰，右臂戴"套袖"，长约二尺，即古人所谓的"韝"（元稹诗"韝鹰暂脱羁"）。"韝"从"韦"，亦从"革"，知古人多以皮革为之。考究的则用锦，"锦韝"亦常见于古诗。北京多用紫花布缝制，内絮棉花，黑色线纳斜象眼纹，套之可防鹰伤人臂。架鹰者用食拇两指

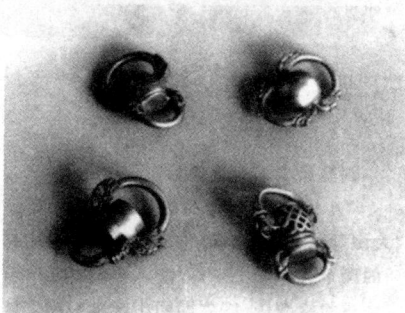

5 铜制鹰转环四种（清宫造办处制）

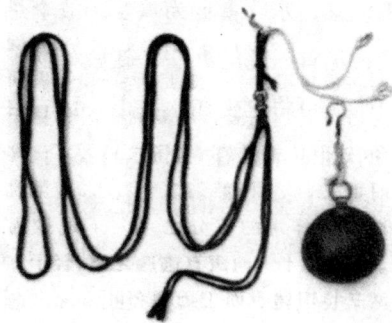

6 鹰具（包括两开、蛤蟆、转环、五尺子、水瓢）

7 鹰举在臂上情况

捏住两开和蛤蟆之间的扣结，五尺子则盘两圈半后套在中指上，握在手中。这样就可以举着鹰各处行走了（图7）。从这时起鹰算是"上胳膊"了。不到鹰熬成下地抓到第一只兔子，鹰是不下胳膊的。

鹰自落网，受人折磨，损性劳形，内热郁结。此时对鹰说来，水比食更为重要。故李焰《调养杂说》将《水》列诸篇首。他的办法是新鹰如摘下帽子，乱飞不止，气喘口张，可将它坐在水盆上，让它自己喝水。如不肯喝，则用鸡翎蘸水滴在鼻上，自然会频频张嘴，慢慢吞咽。北京养家甚至口含清水，把鹰喷成"落汤鸡"。这也于鹰无害，不仅喝下一些水，还会理毛梳翎，老实半晌。

喂生鹰，羊肉切得细而长，蘸水往鹰嘴尖上兜挂，逗它张嘴。如一再拒不进食，只有强迫它吃。暂时将它拴在杠上，双翅一拢，夹在胳膊下。两脚也因被两开捆直，无法活动。此时可两手并用，掰开嘴，把肉填下去。一天只喂一顿，约羊肉三两。如此两三天，它会羞答答地自己把肉吃下去。由不吃到肯吃，名曰"开食"，是人和鹰打交道的第一个回合。

熬鹰也叫"上宿"，因不仅白日，整夜都不让睡觉。要防止它对着人的一只眼睁开，而背着人的一只眼闭上，偷偷地休息。至少需要三个人，实行车轮战，一人管前半夜，一个管后半夜，一人管白天，被称为"前夜"、"后夜"和"支白"。如只有两个人，那就很辛苦了，弄不好人没有熬倒鹰，鹰却把人熬倒了。

熬鹰总是到最热闹的地方去，来往车水马龙，灯火照耀，人声喧阗，深山老岳来的鹰哪里见过，眼睛真有点不够使用的了。

想当年我熬鹰喜欢值夜班。农历九月，天气已凉。吃过晚饭，穿上广铜扣子大襟青短棉袄，腰里系根骆驼毛绳，头顶毡帽盔儿，脚蹬实纳帮洒鞋，接过鹰来，溜溜达达，从朝阳门走向前门。五牌楼是九城熬鹰的聚处，贴着鲜果摊、糖葫芦挑子一站，看吧，东西南北都有鹰到来。养鹰的彼此都认识，见面哪能不高兴！请安、寒暄之后，彼此端详端详臂上的鹰，问问分量，评评毛色长相，往往扯到某一位、某一年养的某一架鹰上去。一下子到了五六位，穿着打扮都差不多，个个儿挺着胸脯，摇头晃脑顺着大街往南走。警察老爷对我们侧目而视，行人免不了瞪我们一眼，心里说："这一群不是土匪也是混混儿！"到了天桥，打了一个转儿又往回走，来到大栅栏、鲜鱼口站住了脚，一直等到中和、华乐散戏，眼看着包月车、马车、汽车像潮水似的往外涌。渐渐夜静人稀，灯也暗了，我们才分手。

分手不回家，往往接着熬后夜，一个人顶（读dīng）了。出门已经几个钟头，走了十几里路，能不饿吗？走进大酒缸，不喝酒也要来碗馄饨，四个烧饼。

我认识养家西城较多，离开大酒缸，多半去西城。反正熬鹰遛得越远越好，所以喜欢绕远儿。从前门到天安门的石头道，又平又直，踩着落叶，簌簌地响，怪有意思的。

走西长安街，拐西单，奔西四，到面对太平仓的夜茶馆，又是我们熬鹰的聚处。鹰怕热，不能进屋，门外的条桌条凳全是给我们预备的。沏一包叶子，来两堆花生，一边剥，一边聊。因为右手举着鹰，仅有左手闲着，只好咬开花生往嘴里倒，往往连皮儿也吃了下去。

东方一挑哨，鹰又来劲儿了。地下一发白，它又乱飞了，只好掏出帽子给它戴上。

我们又出发了，上德胜门晓市去。过新街口往东走，天越来越亮，路上又碰上几位架鹰的朋友。太阳上了后海的柳梢，支白的人来了，把鹰接过去，我回家睡大觉，傍晚再接前夜。

照上面所说的熬过五六天，鹰的野性磨掉了一些，白天在胳膊上不乱飞了，帽子可以不戴了，行话叫"掉帽儿"，这是人和鹰打交道的第二个回合。

由于熬鹰总往人多处走，故不论白天或夜晚都要注意一件事——鹰拉屎，北京叫"打条"（鹰屎自古就叫"条"，见《肉攫部》）。只要它稍稍向后一坐，尾巴一翘，一泡稀屎就窜出老远。老养家的胳膊对打条能有预感，连忙蹲身沉臂，让条打在地上。初学乍练的措手不及，便会滋周围人一身，人家自然冒火。荣三告我某年某月十五日，酱菜洼傅老头，一位世代养鹰的老行家，带着家人架鹰来到东岳庙山门外。那天天气晴和，摊贩生意兴隆，游人正多。他家人一时走神，一泡鹰条打在豆汁挑子的大锅内。傅老头抄起勺子在锅内一搅和，说了声"治病的"。卖豆汁的一愣，随即有所会心而没有吭声。喝的人也没有理会。这锅豆汁一直卖到见锅底。按《本草纲目》称鹰屎曰"鹰白"（其色白，故名），可以"消虚积，杀劳虫"[1]。尽管傅老头言有所据，鹰屎也吃不坏人，他也

---

[1] 李时珍：《本草纲目》卷四十九《禽部》，1957年商务印书馆排印本。

未免太恶作剧了。我初架鹰时也露过怯，打条脏了人家衣裳，赔礼还不答应，把衣服洗干净登门道歉才了事。

生鹰开始喂的是鲜红的羊肉，两三天后羊肉泡水后才喂，越泡时间越长，直至全无血色。这是为了降低养分，使鹰消瘦。俗云"饥不择食"，鹰饿了才肯吃白肉，并连颜色浅淡的"轴"（音zhòu）也吃下去。这是人和鹰打交道的第三个回合。

说起"轴"，需要作些解释。这是鹰必须吃下去的一样东西，养家无不知之。但这个字如何写，问谁也说不出来，我也未能找到一个音与义和所喂之物沾点边的字，只好暂用读作zhòu的"轴"字了。

"轴"，北京用线麻来做，水煮后经捶打再入口咀嚼，务使柔软，然后做成如两节手指大小，略似蚕茧，喂晚食时裹肉让鹰吃下去。不同地区制轴用料各异，或用苘（音qǐng）麻，或用布、谷草、鸟毛为之，求其柔软不伤鹰喉则一。

原来鹰不论大小，捉到猎物都大口撕食，连鸟羽兽毛一起吞下。血肉筋骨都能消化，惟独羽毛不能分解吸收，也无法排泻出来，只有在嗉、肠里被紧成一团再从口中吐出，这一昼夜的食物消化才算完成。鹰在大自然中即如此，故山林中也能拾到鹰吐出的球状物体，养家称之曰"毛壳儿"。鹰落人手，开始只喂肉，吃不到羽毛，故须

190

给补上一个轴。待驯鹰成功，捉到兔子，虽能吃到一些皮毛，但终不及野生时多，故麻轴须继续喂下去。

宋代大科学家沈括对自然现象观察敏锐缜密，他发现鹰不能消化毛羽并写进了《补笔谈》[1]。更早的是东汉许慎，《说文解字》收有"䐉"字："鸷鸟食已，吐其皮毛如丸，从丸咼声，读若骫，于跪切。"[2]"䐉"字的始创自然远在东汉之前。"䐉"就是北京所谓的"毛壳儿"。李焰在《调养杂记》则将"䐉"作为一节的名称，内容都是关于轴的材料、制法等。实际上他已经把鹰在野生中吐出的䐉和人工炮制的轴等同起来而视为一物了。

北京养家流传着一句话："熟不熟，七个轴。"意思是生鹰喂过七个轴，不熟也差不多了，可以开始捉兔子了。魏彦深《鹰赋》有"微加其毛，少减其肉"两语，意思是把做轴的毛加多一些，喂鹰的肉减去一些。可见自古以来养鹰即用轴和肉来控制其摄入的营养数量，维持消化系统正常运行，以期达到驯养成功，为人捕捉的目的。不过据我所知，北京绝大多数养家认为轴的作用只在刮去其膛内的油脂，消耗其体重，使鹰饥饿，供人驱使。如此理解恐

---

[1] 沈括：《补笔谈》卷三，页12上："鹰鹘食鸟兽之肉，虽筋骨皆化，而独不能化毛。"清唐氏刊本。

[2] 许慎撰、徐铉校定：《说文解字》九下，丸部，光绪七年刊本。

怕不够全面，因而也就不够正确。因为忽略了吃毛吐轴原是鹰本能的、天然的消化过程中不可缺少的一环。

记得1932年前后在美国学校读书时，校长请来了一位美国鸟类专家做演讲，题目是《华北的鸟》，讲到了大鹰。讲后我提问：鹰吃了它不能消化的毛怎么办？养鹰为什么要喂它吃一些不能消化的东西来代替毛？他因闻所未闻而瞠然不知所对。由此看来，我国千百年前的古人比二十世纪的某些外国鸟类科学家，对猛禽的知识究竟谁知道得更多一些呢？

喂白色肉并控制分量，使鹰体重逐日下降，它自然越来越饿，这时开始训练"跳拳"。办法是将鹰放在杠上，或由另一人举着。喂者左手拿着五尺子，右臂套袖上搭一小片鲜羊肉，凑到距鹰一尺来远的地方，一边晃动套袖引起鹰的注意，一边"嘿"、"嘿"地叫它，让它跳到套袖上来。跳过来即喂它，如此多次，每次距离拉大一些，直到把五尺子由双折打开成单股，距离超过了一丈，鹰还是很快地跳过来，"跳拳"算是训练成功。这是人和鹰打交道的第四个回合。

下一步训练"叫遛子"。遛线足有十来丈长，风筝线框子成了驯鹰的用具。双折的五尺子下端套个铁圈，穿在线上。叫鹰人和举鹰人的距离从三四丈开始，加大到十多丈，每次都按下面的方法叫它从举者的臂上飞到叫者的臂上。

叫者将遛线围腰系好，脸背着鹰，来个蹲裆骑马式，把穿套袖、搭羊肉的右臂横向伸直。举者左手拿好线框子，侧身弯臂，将鹰隐在胸前，暂不让它看见前方。直待叫者摆好架式，喊出"嘿"、"嘿"的叫声，才转身将鹰亮出，使它看清叫者，展翅飞去。

叫遛子要求鹰飞得又正又低，擦着地皮，待临近叫者才向上一扬，稳稳当当地落在套袖上，一心去吃上面搭的肉（彩图28～30）。不许它在中途摇头晃脑，左盼右顾，或偏离遛线，侧翅而飞。更不许到中途一下子冒了高，想要逃离羁绊，远走高飞。好在有遛线管着，要跑也跑不了，只能以噗的一声跌落在地而告终。一切不符合要求的轨外行动都说明它野性未除，居心叵测，训练必须回炉，考虑是否再减些肉量，降些体重，直到符合要求为止。因为放大鹰不同于放小鹰，小鹰可以拴着线捉麻雀，名曰"挂线"。而大鹰下地，脚腕只有一拃来长的两开。如果真个跑了，还是真没辙，只好手拿五尺子，"目送飞鸿"了。因此下地前必须经过叫遛子的严格考验。叫好遛子是人和鹰打交道的第五个回合。

架鹰下地去抓第一只兔子，名叫"安鹰"。这一定要等它性起，斗志杀机无法按捺才行。仅仅驯熟，见到猎物是不会出击的。说也奇怪，只要熬得认真遛得透，食量得当，体重适宜，出轴正常，快则十多天，慢也不消一个月，鹰自然会"上性"。上性的表现十分明显。倘身边有小猫、小狗经过，它会耸身凝眸，跃跃欲试。开门关门，吱咀一声，它会猛地抓紧套袖，仿佛猎物就在脚下。甚至嘴爪并用，撕扯套袖，如架者不及时将胳膊抽出，竟有被抓伤的可能。

　　捉到第一只兔子，或叫"安上了鹰"，算是初战告捷，是人和鹰打交道的第六个回合（彩图31）。此后进入日常放鹰的阶段，而熬与遛仍不可少，轴仍须喂，体重仍须称，和鹰的交道还要继续打下去。如养放得法，鹰会越来越驯熟，擭捉本领也越来越大。随着严冬来临，天气日寒，鹰的体重也应随着增加，直到接近落网的分量。到那时它体力充沛，猛勇矫健，每天能捉四五只乃至更多的兔子（图8）。过去北京有以此维持一冬生活的，名叫"买卖鹰"。偏远山区，兔子、山鸡

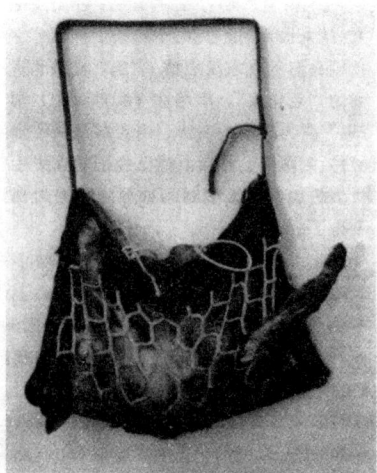

8 猫兜子（出猎时盛兔子的袋兜）

194

（雉）一起抓。北京则避免猎雉，怕抓惯了连家鸡也抓，会带来麻烦。伤了老太太的鸡，碰上难说话的，赔鸡赔钱还不依不饶，十分尴尬。

养了七八年鹰，使我感到为了驯鹰，熬夜遛远，只要豁得出去，并不难。难在调节食水，控制体重，掌握分寸，恰到好处，使鹰不致因火候欠缺而背人飞去，又不致因火候过头，体弱身孱而无力捉兔。白居易有一首《放鹰》诗[1]，虽别有所喻，却讲到了这个道理：

> 十月鹰出笼，草枯雉兔肥。下韝随指顾，百掷无一遗。鹰翅疾如风，鹰爪利如锥。本为鸟所设，今为人所资。孰能使之然，有术甚易知。取其向背性，制在饱饿时。不可使长饱，不可使长饥。饥则力不足，饱则背人飞。乘饥纵搏击，未饱须縶维。所以爪翅功，而人坐收之。圣明驭英雄，其术亦如斯。鄙语不可弃，吾闻诸猎师。

不过严格说来，放鹰不仅要知道下地时的饥饱情况，还须深谙它被人驯养以来的身体情况和精神状态。正因如此，善调鹰的老把式自鹰买到手即密切注视着它的体重变化，并无时无刻不在观察它的动作神情。以我曾经相处的

---

[1] 白居易：《放鹰》，《全唐诗》页1038，1986年上海古籍出版社影印本。

荣三、王老根、窝侯爷三位来说，他们都能在最合理的时间安上鹰，从拒不进食到抓到兔子。这里强调"最合理"三个字，是因为太慢固然不好，太快会伤鹰、死鹰更不好。在驯成之后，每天喂晚食时喂轴，此后还要在胳膊上举一两个小时才拴到杠上。次晨约四时又举起，不久即出轴，随即称分量，天天如此。人不懈怠，鹰也好像生活有规律的人一样，进餐、如厕都有固定的时刻。打条、出轴都要留心观察，借知身体是否正常。条打得长而远，白多黑少，不杂他色，尽端成片则无病。轴团得很紧，色正无异味，说明消化良好。如带绿色，膛内有油，肉量宜减；颜色发红，内热所致，清火为治。李焜《调养杂说》有一节以"安"名篇：

> 鹰呼吸与人同节。每食连下，食袋上则柔软，下则坚硬，健拂羽，一足拳，左右伸气，肩背羽不动，肛门窄小而冷，一日二三屎，屎茎粗长，末大如掌，黑白相间，宿则回头插背，此平安之候也。

他把健康鹰的判断法传授给了后人。

《肉攫部》、《鹰鹘方》、《鹰论》还记录了多种诊治疾病的方法和药方，有的药如龙脑、朱砂都十分名贵，说明前人对鹰的爱护和医疗经验的丰富积累。

驯鹰养鹰可归纳成两句话：它是一门艺术，也是一门科学。

四 放鹰

本节将使用一个前面没有用过的名词——"猫"。猫者，野兔也。北京习惯称野兔曰"猫"或"野猫"，尤其在出猎的时候。在某些场合，如下地放鹰，不使用这一名词，就好像脱离了实际生活而感到十分别扭。

放鹰从"安鹰"说起。这是野鹰经过驯养，第一遭下地捉兔，以两三人为宜，多了鹰会害怕，术语曰"臊"。更因人多蹚地面积大，猫起脚远，新鹰体弱，力不能胜。故只盼运气好，遇上个"脚踢球"（详后），不太费劲就顺顺当当地把鹰安上。

放鹰，尤其是安鹰，宜在树木不多，人家稀少的平原。平原一望无际，视野开阔。树木少，兔子无处藏身；人家稀，免得狗来捣乱。一垄一垄的麦苗，生地夹着熟地（庄稼已收并经犁耙过的为熟地，未经犁耙的为生地），是放鹰好去处。北京养家流传着不少口头语："两熟夹一生，猫儿在当中"，"两生夹一熟，兔子在当头"，是说未经整过的地容易找到食物，所以兔子爱呆。"拐弯抹角儿，地头地脑儿"，是说越是不起眼儿的地方越可能隐藏着兔子。"和尚不离庙，兔子不离道"，语似费解，因道多行人。但事实确实这样。田地土松，兔子跑起来费力。道路地面硬而平，蹬得上劲，它能跑得快。这些口头语是养家的经验总结。

鹰安上之后，每天出猎，待见过七八个猫，吃到了活食，体力有所恢复，本领渐能施展，和人也有了些默契，行话叫"鹰放溜（读liù）了"，下地就以人多为好了。

我在高中读书时，鹰始终没有放痛快过。家住城里，好容易盼到一个星期天，清早出城，下地已过中午，掌灯后才回来，时间大半耗费在路上。待上燕京大学，却有了特殊的放鹰条件。我住在东门外一个二十多亩的园子中，出门就放鹰，周末不用说，周间下午没有课也可以去。加上逃学旷课，每周都可以去上两三次，真是得其所哉！得其所哉！

时值冬闲，邻近的老乡们都爱看放鹰。成府的吴老头儿，西村的常六，蓝旗营的秃儿、大牛子，还有五六个十四五岁的毛孩子，一凑就是十来个人。中午前后，他们已吃过午饭，各自拿着柳木杆或荆条棍，到园子等候。只等我和荣三准备齐全，说一声"走"。我举着鹰，穿着打扮和熬鹰时差不多，只加上一副鹿皮套裤。荣三挎上水壶，背上猫兜子，里面装着水瓢和白菜叶包好的羊肉和麻轴。

凡是跟我们走的，不论老少，一不求财，二不问喜，只为了玩，肯追肯跑，真卖力气。收围后各自回家吃晚饭，送他们兔子也不要。顶多隔上五六天，弄几斤棒子面，柴锅贴饼子，炖一大锅猫肉，又烂又香，大家坐在花洞子前卷起的蒲席上，大筷子吃猫肉，饼子焦疙渣咬得出声儿，真解馋。有人连饼子也不扰，自带窝头或馒头。

下地后总是一字儿排开，每人相隔约两丈远。我举鹰在中间，稍稍落后，成一个倒人字。为的是猫被任何人蹚出来，鹰都看得见。举鹰看似容易，也须练个三年五载。因兔子潜伏田野，不知何时何地会跳出来，一刹那间，鹰已抢下胳膊去。举者必须眼快手疾，心应眼，手应心，鹰在套袖上一蹬，胳膊必须向外一挺，为它添劲助势，还要高声报出一声"猫"，让大家都知道。倘若稍稍一愣，手指未及时松开两开，等于已经把鹰扽（读dèn）住了才撒手，鹰必然摔在地上，行话叫"放垂头"。鹰从地上再飞起，兔子已经窜出去四五十丈了。出围的都是自家人还好，要是被别的养家看见，传出去不光彩，说什么："别瞧某某玩了几年鹰，还尽放垂头呢！"再说手太松也不行。田野里有一种落地不落树的鸟叫"鹅鹅儿"，和土地一色，大小近似鹌鹑。正当你一心一意以为有兔子跳出来，忽有鹅鹅儿飞起，眼前黑影儿一晃，心怦然一跳，加上鹰一抢，不由地把鹰撒了手。如再谎报出一声"猫"，又不免要落话把儿了。

放鹰有意思，刺激性强，百放不厌，是极好的运动，对锻炼身体大有好处。我现在已过七十九岁生日，赶公共汽车还能跑几步，换煤气还能骑自行车驮，都受益于獾狗大鹰。

下地只要一撒鹰，就是鹰追兔子人追鹰，有时要跑二三里，管它枳荆棵子剐不剐人，玉米茬子扎不扎脚，都一冲而过，跑得气呼呼，只觉得两耳生风，鼻端出火，汗湿衣襟。地形随时有变化，上坡下坎，迈垄越沟，环绕坟场，出入树林，踏泥涉水，蹈雪履冰，不胜备述。狡兔利用一切地形和风向来脱逃，大鹰则施展各种技能来搏击，时时有变，回回不同，很少是过去的又一次重复，有意思也就在这里。如果以为放鹰还不就是伸开爪子抓兔子，一把就抓住，未免想得太简单了。真是这样，也就没意思了。

下面记几次放鹰的实况：

先说"脚踢球"。原来兔子夜间在地里觅食，白天就刨一个小坑卧下，名叫"卧子"。坑并不深，背脊露在外面。头前土高一些，可以遮住头及双耳，名叫"隐头土"。它皮色和土地完全一样，很难察觉。往往是放鹰人走近，快踩上它了还未发现，而兔子以为人已找到它头上，再也呆不住了，才一跃而起。这时胳膊上的鹰一下子抢下去，兔子尚未伸开腰，鹰已经砸到它身上，翻滚在尘埃。因兔子仿佛是被人一脚踢出来的，故曰"脚踢球"。这使我想起盛夏雨后，站在屋檐下看滴溜。一滴雨水从瓦垄掉下来，还未到地，下一滴又下来了，两滴差不多同时着地。鹰的这种迅疾狠准的动作，真是扣人心弦，使我对古人所说的"兔起鹘落"有进一步的体会。当然以上云云，只有放溜了的鹰才能行。安鹰时遇见"脚踢球"，虽能抓住，但不会有如此精彩的表演的。

要是兔子起脚远一些，鹰就要花些力气了。只看它飕飕地擦地飞去，翅膀紧扇几下忽然不动了，名叫"掐葫芦"，可是身子还在空中很快飘着。等它再紧扇时，已来到兔子的上空。猛然一斜，侧身而下，尘土起了个旋儿，却并未抓到。原来兔子停止前进，就地转了一个圈儿，名叫"划魂儿"，接着开腿又跑。鹰扑个空，起来再追。兔子索性放慢了速度，不是转弯就是后退，名叫"拉抽屉儿"。看吧，鹰上下翻飞，兔子腾挪躲闪，真使人眼花缭乱。人追近了，兔子不敢再耍花招，连忙穿向人行道，想扬长而去。入道虽然跑得快，可是鹰更快，眼看它在兔子后腿猛然一撩，把屁股掀起一尺多高，拿了一个大顶。落下来时，另一只利爪已把兔嘴箍住，这一手名叫"撩裆箍嘴"。兔子被弯成了弓形，后腿登起，插在鹰膀子里，名叫"插旗"（单腿曰"单插旗"，双腿曰"双插旗"），别住了，鹰和兔子都动弹不得。这时兔子出了声，呱呱地叫，说明它已逃脱无望。人赶到了，抽出兔子腿，鹰迅速地把撩裆的爪子倒到兔子头上，尚未开始撕啄，已经是满嘴兔子毛了。

如果兔子在远处跑过，名叫"跑荒猫"，鹰照样要抢下胳膊去抓。这时是否撒鹰，全凭架鹰人作主。一是估量鹰的体力；二看地形好坏，天时早晚；三看人是否跑得动、追得上。不消说，撒手就要跑上三五里，可能还逮不着。有时出围脚背（不顺利之意），一天都没有蹚起猫来，好容易碰见一个跑荒的，怎肯放过？问题往往就出在这里。人没有跟上，不是找不到鹰，就是逮着猫又被狗冲开了，甚至连鹰带猫被人拣走。架鹰人要在刹那间作出正确决定，并不容易，全靠经验阅历。也有"鹰高人胆大"，跑荒猫照放不误。本世纪初荣三举着一架大青鹰在杨村一带出围，地势寥廓，鹰的能耐又特别好，多远的猫也撒手，不但没有丢鹰，而且十放九不空。

往往田野中间有一大片荒草，二三尺高，赭黄色，黄得发红，夹着荻子和枳荆棵，名叫"黄片草"，这是兔子喜欢藏身的地方。到这里才显出鹿皮套裤的优越性，枳荆剐上一道白印，扎不透，划不破，可以放心在里面蹚。在此举鹰，要高高擎起，猫从哪里出现，鹰都看得见。兔子决不肯轻易跑出去，老在草里穿来穿去。鹰在草上扇着翅，低着头，随着兔子转。忽然到了一个草稀的地方，鹰猛然扑下来，抓着不用说，抓不着，兔子便溜之大吉。鹰在草中，两爪还紧紧抓着干草，瞪着眼睛发愣，满以为兔子已在它掌握之中。鹰也有被兔子诓了的时候。

鹰放溜了，带树林的坟圈子也不在话下。在搜索林子之前，必须先相一相地势，哪一方向开阔，人家少，举鹰人就在那一边等候。余下的人都进树林，排开向举鹰的一面推进。一边打草，一边"咧呼"、"咧呼"地喊。举鹰人要侧着身，解开棉袄大襟的扣子，拿出虮蜡庙费德公的架式，左手提着衣襟，将鹰遮住，给兔子让开出路。林子里报了"猫"，先不撒手鹰，要等兔子钻出来而且跑出一段才放下衣襟，挺胸脯，伸胳膊，让鹰追下去。

狡猾的兔子有时硬是不出林子，出来了还是绕道回去。鹰黏着它不舍，追进了林子，是否能抓着不敢说，可是有看头。翅膀时张时捩，飞行忽正忽斜，在树空当中穿来穿去。老友吴老头会说："真好看呀，活赛过大蝴蝶儿呀！"

遇见上述情况，窝侯爷会不断念道他养过的一架豆黄鹰，在八宝山松树林（当时尚无公墓）出围，兔子在树底下转，鹰在树梢上飞，一连砸下来七次，终于把兔子抓住。他说这叫"盘着逮"，和桃尖尾的犯哨又不相同，而与兔鹘的逮法相似。求之于大鹰真是百年不遇，千架难逢。

放鹰放到跑荒猫敢撒手，密树林敢进去，就会认识到训练"叫闷拳"和系铜铃的必要性了。

"闷"就是看不见的意思。鹰放溜了，喂晚食时正好训练一次。其法是不使鹰见人，只让它听到叫鹰人的声

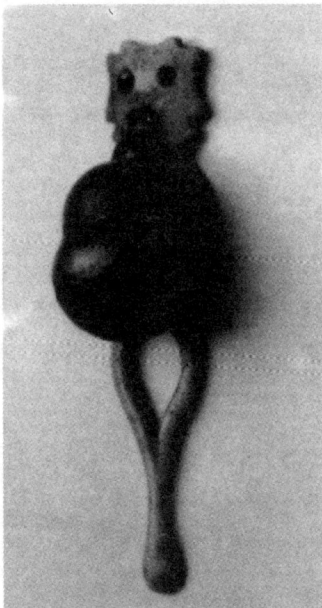

9 鹰铃铛及骨制垫板

音，自动地飞起来找人，落到叫鹰人的胳膊上，然后喂它一顿。训练时举鹰人和叫鹰人隔着一个坟头或土坡，或一在林内，一在林外，谁也看不到谁。待喊出"嘿"、"嘿"几声，鹰即循声而至。练好后，如追鹰未能跟上，一时不知它在何处，凭这几声喊叫也能把它叫回来。

系铃是将一块象牙或兽骨制成的葫芦形镂空垫板连同一枚有舌铜铃拴在鹰尾正中的两根尾翎上（图9）。拴法用针线穿缝打结，和给鸽子缝哨尾（读yǐ）子相似 [1]。但须注意其高低尺寸。过高铃能磨伤鹰尾皮肉，过低又因下坠而影响飞行速度。铜铃和坚硬的骨质垫板接触，轻轻一动，即清越有声，而且达远，自与垫在茸软的

----

[1] 缝鸽哨哨尾子法，请参阅王世襄编著：《北京鸽哨》页21，插图五。1989年北京三联书店印本，已收入本书。

羽毛上效果不同。有此设施，看不见鹰可听到鹰，几次放远了，鹰在黄片草中攫兔饱餐，全仗铃声才把鹰找到。

我还记得有一次在清华园北大石桥靠近圆明园放鹰，那一带有不少菜园子，地势不好，猫却不少。顺着河边一大片棉花地，我们五个人，勉强排过来，每人相隔三丈，东西两边距地头还有好几丈远。兔子真鬼，擦着东边往北溜了出去。鹰看见了，我却连影儿也不知道。直等鹰使劲向下抢，我才看见一道子白，进了坟圈子。我把鹰拉回到胳膊上，站住了脚，用手一指，常五、大牛子点了点头，弯着腰，放轻脚步，蹑蹀着前进，往北兜坟圈子，好让兔子往南跑，岂不就离鹰近了。谁知坟圈子无树也无草，藏不住身，没有等到有人抄后路，兔子已经开腿跑了。坟圈子围脖上有个豁口，兔子影子在豁口一晃，鹰和我都看见了，一挺身，鹰飞过了围脖。往东追下去，有间草房，兔子在前，紧追是鹰，随后是我，走马灯似的围着草房转。兔子一看大势不好，一个拉抽屉，缩头一转，又往东一蹿，进了菠菜地。一畦畦的菠菜，夹着风障，向前倾斜离地面约60度，兔子紧贴着它，一纵一纵地跑。鹰不舍食，在风障上跟着飞，却又因有风障而无从下把。老菜农看见了，扯开嗓子喊："放鹰的，瞧道儿呀！别踩了我的菠菜呀！"这一嗓子不打紧，不开眼的四眼大黑狗从玉米秸堆上跳下来，加入战团。兔子跑到风障尽头，顺着浇水的干垄沟跑，鹰一斜身，一爪子已经撩上它的后腿。但兔子大，不回头，另只爪子捯不上去，被兔子拉着往前跑。这时狗已赶到，我看得真切，拣了块黄土疙瘩，照准了狗腮帮子就是一下，打得它瘪瘪地跑了。鹰怕狗，一松劲，兔子又开了。鹰一挺身上了树。我掏出羊肉刚要往下叫，鹰看见了兔子又追下去了。这回离开了菜园子，兔子进入人家场院的篱笆栅。它还是贴着篱笆跑，鹰跟着飞。眨眼来到场院尽头篱笆转角处，兔子使足了劲，想要蹿越而过。好鹰！它好像知道兔子要干什么，不再黏着它而忽地翻身入空，起来一两丈高，两翅一抿，尾巴朝天，闪电般地俯冲下来。兔子往上跳，鹰向下落，两个碰个正着，滚作了一团。我慌忙赶到，气喘不过来，一手把住兔子后腿，一屁股坐在地上，连边上有位摘棉花的老太太都没有看到，差一点坐在人家的三寸金莲上。上面说的正是所谓桃尖尾鹰"犯哨"的逮法。"兔起鹘落"，刹那间即使有照相机在手也很难将它拍下来。好在有一幅古画可以作为插图，那就是宋赵子厚的《花卉禽兽图》（图10）。

不要以为鹰总是胜利者。我遇到过五六斤的老猫，鹰撩上裆而未能箍上嘴，被兔子拉进了枳荆塘。鹰张着膀子，翅翎被刺剐坏了，胸脯还扎出了血，兔子终于跑了。最厉害的兔子能回头等着鹰，待到来突然跃起猛撞，使鹰嗉受伤。《肉攫部》在列举鹰病中就有"兔蹋伤"一种。

荣三告我过去南苑有一只老兔撞坏了三四架鹰，谁要去那里都存有戒心。后来一架老破花加两杆火枪才除了此害，称一称重达七斤，为前所未有。

下雪放鹰别有一番情趣，空气清新，皑皑无际，看雪景加逛围，神仙都不换。地上有雪，找猫特别容易，脚印子一对一对，小桃儿似的清清楚楚印在雪上。猫在雪中趴"卧子"之前，总要远

10 宋赵子厚《花卉禽兽图》（《支那名画宝鉴》页182）

远跳一下才卧下。因此当追踪猫脚印到忽然没有的时候，正是离它不远了。遗憾的是下雪天不能多放，鹰在雪地上滚扑，翅膀一湿，只好收围了。我借钱才买到的白鹰就是在一个下雪天放丢的。老玩家都笑我，下雪放白鹰，真是"找丢"！白鹰的本领并不大，几把没有抓住，越逮越远，接着雪越下越大，以致白茫茫无处追寻。后来我听到

动物学家说，异常的白色动物属于"白化体"（albino），乃畸形变态，故多低能。窝侯爷也听老辈说过，"白鹰只是玩个'名儿'，论本领比一般的鹰软而无力"，只是物以稀为贵而已。

放鹰最怕刮大风，只好休息。兔子能辨风向，总是顶着风跑。它伏身擦着地皮，所以不甚费力。而鹰在空中张着翅膀，好像帆船想要逆风而行，是不可能前进的。

按照清末民初的规矩，腊月初八那一天，养家集中到南苑放"腊八围"。这一天抓到的兔子要一律无偿地交给药铺配制"兔脑丸"。这是一种妇科的良药，据说有催生的作用。说起来此为公益义举，无形中却成了养家比武的日子，人要显人的本领，鹰要显鹰的威风。"是骡子是马，拉出来遛遛"。很遗憾我生也晚，没有赶上当年的盛况。

五 笼鹰

中秋以后到隆冬，是放鹰的季节，最晚可放到来年早春。此后须将鹰放进一具大笼子，在人工饲养下，脱换羽毛，长出新生的钩嘴和利爪，秋天又可以下地猎兔。这就是所谓的"笼鹰"。

鹰在笼中长达半年以上，须精心照管，天天用小鹰捉鸟雀，为它打活食，有时还须喂鸡和鸽子。每年养的鹰到不了入笼已经出了毛病，逃跑、病死皆有之。有的本领一般，觉得不值得下工夫笼它，饱食几天之后，放它飞归山林。只有鹰的性情、本领都好，舍不得放掉，才不辞辛苦，甘愿费时费事把它笼出来。

我必须声明没有笼过鹰，只向三位老养家询问过，他们是荣三、潘老胎（北京称弟兄排行最末者曰"老胎"，见《国语辞典》页998。潘翁除善养鹰外，更以能训练比麻雀略大的山胡伯喇捉麻雀闻名。久居崇文门外白桥，受到玩鸟家的尊重，是一位人物。）和窝侯爷。只不过感到谈大鹰而不及笼鹰，未免有些欠缺，故就所闻，记之于下。因非亲身经历，难免有误。

笼鹰始于何时，有待考证，至唐则十分盛行，有文献可征。如张莒有《放笼鹰赋》，柳宗元有《笼鹰词》，白居易有"十月鹰出笼"、王建有"内鹰笼脱解红绦"诗句等等，不胜枚举。而《酉阳杂俎·肉攫部》言之尤详：

> 鹰四月一日停放，五月上旬拔毛入笼。拔毛先从头起，必于平旦过顶，至伏鹁则止。从头下过扬毛，至尾则止。尾根下毛名扬毛。其背毛并两翅大翎覆翮及尾毛十二根等并拔之。两翅大毛合四十四枝，覆翮翎亦四十四枝。八月中旬出笼。

再看该《部》三十七条中有十七条讲到鹰换毛后花色纹理

的变化，这些都是逐年笼养才能获得的结果。我们相信唐代养鹰、笼鹰之盛，远远超过本世纪初的北京。

北京笼鹰，在向阳的地方用竹竿、篾条扎一间似小屋的笼子，名曰"棚子"。栽两根桩子，上架一根横杠。杠上捆青蒿或鲜艾，时常更换，尤其在长出新趾爪时，必须注意保护其锐尖。潘老胎则主张砍粗细合适的柳树作杠，一端套一个装有泥土的筐，不时浇水，使皮色常青并萌发枝芽，活木得天然之气，谓优于枯木的杠。棚子内必须设大瓦盆，盛清泉供鹰饮用并洗澡。

鹰三月停放，即可入笼，随即减少食量，使其消瘦，至夏至前后拔毛。如不减肥，肉满皮紧，拔毛疼痛，竟致死亡。德胜门老养家恩三有两次笼鹰拔毛后死去，窝侯爷认为是未减肥之过。

北京笼鹰只拔小毛，从头顶及颏下开始，顺着往下拔，至腰部而止，留底层绒毛不动。膀翎及尾翎均不拔。此与《肉攫部》所称"并两翅大翎覆翮及尾毛十二根等并拔之"大异。颇疑《酉阳杂俎》古本流传，难免讹夺。或大翎可拔，但须分若干次进行，而《肉攫部》未交待清楚。总之，尚未听北京老养家说过翅尾大翎可以一次拔完。尽信书每为古人所误，慎之慎之！

拔毛之外，北京笼鹰还用香火头烫鹰嘴的钩尖和爪尖，烫后其端会出现白色物质仿佛小棉花球。烫的作用亦在促其退故生新。

笼大鹰必须同时养小鹰。这些小隼春天来到华北，恰好可在春夏季节为大鹰打食，每天须喂麻雀等小鸟十几头。倘遇阴雨天气，只好喂鸡及鸽子。

大鹰在笼内不予系絷，任其自由活动。如拴在杠上，难免坠杠拍动翅膀。换毛时毛锥内充血，如翎管破裂，冒出血浆，羽毛即干瘪萎脱，前功尽弃。

经过自春徂秋的精心饲养，中秋前后羽毛换齐，重新为它系上两开五尺子，举它出行，真是所谓"八月出笼一身霜"，将受到人们的赞赏。此后仍须和新鹰一样下工夫熬、蹓，只是较易驯熟而已。下地猎兔，迅捷猛准，又不是一般新鹰所能及的。

我爱鹰，举着它已觉得英俊飒爽，奕奕有神，更不用说下地捉兔了。这使我想起了一位古人 —— 晋代高僧支遁。史籍说他"常养一鹰，人问之何以？答曰：'赏其神俊！'"[1] （彩图32）不过我很怀疑他是否只爱看杠上的鹰和構上的鹰而不爱看捉兔的鹰。恐怕未必。大概他是怕说多了会触犯佛门清规，开了杀戒，岂不将遭人物议？！如果我的臆测尚有是处，那末这位方外看来还是不够旷达，

---

[1] 沈约：《袖中记》，见《说郛》卷十二，清顺治宛委山堂刊本。

也不够坦白老实。唐突古人，罪过！罪过！

我爱鹰，也爱支遁。他毕竟把鹰的可爱，只用四个字就给概括出来了。

原载《中国文化》第10期，1994年8月

本文的一部分作于1939年，在《华光》杂志连载（1939年第一卷4期、6期，1940年第二卷1期）。后被海洪涛、刘衡玑剽窃抄袭，题名《捕鹰、驯鹰、放鹰》，刊登在北京市文史资料研究委员会编印、1985年8月出版的《文史资料选编》第23辑。本文在《中国文化》发表后，有人询及何以其中一部分和海、刘署名之文相同。为了澄清事实，以正视听，辨明谁是原作者，谁是剽窃者，本人不得不致函该会《北京文史资料》编辑部，提出其抄袭证据，揭露其剽窃行为。此函经编辑部加编者按刊登在1995年12月《北京文史资料》第52辑，向本人深致歉意，并转载了本文的全文。

1997年1月又记

北京鸽哨

自　序

我自幼及壮，从小学到大学，始终是玩物丧志，业荒于嬉。秋斗蟋蟀，冬怀鸣虫，韝鹰逐兔，挈狗捉獾，皆乐之不疲。而养鸽飞放，更是不受节令限制的常年癖好。犹忆就读北京美侨小学，一连数周英文作文，篇篇言鸽。教师怒而掷还作业，叱曰："汝今后如再不改换题目，不论写得好坏，一律给'P'！"（P即Poor）燕京大学读书时刘盼遂先生授《文选》课，习作呈卷，题为《鸽铃赋》，可谓故态复萌。今年逾古稀，又撰此稿，信是终身痼疾，无可救药矣！不觉自叹，还复自笑也。是为序。

1987年4月

前　言

在北京，不论是风和日丽的春天，阵雨初霁的盛夏，碧空如洗的清秋，天寒欲雪的冬日，都可以听到从空中传来央央琅琅之音。它时宏时细，忽远忽近，亦低亦昂，倏疾倏徐，悠扬回荡，恍若钧天妙乐，使人心旷神怡。它是北京的情趣，不知多少次把人们从梦中唤醒，不知多少次把人们的目光引向遥空，又不知多少次给大人和儿童带来了喜悦。我们听见它可以勾起我们对这座古城的美好回忆，又因北京曾遭受过蹂躏，由于它声销音寂而激起我们的愤怒和仇恨 [1]。它深入于人们生活之中，已成为北京的一个象征。就是对异国的旅居者也同样留下深刻的印象，五十年前已有美国人胡斯将它写成小册子问世 [2]。不知道底细的人可能想不到这空中音乐竟来自系佩在鸽子尾巴上的鸽哨。

鸽哨又名鸽铃，但它实为哨而非铃。其源甚古，将于"简史"中叙及。北京自出现第一位制哨名家算起，也有近二百年的历史。此后良工辈出，精益求精，蓄鸽佩哨之家日多，鸽哨就成了一种民间工艺品。直到本世纪中叶，由于社会的变革，老艺人相继凋零，这一行业才日趋衰落。目前惟有纺织工程师张宝桐，幼年家住龙泉寺，与陶佐文署名"文"字毗邻，得其薪传，暇偶为之，哨底刻一"桐"字，音形俱佳，典型尚在，而在集市上所能买到的，则只有极为低劣的制品了。

由于鸽哨是民间工艺品，与玩具近似，故难登大雅之堂，过去没有人将它作为文物看待。我幼年养鸽，多次

---

[1] 北京沦陷时期，人无食粮，谁复养鸽！哨声既绝，城亦沉寂无生气。

[2] H.P.Hoose, *Peking Pigeons and Pigeon — Flutes, A Lecture Delivered at the College of Chinese Studies*, Peking, 1938. 讲稿曾印成小册子。

1 王世襄、吴子通、陶佐文、王熙咸四人合影

向几位名家定制鸽哨，在庙会上遇有传世佳品，也不惜出资购买，但主要是为了飞放助兴，音响悦耳。至于认真搜集，作为专门收藏，有深刻研究，元元本本，能道其详，并用文字把毕生的心得和见闻记述下来，实罕其人。有之，惟有老友王熙咸先生。在我数十年的广泛交游中仅此翁一人而已（图1后右）。

王熙咸先生（1899～1986）祖籍绍兴，乾隆时迁居北京。年十五，始养鸽，由鸽及哨，爱之入骨髓，搜集珍藏成为平生惟一癖好，竟以"哨痴"自号。他秉性迂直，不善治生产，虽曾肄业国民大学，而在小学任教，所入甚微，生活清苦，惟遇佳哨，倾囊相易无吝色，甚至典质衣物，非得之不能成寐。如是数十年，所藏乃富，所知乃丰，对各家历史，工艺特点，传世多少，实物真伪，无不了了于心。我和他相识远在全国解放之前，三四十年中多次请他将有关鸽哨的知识写下来，直到1976年他才出示《鸽哨话旧》[1] 一稿。他用文言写成，有时过于简略。经与商榷探讨，试为增订整理，共得七千余言。前人言鸽哨，未有详于此者，更未有穷其奥窔如此者，堪称有关鸽哨的最重要文献。

不过《鸽哨话旧》似乎是写给对此道已经相当熟悉的人看的。一些最基本的知识，如鸽哨究竟有哪些品种，用什么材料制成，如何往鸽子上佩系等等，都略而不谈，好像这些大家都已经知道，用不着再讲了。实际上时至今日，即使是有鸽有哨的人，也未必知道得很清楚，对从未接触过鸽哨的人，更是茫然了。

还有鸽哨的品种，必须示其形，方可道其名，各家哨口的特点，署名的款字，也必须见其真，方能辨其伪。这

---

[1] 王熙咸著《鸽哨话旧》已收入拙著《北京鸽哨》(1989 年 9 月三联书店)《附录》。

就必须备有大量图片才能说清楚、看明白。而配以图版，却是近些年才比较容易办到的事。我编写了这本《北京鸽哨》小册子，除对鸽哨在历史上的出现作了简略叙述外，还列举其主要品种、制作材料、古今名家等，并试作较系统的介绍，兼及佩系、配音方法。我希望能对《鸽哨话旧》起解说注释的作用，同时也是对老友王熙咸先生的缅怀和纪念。

简　史

　　于照《都门豢鸽记》中有《系鸽之铃》一节，开头便说"鸽铃之制，不知起于何时"[1]。由于缺少时代较早的文献记载和出土实物，要说出鸽哨何时开始有人制造固然有困难，但不等于对它的历史就不能作一些查考和追述。

　　鹁鸽是一种容易被人驯化的鸟类，成为家禽的年代可能不会比鸡晚多少。"鸽"字在甲骨文中虽有待发现，但已见于东汉许慎的《说文解字》[2]。做鸽哨的主要材料是

---

[1] 于照：《都门豢鸽记》，1928年晨报出版部铅印本，页206～218。按于照即花鸟画家于非闇。

[2] 鸽，收入汉许慎《说文解字》第四上。

匏和竹，都在古代"八音"之列，而且用它们来做吹奏乐器已有很长的历史。因此如果有朝一日在汉代或更早的遗址中发现鸽哨，我们将不会感到诧异。

现在查到鸽哨最早的文字材料，肯定比它开始出现要晚得多，因为文字的作者已经是北宋时人了。梅尧臣（1002~1060）在一首题为《野鸽》的五古中有"孤来有野鸽，嘴眼类春鸠……一日独出群，盘桓恣嬉游。谁借风铃响，朝朝声不休"的诗句[1]。张先（990~1078）有"晴鸽试铃风力软，雏莺弄舌春寒薄"的词句[2]。

史籍记下了西夏与宋军作战，利用鸽哨声作为发兵围攻的信号。北宋仁宗庆历中（约1041~1044）桑怿征元昊，于道旁得数银泥盒，中有动跃声，不敢发。总管任福至，发之，乃悬哨家鸽百余，自中起，盘旋军上。于是夏兵四合，福力战军殁。见《宋史·夏国传》[3]。

追入南宋，鸽哨更为普遍。这不仅是因为范成大有诗讲到每日自晨至午，起居饮食，都以打更、诵经、鸽哨

———————

[1] 宋梅尧臣：《宛陵集》卷二十八，页三下，《四部丛刊》据万历间梅氏祠堂刻本影印。

[2] 据清张万钟《鸽经》录引，新篁馆刊本。

[3] 元脱脱等：《宋史·外国一·夏国传》卷四百八十五，页13997，中华书局标点排印本。

之声为节[1]。更有力的证据是有关南宋临安的几种著述如《西湖老人繁胜录》、《武林旧事》等，把鹁鸽铃列入"诸行市"或"小经纪"[2]，说明当时已有专人从事鸽哨生产和贩卖了。

北京的鸽哨，要到晚清人的著作中才查到较详细的记载。富察敦崇著、光绪间成书的《燕京岁时记》讲："凡放鸽之时，必以竹哨缀之于尾上，谓之壶卢，又谓之哨子。壶卢有大小之分，哨子有三联、五联、十三星、十一眼、双筒、截口、众星捧月之别。盘旋之际，响彻云霄，五音皆备，真可以悦性陶情。"[3]他讲的虽有不够准确之处[4]，却用了欣赏称赞的笔调来加以描绘。

从上面引用的材料可略知古代鸽哨的分布和使用情况。西夏的鸽哨当为西北宁夏地区的制品并用之于军事

---

[1] "巷南敲板报残更，街北弹丝行诵经。已被两人惊梦断，谁家风鸽斗鸣铃。"宋范成大：《范西湖集》卷二十七，页377，1962年中华书局排印本。

[2] 宋西湖老人：《西湖老人繁胜录·诸行市》；元周密：《武林旧事·小经纪》。1956年上海古典文学出版社《东京梦华录》附印本，页120，页452。

[3] 清富察敦崇：《燕京岁时记》叶十五下，光绪丙午文德斋刊本。

[4] 竹哨不得称之为"壶卢"（葫芦）。

征战。范成大听到的和临安市上售卖的自然是江南苏杭地区的制品，其主要用途是让它发出美妙的声音，悦耳怡情。至于敦崇所记，是北京本世纪初的情况，鸽哨已五音皆备，花色繁多，发展到了很高的水平。当时京华所制，相信已超过全国任何地区和过去的任何时代的鸽哨。

据笔者所知，现在全国各地，尤其是大中城市，有时也可以听到鸽哨声。各地的哨子有的是从北京买去的，有的为当地所制。后者要比前者粗劣，音响也远逊。偶读外国人写的文章，得知印度、印尼、伊朗、泰国和近东国家也有鸽哨[1]。实物虽待访求，但文章认为鸽哨起源于中国。看来它们和北京的鸽哨相比恐怕还处在比较原始的阶段。北京是历史悠久的文化古都，加上清政府为八旗子弟供给钱粮，一大批人长期饱食安居，故得殚精竭智对许多娱乐玩好及其器用设备做不断的研究制作，讲究之多，工艺之精，达到使人惊讶的程度。不少器用如鸟笼、蛐蛐罐、蝈蝈葫芦等都堪称世界第一，固不只是鸽哨一项而已。

---

[1] U·雷伯尔：《空中的乐声——鸽哨》，《中国报道》1982年第5～6期，页69～70，中华全国世界语协会出版。

品　种

北京鸽哨，品种颇繁，过去从未有人加以归纳分类。今据其造型试分四大类。即：

一　葫芦类　以圆形葫芦为主体的鸽哨。

二　联筒类　用管状哨制成的鸽哨。

三　星排类　以托板为底座的鸽哨。

四　星眼类　扁圆葫芦和管状哨相结合的鸽哨。

每类各有若干种，经统计，共得三十有五。但这只限于常见的，制哨家别出心裁之作，或养鸽家自行设计，立异标新专门定制之件，还不包括在内。下面依类再作详细的介绍。

一　葫芦类（计：小葫芦　中葫芦　大葫芦　小截口　中截口
　　　大截口　三截口　众星捧月　截口捧月　九种）

此类因用细腰葫芦的底肚作鸽哨的主体而得名。做法是将细腰切断处的孔开大，用大瓢或毛竹挖成开有宽大哨口的圆片覆盖其上，胶粘牢固。这圆片通称"葫芦口"。葫芦口上及其两侧安用竹管或苇管做成的小哨，名曰"小崽"。小崽多少，视葫芦的大小而定，以三对六枚为常式。一对安在宽大哨口之前，或称"门崽"，两对分安在葫芦口两侧的葫芦上（彩图34）。葫芦肚底偏前安竹制或骨制的鼻（北京称之曰"鼻儿"，亦称之曰"把儿"或"柄"）。鼻上有小孔，铅丝从此穿过，弯扣成环，是佩系鸽哨必须有的装置。全哨完成后，表面上漆，或黑、或紫、或黄。也有连哨里也上漆的，坚固耐用。且防虫蛀，惟分量稍重。表里都不上漆的叫"白茬"，容易损坏，故只是少数。

鸽哨以对计，选两个约同样大小的葫芦制成。葫芦天生，大小不一。小葫芦肚直径不过三四厘米，做成鸽哨后约如核桃大。大葫芦肚直径在十厘米左右，做成鸽哨后其大如拳（彩图41）。从三四厘米到十厘米之间的葫芦，依其大小固然可以分成许多号，但鸽哨葫芦一般只分小、中、大三号，视其围径，粗加等分而已。实际上葫芦过小其音尖，失去它应有的嗡嗡然的本色。过大则即使是健羽，负之飞翔，亦难持久，且易遭鸽鹰袭击。故适宜佩系者为中葫芦，制哨家生产最多的也是中葫芦。

挖葫芦口或用大瓢，或用毛竹，这里面也有讲究。瓢质疏松体轻，故发音雄厚沉浑，为竹口所不及。但竹材耐打磨，故瓢口又不及竹口光洁美观。用料不同的葫芦，养鸽家往往兼收并蓄，正是取其各有所长。

"截口"的全称应为"截口葫芦"，它和葫芦的外貌基本相同，只是宽大的哨口及其内室都被截隔为二，故曰"截口"（彩图61）。其大小也同样被分为小、中、大三号。它不论大小，哨口与内室的截隔，都是偏分，故其音一高一低。名家之制，截口的两音相差为大二度或小三度，十分和谐。劣手之作，两音高低，全无规律，故难悦耳。

截口葫芦的做法有简制与精制之分。简制的将葫芦剖开，用纸板作隔墙，夹好后粘合再上漆。漆后隔墙的断面明显外露。精制的做法是隔墙在葫芦肚内粘合，即使不上漆，肚外也全无痕迹。还有简制的一旦剖开，音响不佳便无法补救。精制的则可以移动隔墙，调整音高，直到音响完美后才把隔墙粘牢固定。

"三截口"是从截口发展出来的，即将哨口及内室由两分增加到三分（彩图46）。这一品种，熙咸先生平生只见到两对，都出小永之手。很可能小永就是这一品种的创造者。据熙咸称，他收藏的一对，经口吹聆音，中为宫，左为商，右为角，可见在音响上也是经过精心设计的。

"众星捧月"，简称"捧月"，即在葫芦口之后，加若干小崽，围簇半周，如众星之捧满月（彩图49）。小崽之数，可多可少，多则一直加到葫芦口的前方。不过小崽越多，葫芦肚内的空间越少，自然要影响发音。其结果等于虚设（图2）。

二　联筒类（计：三联　四联　五联　二筒　三筒　鼎足三
　　筒　四筒　四足四筒　八种）

所谓"联"与"筒"，都是在直管上安哨口的鸽哨。
二者的区别在管细的为联，管粗的为筒。它们的用材也不
同。细管多截苇竿为之，粗管则截竹竿为之，而且必须刮
削掉竹皮和竹肉，只剩下薄薄一层内壁，即竹黄。只有这
样才能体轻如纸。

"联"和"筒"均依管数来命名。其中以三联、五
联和二筒最为常见。各管的排比是前短后长，一一相挨，
列成一行，故哨音前高后低。哨口的位置，自前向后拾级
而上，有如阶梯。这样前哨就不会遮挡后哨，妨碍发音。

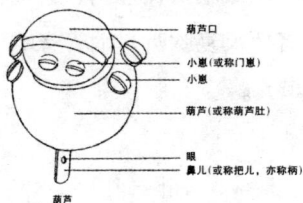

葫芦口
小惠（或称门惠）
小惠
葫芦（或称葫芦肚）
眼
鼻儿（或称把儿，亦称柄）
葫芦

2　葫芦类

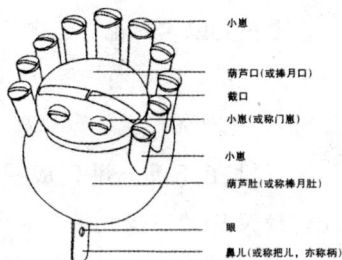

小惠
葫芦口（或捧月口）
截口
小惠（或称门惠）
小惠
葫芦肚（或称捧月肚）
眼
鼻儿（或称把儿，亦称柄）

众星捧月（亦可称为截口众星捧月）

1934年我自行设计，打破三筒、四筒直行排列的成规，分列如鼎之三足、桌之四足，中以小框连结，特请周春泉先生（即"祥"字）为制数对，试听音响甚佳，系在鸽尾，也比直排的更为稳定，故名之曰"鼎足三筒"及"四足四筒"（彩图67）。养鸽者亦有继我之后向"祥"字定制，但市上所售仍以直排者为多，先入为主，成规难易也。

联与筒的哨口均用竹挖制。由于二筒的管较粗，哨口较大，故往往在哨口之前加一枚或一对小崽。小崽之音响也要求与大筒和谐。三联、五联因哨管本身已经很细，故哨口上不能再加小崽了。

联筒的哨管多为双层底。下一层底将管底堵没填平，标志制者的"字"刻在此处。上一层底隐藏在管内，其位置高低根据音高的需要来定。制者要反复吹听，哨管音响和全哨和谐后才将它粘牢固定（图3）。

三　星排类（计：梅花七星　三排　五排三种）

七星冠以"梅花"二字，是为了有别于列入星眼类的一般的七星，它共有七管，因植立在一个花瓣形的托板上而得名（彩图58）。

三排在托板上排列成三纵行，每行三哨，总数为九，故又称"三排九子"。它别名"十八罗汉"，是指成对的三排的哨数而言的。五排也在托板上列成三纵

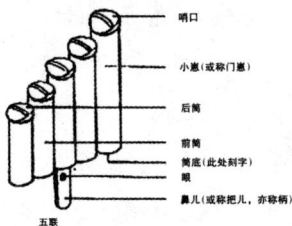

五联

哨口
小恵（或称门恵）
后筒
前筒
筒底（此处刻字）
眼
鼻儿（或称把儿，亦称柄）

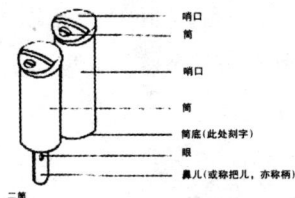

二筒

哨口
筒
哨口
筒
筒底（此处刻字）
眼
鼻儿（或称把儿，亦称柄）

3 联筒类

行，每行五哨，总数为十五，故又称"五排十五子"（彩图40、47）。

星排类的托板多用竹制，也有用水牛角做的。它不方不平，而是前狭后阔，纵长于宽，中部微隆，略如瓦片。托板之下，哨鼻居前，支架在后。支架可以垫高托板，使各哨都能纳气吐音。它多用兽骨或象牙制成，透镂盘肠、方胜、套环、古老钱等图案，甚为精巧。竹材直纹容易断裂，做支架并不相宜。三排、五排的小哨，有的不用竹管而取材于各种果壳，将于"制哨材料"一节中叙及（图4）。

四　星眼类（计：七星　九星　十一眼　十三
眼　十五眼　十七眼　十九眼　二十一
眼　二十三眼　二十五眼　二十七眼　二十九
眼　三十一眼　三十三眼　三十五眼　十五种）

此类鸽哨，不论其名曰"星"还是名曰"眼"，中部
都有一个扁圆形的肚，通称"星子肚"。它有两种做法：
一种用葫芦肚加工而成，一般采用细腰葫芦的上面的一个
肚。方法是将圆肚纵向剖开，切掉正中约占全肚三分之一

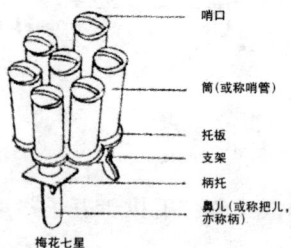

哨口
筒（或称哨管）
托板
支架
柄托
鼻儿（或称把儿，
亦称柄）

梅花七星

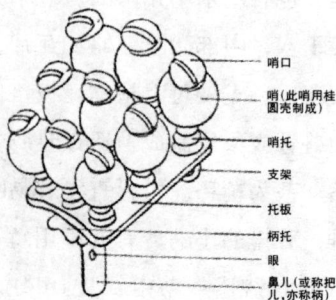

哨口
哨（此哨用桂
圆壳制成）
哨托
支架
托板
柄托
眼
鼻儿（或称把
儿，亦称柄）

4　星排类

弱的一圈，再将两旁的两块粘合到一起，这样圆肚就变成了扁圆肚。一种用两块厚竹板经过挖锉，再拼成扁圆肚。前者是一般的做法，比较省工。后者是所谓"全竹"的做法，即全哨都用竹做成，不用葫芦，比较费工，价格要比前者贵两三倍。

星子肚拼成后，上安哨口，下安哨鼻。肚前粘一细管直哨，或称门崽，肚后粘一粗筒直哨，或称后筒，星子肚两侧再安小崽。小崽之数最少为每侧两枚，加上哨口和前后的管和筒，其数为七，此即所谓一般的"七星"。如星子肚两侧的小崽每侧再增添一枚，其数为九，是为"九星"。自九星以上，每侧如再增一枚，其名不再叫"星"而叫"眼"，故有"十一眼"、"十三眼"、"十五眼"、"十七眼"、"十九眼"、"二十一眼"直至"三十五眼"（彩图68）或更多。小崽每增必二，这是为了左右各一，才能使哨子两边对称。只有极少数在星子肚前安一对小崽，或在星子肚的哨口前加一小崽，使哨子的总数成双。《鸽哨话旧》中讲到的二十八宿，即属此类。但这样的实物极少，只能视为星眼类的变体。

小崽的增多，不得不将哨身加大，并把小崽的排列，由每侧一行增为两行乃至三行，而小崽的管径也越缩越细了。尽管缩细，小崽下端插入星子肚，还是要占去肚内的空间。故自二十一眼以上，崽越密而管越细，星子肚也填得越满，故所能发出的音量也越微。若到三十五眼，小崽桠枒，形同猬棘，它也很难出声了。严格说来，二十一眼以上的鸽哨，制者可以炫其工繁而艺精，藏者可以夸其哨多而品备，但在真正行家的心目中，认为并不足取。《鸽哨话旧》讲到李某有"意"字三十九眼一对，"形大声宏"，这是由于它形体特大的缘故。但特大之哨是不宜经常系佩的（图5）。

上述四类三十五种，自然是一个不完全的统计。例如用葫芦做成的孙悟空和猪八戒，二十八宿，三十五眼以上的鸽哨，以及于照《系鸽之铃》中讲到的"十八星"和"子母铃"等，都因其不常见而未收入。于氏将他所列的十四种（其中包括十八星和子母铃）称之为"一堂"，似乎久已成为定例。又谓"缺其一二，即失变化之效"，实不可信。按北京养鸽家从未有此说法。为此，曩曾质诸王熙咸先生及对保（又名二保）、瑞四等鸽贩哨商，均谓故家藏哨诚有之，收到"惠"、"永"等名家之制，凑足一二十对便护以织锦匣，或覆以玻璃罩，称之为一堂，其数量及品种，并无严格的规定云云。本世纪以来，"祥"、"文"等家虽经常承揽"定活"，其品种数量，惟定制者之意是从，故多少大有出入，且未闻有定制所谓十八星及子母铃者。如依于氏之说，岂不百数十年来各家均按十四种为一堂制造？十八星、子母铃又为其中不可或少之品种？此则

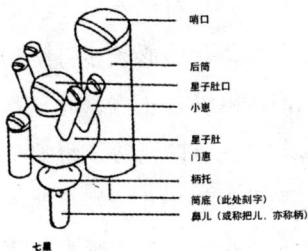

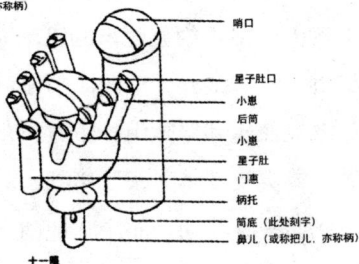

标注（左图，七星）：哨口、后筒、星子肚口、小惠、星子肚、门惠、柄托、筒底（此处刻字）、鼻儿（或称把儿，亦称柄）

七星

标注（右图，十一眼）：哨口、星子肚口、小惠、后筒、小惠、星子肚、门惠、柄托、筒底（此处刻字）、鼻儿（或称把儿，亦称柄）

十一眼

5 星眼类

与实际情况全不相符。于氏殆轻信好事者之言，未加查考，遽笔之于书，致有此误。为防止舛谬流传，特予以辨正。

佩系与配音

鸽哨的佩系方法极为巧妙，也十分简单。鸽子的尾翎一般是十二根（十三根者是少数）。在正中四根距臀尖约一厘米半处，用针引线，平穿而过，然后打结系牢。线宜用优质棉纱，或鲜艳的五色丝线。惟用丝线必须多打结扣，防止滑脱。以上是为佩系鸽哨所做的准备工作，北京称之曰"缝哨尾（音yǐ）子"。佩系时，哨口朝前，将哨鼻插入四根尾翎正中缝隙中。这时哨鼻上的小孔恰好在尾翎之下露出，用长约五厘米的铅丝穿过小孔，弯成圆圈，两端交搭，以防张开。至此鸽哨便已佩系完成（图6）。由于哨鼻嵌夹在尾翎缝隙中，下有铅丝圈扣牢，其前后又分别被鸽之臀尖及"哨尾子"拦挡，故它不能向左右、上下、前后任何一方移动，而牢牢地固定在鸽尾之上了，一任飞翔回旋，乃至急上、疾冲，或"打鬼翅子"（偶尔短时间的不规则飞行）也无脱落之虞。缝哨尾子也有只穿正中两根尾翎的，但只限于佩系二筒、三联、七星等小型哨子的雌鸽。至于带中、大型的哨子则非缝四根尾翎不可。哨尾子每年缝一次，时间在夏季换毛完毕，新尾翎已长成之后。如缝时尾翎未干，针线穿过，翎管将流血而枯萎，不中用矣。冬春之际，天空有时出现鸽鹰（俗称"鸦虎子"），负哨之鸽，易遭袭击，鸽哨两亡。夏季鸽鹰稀少，但哨尾子仍是去岁所缝，则可能因哨饱风而将旧翎拖落，以致鸽还而哨失，此皆不得不注意者。养鸽家藏有佳哨，必知季节、审天气，了解鸽之健康情况（雌鸽怀卵时不宜佩哨，哺雏时则雌雄鸽均不宜佩哨），始肯系之放飞，飞罢随即卸下，以防意

232

外。我当年总是另备几把一般鸽哨，供平时飞放。名家之制，是舍不得轻易让它上天的。

谈到鸽哨的配音，必须先了解两方面的情况。一是每一头佩哨鸽的负荷能力和每一把哨的音量和音色。鸽子有强有弱，负荷能力多不相同，须经过实际考查，不可只凭貌相。有的体型雄健，却最多只能带中号葫芦和大二筒，反不及体小之鸽负荷力强。我有大葫芦若干把，"惠"、"永"、"鸣"、"祥"、"文"、"鸿"等家所制应有尽有，却只有一头娇小才盈握的"小挖灰"最能胜任，见者无不啧啧称奇。至于鸽哨，也有大的反比小的尖脆。例如"兴"字的九星、十一眼等，因管内的二层垫得高，故比他家所制同样大小的哨子或更小的哨子还要尖脆。还有旧哨年久，难免开胶虫蛀，漏气泄风，若不修补重粘（过去周春泉、陶佐文皆精于修复，今则无

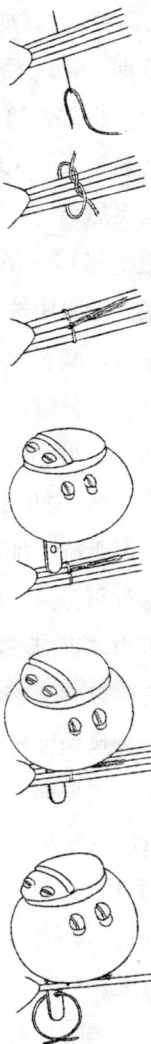

6 缝哨尾子及佩系哨子示意图

233

此高手矣），则其音不正，甚至暗哑无声。故哨子也须一一分别试听，才能真正知其音响。

北京养鸽飞放，主要可分两种。一种叫"走趟子"，选当年或一二龄的壮鸽，取其血气方刚，喜欢远游，清晨起飞后两三盘旋即直奔他方，日将卓午，方才飞回。为走趟子佩哨，虽多至一二十头，也只从小葫芦、二筒、三联、七星中选两三把而已。因鸽群远征，不宜负重，直线飞行，哨音平直，不会有回荡婉转的韵味。何况瞬间声影已杳，只有飞回时，才隐隐听到哨音自远而近。故为它佩哨，是为了能收到音响信号，用不着什么配音。

另一种飞放叫"飞盘"。鸽群起飞后，围绕所居，一再盘旋，渐盘渐高，直薄云霄，虽小到翩翩如彩蝶，仍仰首可见。有顷徐徐盘下，齐落瓦面。如饲养有方，水食得当，可以三起三落，历一二小时才收盘归巢。飞盘的鸽群，最宜选哨配音，欣赏其声响。由于鸽群盘旋回转，哨口受风角度不同，强弱有别，哨音乃有轻重巨细的变化。尤当鸽群向左向右轮番回旋，即所谓的"摔盘儿"时，哨音的变化更为明显，也更有规律。这时就不是各哨齐鸣，而具有交响的变化了。鸽群偶或自高疾降，一落百丈，急掠而过，霎时间各哨齐暗，转瞬哨音又复，这一停顿，真是"此时无声胜有声"。总之，为飞盘佩哨，自然要讲究配音了。

鸽哨发音，基本上是同时齐作，不能随人意愿使其孰鸣孰停，孰细孰宏。故对每一把鸽哨我们要求它声音大而准，如截口两音之差应为大二度或小三度，五联五音，应与五声音阶符。对成群的鸽哨，则有如乐队，要求高音、低音及不同音色的乐器尽量齐备，也就是说把能起作用的不同鸽哨品种配备齐全。这是可以做到的，也是比较容易理解的配音。至于一二十把哨子同时上天，大小葫芦，粗筒细管，多至一二百音，有人却说能听出某把与某把，某音与某音，配搭不当，互不谐调，以致重浊而不清澈，则未免言之过玄，吾深愧无师旷之聪，只能敬谢不敏了。

前面讲到的三十五种，在配音时真正能起作用的是中小葫芦、截口、二筒、三联、五联、七星、九星等十来种而已。葫芦、截口之音嗡嗡然，二筒发音如笙簧，三联、五联清脆如串铃，它们的音色各不相同。星眼则能较好地把前三者集中于一哨，故为飞盘鸽群佩哨，宜以上述几种为基础。至于捧月、三排、五排等，都可用葫芦及三联、五联等来代替，而星眼类如小崽太多，在音响上反而起不了作用，前已言及矣。

鸽哨配音，虽以上述几种为主，但每个品种宜用多少把，其大小应如何搭配，都应遵循一个原则，即任何一种哨都不宜过多和过大，以致在音量和音色上压倒或掩盖了另外一个品种。为求得最佳方案，有必要把每头鸽子的负荷能力和每把哨子的音量都考虑进去。合理的配音要通过试验、考察才能掌握具体情况，再根据具体情况来拟定如何选哨配音。

试听哨音，系佩飞翔之外，尚有简易之法。即哨口向人，用二尺余长细棉绳（通称小线），穿过哨鼻鼻孔，两端各绕食指数匝，利用离心力将哨子悠动，越悠越快，哨子发音，宛如鸽负在空。只是音响急而直，殊少悠扬自然之韵耳。庙会鸽市，哨贩卖哨，多用此法，招徕顾客。

制哨名家

北京鸽哨，已有很长的历史，并早就有专业的生产者，不过史料和实物尚有待发现。入清以后，制作精良，音响绝妙，声名烜赫，被尊为一代宗师的，首推生于嘉庆初年署名"惠"字的制哨家。"惠"字以下，公认堪称名家的又有署名"永"（老永）、"鸣"、"兴"、"永"（小永）、"祥"、"文"、"鸿"七人，共得八家（图7.1～2）。至于一般制者，人数尚多，详见熙咸先生《鸽哨话旧》，兹不复赘。

制哨之家，人直称其哨上所刻之字，姓名反不为人知。"惠"字相传为正白旗人。《鸽哨话旧》记陶佐文（"文"字）于光绪三十四年（1908）晤英世英老人，道及

"惠"字晚年情况：世英于同治十年（1871）在西城护国寺街西口外前车胡同鸽市见此翁年已古稀，持"惠"字哨出售，哨值以音计，每音索制钱五十。如是时"惠"字年七十，则其生年当在嘉庆初（1800前后）。

"惠"字哨，口皆微斜，熙咸称之为"手病"。盖艺人运刀，着力稍偏，已成习惯，久而不自觉其斜。书法家中，所书笔画向一方敧斜者，颇有人在，理正相通。"惠"字中年以后所做哨口，与早年不同。早年口宽而平，中年以后狭长而隆起。今特选其早年所制九星与日后所制七星并置左右，以资对比（彩图33）。

"惠"字刻字署名，似信手为之，不求工整。笔画多借刀尖崩出，并非双刀切成，故刀口欠光洁。刻字位置，亦不讲求，或偏而不正，或挤在哨鼻一侧，与后来几位名家相比，更觉其哨子外形非其所计（图7.1）。但他对哨音的要求，却精益求精，一丝不苟。凡属真品（晚清以来，赝制甚多），音响无不佳妙。我购藏已多年的瓢口紫漆大葫芦（彩图34），主音雄浑，却又不掩小崽之清脆，即使十余哨同时在天，其音仍凌驾众哨之上，真可谓不同凡响。

"惠"字之后，继推"永"字，虽有名声，亦无人能道其姓氏。他有时在"永"字署名之旁，加刻满文字（图7.1），故知亦为满族人。其子继父业，也署名"永"字。人称父曰"老永"，子曰"小永"。

经熙咸推算，"老永"晚于"惠"字二十余年，所据为光绪庚子（1900）春，廉君春卿见"老永""缁衣羊裘，徜徉于隆福寺间"，是时"老永"年已七十。熙咸聆闻春卿叙述此事则在1958年，春卿已是八旬老翁了。

"老永"制哨，口宽阔而平整，吸取"惠"字早年款式而矫其微斜，故仪表端正，舒展大方。在用漆上亦有所发展，不仅糅其表，亦复漆其里，故防蛀祛潮，坚实耐久，惟重量难免略有增加。至其音响，大者宽宏，小者清亮，可与"惠"字媲美。据传世实物，得知其制品众多，种类齐备，为"惠"、"鸣"、"兴"诸家所不及，勤奋之外兼富创新精神（彩图36～40）。

"老永"、"小永"虽同刻"永"字，但哨出谁手，识者不难分辨。"老永"所刻"永"字，一点接近正三角形，一捺与立竖之间的角度约为60度，而且捺端向外拖出。"小永"所刻"永"字一点下角较长，一捺与立竖靠贴较近，约为40度，而且捺端有下垂之势。就字体之间架、笔姿而言，"老永"端庄秀丽，"小永"冗臃疲弱，子逊于父矣（图7.2）。

与"老永"约同时之名家有"鸣"字及"兴"字。

"鸣"字哨口接近"惠"字后期，但端正不斜。刻字工整疏朗，大有笔力，不像是出于一般工匠之手。所制葫芦，五十年前偶尔能遇到，星、眼则十分难得（彩图42）。

八家之中，传世作品以"鸣"字为最少，故藏家弥觉珍贵。熙咸于《话旧》中言及费尽周折始以十五对"小永"哨，从鸽贩手中换得一对绝佳的旧哨。成交之后，揣入怀中，不敢乘车，步行回家，又恐人踬哨伤，故一步落实后方敢迈第二步。绘景绘情，是特殊癖好者庆幸得宝的绝妙自白。这对绝佳之哨就是"鸣"字的全竹十一眼。

"兴"字哨口，比"惠"字后期之制纵向更深，隆起

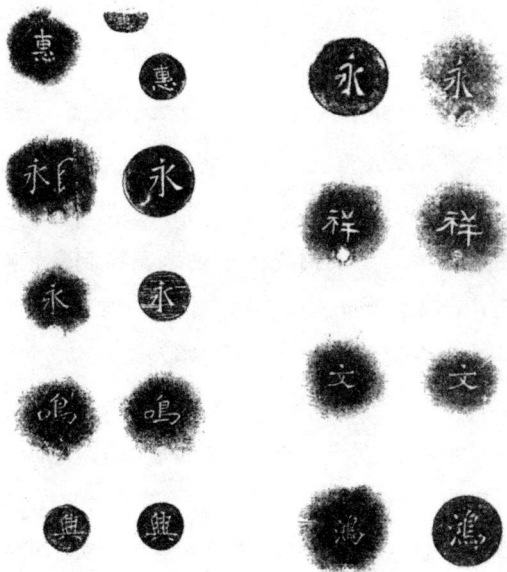

7.1〔左〕"老四家""惠"、"永"（老永）、"鸣"、"兴"款字拓本
7.2〔右〕"小四家""永"（小永）、"祥"、"文"、"鸿"款字拓本

更高。哨底刻字，着刀不深，而秀劲有欧阳询笔意。传世作品与"鸣"字恰好相反，葫芦少而星、眼多，且全部为"全竹"，未见用葫芦肚加工者（彩图43~45）。其小崽之上一层底，位置高于其他各家，故音响格外高亢，可谓从哨形到哨音，"兴"字均另辟蹊径，自成一家。熙咸以为"兴"字之成就固由于其不囿成法，而原为木工，凭借犀利之工具，发挥雕镂之特长，亦为助其卓然成家的重要因素。惟"兴"字是否初为梓人，后乃改业制哨，抑始终为木工，只以制哨为余事，数十年前，养鸽家及鸽贩已无人能道其详。

上世纪末，"惠"、"永"两家正声名赫赫，"鸣"、"兴"之哨不甚受人重视。本世纪初，同仁堂药店主人乐氏咏西（行十五，人称"乐十五"），耽爱花鸟鱼虫，而尤喜养鸽蓄哨。他雄于资财，大事搜求，特制囊匣贮藏，层层叠起，充满广厦五楹，对"鸣"、"兴"之制，不仅重价收购，且令鸽贩鸽佣，多方罗致，于是二家声誉竟与"惠"、"永"并驾齐驱，渐有"四大家"之目。此后又有人称"惠"、"永"、"鸣"、"兴"为"老四家"，以别于后起的"小四家"。"小四家"者"永"（小永）、"祥"、"文"、"鸿"是也。咏西求哨，贵实不贵名，可谓有真知灼见，而收藏之富，诚为绝后空前，不幸谢世后，竟散若云烟。尤为可惜者，咏西于鸽哨诸事，无片言只字，传之于世。不然，以其癖之深而知之审，记以文字，定有可观也。

"小永"约生于咸丰年间，卒于民国十二年（1923）。"惠"及"老永"所制星、眼，小崽向外倾斜较多，略似招风之耳。哨鼻以竹材为主，鼻孔不甚耐磨。至"小永"而手法一变，小崽向内收拢，敛其开张之势，造型似更简练。哨鼻改用牛骨，色白质坚而脆，有时易断折。上述两端，后之制哨者每多效法（彩图46～47）。他技艺本精，音响亦佳，先人又负盛名，故携所制至东、西庙会（即隆福寺与护国寺）购者颇不乏人。乐咏西曾延聘"小永"至家，专为制哨，长达十余年之久。惟艺人难免有癖好，他嗜酒逾性命，任情放纵，未能专心治生产，暮年目衰，仍不免潦倒以终。

"小永"以后三家，"祥"、"文"年岁相若，"鸿"字晚生约二十载，其活跃年代均主要在本世纪前半叶。我上小学时开始养鸽，就读燕京大学，鸽舍随我移至成府园中，最后遣散鸽群，老友王老根（人称王四，早年曾在庆王府为鸽佣）亦溘然离去则在五十年代初。其间三养三辍，前后历时约三十载，但搜求鸽哨则未尝中断，与上述三家亦由市上购买到家访定制而终订忘年之交。

"祥"字姓周名春泉（1874～1956？），身材矬矮而壮硕，短髭连鬓，目炯炯有神。赁居白塔寺东廊下有年。

我往访必观其操作，凡备料、挖口、定音、粘合、髹漆诸事，无不详告，盖知我为"玩家"而无戒心也。他动作敏捷而准确，制作方法，简便合理。例如为一对乃至数对葫芦挖哨口，必先劈竹板，使大小相等之口，在同一竹板上为之。因长条竹板，便于持握剜挖，大小规格，也能取得一致。哨口背面挖好后，正面及上下左右，用力数锉，形已粗具，再分段锯断，稍事打磨，便可蒙在葫芦上开口（彩图48～52）。程序如此，哨口与葫芦上的开口必然吻合。"文"字（佐文）则不然，程序恰好相反。他先在葫芦上开口，后挖哨口，且每个哨口均单独备材挖制，故不便持握，操刀维艰。又因先开口后挖口，挖时须再三比试大小，稍有不慎，多锉一刀，挖口变小，便前功尽弃。我曾将春泉之法，多次告知佐文，佐文但笑而不言。盖艺人各有自家手法，终身不易。倘舍己就人，便是下人一等，不屑为也。按"祥"、"文"之制，均属上乘，但"文"字收费高而"祥"字收费低，实因后者工作效率高于前者之故。据知者言，"文"字哨售价虽高于"祥"字，但每月实际收入，却少于"祥"字，盖操作方法有难易之异也。

我幼年喜蓄冬季鸣虫，蛐蛐、油壶鲁、蝈蝈等分别贮以大小葫芦，并在葫芦上烧炙花纹，即所谓"烫花"，亦曰"火绘"，因亦施之于鸽哨。鸽哨烫花只宜烫在葫芦一类上，联筒、星排等类则无地可施。鸽哨成对，两枚葫芦肚力求高矮相似、大小相同，故购葫芦以千计，从中选配成对葫芦肚，请"祥"、"文"、"鸿"等家制成鸽哨，只漆哨口，葫芦肚则保留本色，供我烧炙，山水人物、花卉禽鱼、金石文字，无所不有。香樟为盒，横隔如阶，分行排列，以资观赏之娱。七八盒中，不止百对（彩图60～66），其中出"祥"字之手者约十之七，出"文"、"鸿"两家之手者约十之三。春泉所制独多，固因其交件迅速，从不误期，而专就葫芦一类哨子而言，春泉实优于"文"、"鸿"两家。熙咸于《话旧》中亦曾言及，所见实不谋而合。春泉为回族人，曾特制猪八戒葫芦相赠（彩图53），设非知交多年，虽馈重金亦拒而不许也。

我在大学读书期间，曾邀春泉到海王村铸新照相馆合影留念，照片惜于"十年浩劫"中失去，故今卷首独缺此翁小像，真一大憾事！

春泉制哨，亦有创新。哨筒之底，透雕各种图案，衬以彩色缯绢，颇为艳丽。星眼之柄托，常镂刻花纹，玲珑剔透，亦见匠心。"文"字对此，颇有微词，曰"无关音响"。文人相轻，自古已然，艺人如此，又何足怪！

"文"字姓陶名佐文（1876～1968），通州人，自1925年即寄居国会街龙泉寺下院观音寺，直至其逝世，与当时同住是庙的画家齐白石、金石家陆和九有交往。他年届古稀时，貌更清癯，须发飘然，大可入画，不若今世人。卷首小影，摄于1960年，已年逾八旬矣（图8）。

佐文哨口特点，后额（即哨口的上部，通称"后脑门"）圆浑，一顺而下，殆取流线形之意，与音响虽关系不大，但可减少气流阻力，减轻飞鸽负荷。向他定活，颇费时日，工则极细，往往超过春泉，更非"鸿"字所能及。尤以全竹葫芦、捧月等，用厚竹分瓣挖制，斗合成形，有如剥皮后的柑橘。审其底部，每瓣瓣尖，聚簇严密，不差毫发；而春泉之作，间有参差龃龉之处，工稍逊矣（彩图55～58）。

佐文并精鉴别，老四家之制，不必上手看字，可立即道出为何人所作，并评说其优劣得失，使人心折。熙咸寓所距宣武门颇近，过从尤密，常携新得鸽哨前往赏析，自谓个中奥窍，得自佐文为多云。

"鸿"字姓吴名子通，生于光绪二十年（1894），体格魁梧，右额有疣隆起，一瞳微斜，哨口亦微斜如"惠"字。人或谓"'鸿'字目斜故哨斜"，实其手法使然，何关眸子！？

子通为我制哨时已年近四旬，孑然一身，住朝阳门外吉市口七条观音寺东庑。三十余年中，除专为制火绘用的葫芦外，二筒、三联、五联及七星至十五眼，每种均分大小五号，各制一对，即此已有四十对（彩图59）。又因传统的葫芦均以小管作旁哨，而未有用小葫芦者，我有此新意，特请子通为之，亦可谓别具一格。火绘荷花一对，即用此法（彩图63）。

8 陶佐文小影

子通售哨，索值不过佐文之半，亦低于春泉，做工之细或不及两家，但音响有绝佳者，此为养鸽者所公认。自春泉谢世，佐文年老搁刀，子通本可独步一时，惟好景不长，旋逢人事变革，又值岁收歉丰，养鸽者大减，哨亦少有人买。1963年我草《鸽哨带来的空中音乐》一文，载在英文杂志《中国建设》是年第11期。此后收到海外来函数封，询问购买鸽哨办法。我曾介绍子通持来函到当时经营外销工艺品的懋隆洋行面洽。该行虽定制少数样品寄往国外销售，但不久便因故中辍。"文革"中，鸽哨亦在"四旧"之列，有哨者多恐惧而自行销毁（老同学著名外科专家谷钰之大夫平日十分珍爱的"文"字哨，即由他自己践踏后付诸一炬，至今言之，悔恨不已）。我尝念及子通，必将陷入绝境。迨1968年我从"牛

棚"中放出，偶过吉市口，途遇子通之邻叟，谓此老不耐
冻馁，已填沟壑矣。"文革"万恶，殃及者固不仅知识分
子也！

制哨材料

　　制造鸽哨的主要材料有四：竹、苇、葫芦、瓢。其中
竹的用途最广，大小哨口、哨筒、哨肚、星排类之托板、
星眼类之鼻托（亦称柄托），乃至哨鼻（亦称哨柄）等都可
用它。苇管只宜用来作小崽及三联、五联。葫芦可作哨
肚。瓢则用于葫芦类的口，尤其是体型较大者。

　　竹与葫芦如按其类别区分，均不止一种。毛竹径粗肉
厚，宜作哨口及全竹鸽哨之肚。细于毛竹的几种淡竹 [1] 和
斑竹，宜作哨筒。做哨筒一般刮去竹管外皮及竹肉，只留
薄薄一层竹黄。如用斑竹（例如湘妃竹）则恰好相反，锉去
竹黄、竹肉，只留竹筠，以便保留花纹华美的表皮，实例
如梅花七星（彩图58）。葫芦有上下两肚、中为细腰者；有
扁桩单肚者。花瓣葫芦（彩图48）乃幼嫩时套入绳网长成。

---

[1] 淡竹（Phyllostachys Puberula），小于毛竹，其类颇繁，不少种均可用以制哨。

考究的鸽哨，哨口不用竹或瓢而用象牙或虬角[1]。象牙（彩图44）有本色和沁绿（通称呛绿即染绿）两种，虬角则多为沁绿（彩图51）。但其发音既不如竹，更逊于瓢，只不过矜夸用料珍贵，色彩艳丽而已。水牛角可用作星排类的托板。北方不易得，往往取牛角鞋拔来改制。

　　牛骨是做哨鼻的材料，尤其在"小永"之后，被制者广泛采用。至于粘合各部件的鱼鳔（劣哨用猪皮胶），髹涂哨子的生漆、退光漆及各色笼罩漆，只能算是附属材料了。

　　少数鸽哨利用各种干鲜果品的皮壳，只能视之为特殊材料。橘皮经过炮制可代替葫芦。其法在挖出橘肉后填塞炉灰末，使其渐渐脱水而不变形。待干透后，里外刷漆，居然相当坚固。春泉即曾为我用潮州柑皮制成紫漆葫芦一对（彩图52）。三排、五排可用白果（即银杏）、桂圆（即龙眼）、荔枝、莲子、菱角的壳代替竹管（彩图47）。选其大小相同者列在同一排，自然整齐匀称，悉如人意。

---

[1] 虬角似象牙而逊其细洁，价亦低于象牙，往往间有半透明体，多染成绿色，常用以制烟袋嘴、鼻烟碟、扳指、葫芦口等。曾向珠宝行业多人请教，均未能言其究竟。可能并非来自同一动物，海象（walrus）之牙、齿鲸（narwhal）之齿，均被称为虬角。

余论

鸽哨至为微末纤小，随手写来，不觉已逾万言，而意犹未尽。未尽者哀艺人之艰苦，疾估贩之刁诈也。制哨者即使成名，削一管、剜一口，全凭十指操作，所得甚微，何来积蓄？年老日衰，未有免于冻馁者。故或谓制哨殃及鹬鸽，有伤阴骘，因果报应，从来不爽。一何可笑！至于未能成名者，景况更为凄惨。"忠"字之子，北京解放后获得工作，始不致饿死。宜其逢人即告"共产党恩情，终身难忘"！

我与周、陶、吴三先生相识数十年，深知其为人皆诚实正直。哨不苟作，工必精良，成品定活，悉依价收值，从不多取，可谓公平交易、童叟无欺。

周春泉暮年贫困，鸽贩对儿宝以不再收活相威胁，熙咸《话旧》言之甚详。抑更有甚者，美国胡斯所作《北京的鸽子与鸽哨》一书 [1]，全部材料均由对儿宝提供，因受其蒙骗而大错特错。当时（1938）"鸿"字哨制者吴子通正在中年，"忠"字哨制者亦健在，而对儿宝诡称"鸿"

---

[1] H.P.Hoose, *Peking Pigeons and Pigeon － Flutes*, *A Lecture Delivered at the College of Chinese Studies*, Peking, 1938.

字生于七十五年前，"忠"字生于五十年前^[1]。将今人说成古人，则"鸿"、"忠"之哨可以索高价矣。又"祥"字哨制者人人皆知为周春泉，而对儿宝以为洋人可欺，竟自称所制哨刻"祥"字^[2]，意欲将春泉之声誉，全部攫为己有。盗利盗名，莫甚于此！披阅胡斯所作至此，不禁对对儿宝之诡诈倍增愤慨，而对胡斯之受愚弄，弥觉可悲。外国人言中国事，难免如此。奈何！奈何！

[1] H.P.Hoose，*Peking Pigeons and Pigeon − Flutes*，*A Lecture Delivered at the College of Chinese Studies*，Peking，1938，页 26。

[2] 同上书，页 19。

鸽话二十则

序

　　遍查我国古今图籍，有关观赏鸽专著，只有明张万钟《鸽经》及近人于非厂《都门豢鸽记》两种。三百年来，前后辉映，为子部增色不少。前者详于品种，略于养育。后者述及品种、豢养、训练、用具等等，可谓无所不赅。盖因于氏对此文禽，情有独钟。事必躬亲，甘为鸽奴，故所记咸得自经历感受，弥足珍贵。此后于氏为《晨报·副刊》撰稿，谈京华风物，每日一篇，数载不辍。为时既久，遂难免有耳食臆测之处。读者倘因此而谓其言鸽亦尚侈谈，谬矣！

　　非厂先生于书末谓遣散鸽群约在1920年前后。区区养鸽则在1924～1952年间，同在本世纪前半叶。故对其所记，备感亲切，正复缘是，有关鸽事，已无容我置喙处。今草《鸽话》，短札零篇，不过记儿时之情趣，抒垂老之胸怀而已。实不敢亦未尝有续貂之想也。

1999年2月王世襄

于芳草地西巷　时年八十有五

一　吃剩饭　踩狗屎

回忆儿时，北京的观赏鸽远比现在要多。不论是哪条街巷，从早到晚，总有两三盘儿在那里飞翔。不用看颜色，从它们的飞法就知道是观赏鸽，不是信鸽。说到养者，老幼贫富，不同阶层，不同职业，什么样人都有。他们大都爱鸽成癖，甘心为它操劳，其甚者竟达到忘我的程度，连生活起居都受鸽子的制约，乃至不能按时吃饭。待吃时，残羹冷炙，扒拉几口了事。他们还养成了一个习惯，出屋门就抬头仰望，看房顶，看天空，就是不注意脚下，踩上什么东西弄脏了鞋袜都不知道。因此人们送给这些鸽子迷六个字："吃剩饭，踩狗屎。"多年以来，这"六字箴言"竟成了养鸽者的"雅号"，虽语含嘲讽，听者却不以为忤，或笑而默许，或自豪地反唇相讥，说什么："你哪知玩鸽子的乐趣！你没那个造化，亏了！"

鸽子迷为什么会吃剩饭、踩狗屎呢？试说一二。飞盘裹来了别家的鸽子，落在房上，千方百计要诱它下来，为我所有。如果它是和我有仇隙之家的鸽子，则兹事体大，要借此来报仇雪恨。可气它就是不肯乖乖地下来，这时必须全神注视其神情动态。如尚安详自在，未显出局促紧张，身在异地，则不妨诱之以食以水。如羽毛缩紧，引颈探头，东张西望，浮躁不安，则殷勤相待，反会促使其惊逸，只有视而不见，一若不知其存在，待它松弛下来，再诱其就范。但又必须时时防其突然飞起，好随手打起鸽群，将它再次围裹，落到瓦上。在尚未抓到它之前，岂止自身顾不上吃饭，连家人都须放慢行动，低语噤声，真好像过皇上似的。实际上来鸽未必是名贵品种，值不了几文钱。可是许多养家，包括区区下走，硬是如此认真，如此贪婪，岂不可笑！又如清晨傍晚飞盘，由于朝雾暮霾或风向的关系，一个劲儿地往某一方向摔盘，越摔越远，不知道回来。养家未免着急，生怕远方鸽群四起，混战一场，把盘儿扯散，要吃大亏。这时只有再飞起几只打接应。不料没起作用，连打接应的也随了过去。这时真希望有架云梯，好爬上去看个究竟。更恨不得有个咒诀能把盘儿拘回来。鸽群不回，就如断送了身家性命，哪里还有心吃饭！

鸽子迷看高不看低，由习惯变成本能。房上、天上，不论有没有鸽子总要看一眼。鸟儿飞过，以为是鸽子，也要看一眼。当年北京居民店铺，几乎家家养狗，故大街小巷三五成群。如不留神脚下，自然会踩上狗屎。脏了鞋，一般都悄悄地自己刷洗。烦劳他人是难免要遭到埋怨和奚落的。

爱鸽成癖也有不吃剩饭、不踩狗屎的，只是能如此，必须有较高的修养，确实很不容易。有人说起得鸽子、丢鸽子，仿佛大爷满不在乎，但事到临头却原形毕露，与平时的侃侃而谈，判若两人。故真能不患得患失的实在很少。我十几岁时认识一位苏老头儿，住在朝阳门内东城根儿。他年近七旬，养着三四十只点子和玉翅，飞得极好，每天三次都高入云霄。不走趟子，只在头顶盘旋。由于飞得高，不容易和别人家的鸽子撞盘。如撞上盘他也不垫（即掷鸽上房，使鸽群急速落下），任其分合。裹来了鸽子，不论好坏，落到房上就被他轰走。他说得好："我不怕丢，更不想得。我玩的是鸽子，不让鸽子玩我！"因此他有自由，生活起居不受鸽子的牵制。说穿了只有一句话，吃剩饭，踩狗屎，是受患得患失之累。

我早就明白这个道理，可是直到将停止养鸽之时，即已届不惑之年，还是不能摆脱此累。近日也曾想过，假如我现在还在玩鸽子，能否达到苏老头儿的境界，把落在房上的好鸽子轰走。我承认还是做不到，而且宁可饿半顿也要把它得到手。可见说起来容易做到难。透过小小的宠物癖好，也能窥见人生修养的大道理呀。

二　目送飞鸽　手扔五吊

记得我第一次得到较好的鸽子，是上小学时在隆福寺买的一对点子，花了五吊钱。公的荷包凤，白凤心，母的平头，都是算盘子脑袋，阴阳墩子嘴，白眼皮，长脖细相。公的长约一尺二，母的也过尺，去年头一窝的仔儿，真够精神的。

我因疼爱它们，缝膀子舍不得把线抽紧，免得驯熟后，打开膀子时会勒出印儿来。蹲房半个月，渐渐合群，看不出要飞跑的样子。不料一日清晨，两只先后爬上房脊，择毛梳翎，都把线择开了。公的突然飞起，一叫膀儿，母的随即腾空，比翼盘旋，绕房两圈，转向西北飞去。我登高目送，直到无影无踪。这使我十分懊恼，掉下了眼泪。但也长了经验，缝膀子不可因心疼它而手下留情。

正是丢点子的那几天，家馆陈老师教我念古诗，讲到嵇康的："目送飞鸿，手挥五弦。俯仰自得，游心太玄。"我对老师说，我也有四句：

> 目送归鸽，
>
> 手扔五吊。
>
> 俯仰自叹，
>
> 膀缝松了。

老师莫名其妙。我把经过讲给他听。老师说："不对了，要是鸽子飞走，那就该是'目送飞鸽'而不是'归鸽'。"我说："没有错，因为'归'是说鸽子回归到它原主人那里去了。"

三　飞盘儿与撞盘儿

鸽群飞起，在院落上空盘旋，是为"飞盘儿"；飞盘儿而与他家鸽群遭遇，合后又分，返回房上，是为"撞盘儿"。二者说起来简单，却各有许多讲究。总的说来，仰望飞盘儿赏心悦目，养性颐神，确是一种享受。撞盘儿有得有失，如好胜负气，竟能惹是生非，但有的养家却偏要从这里寻找刺激。

鸽群如喂养有方，训练得法，每次飞盘，三起三落，可长达一小时有余。当其乍起，仅过树梢，盘旋未远。某为某鸽，看得分明，是认识各只飞翔习性的最好时机：看它是常飞在前，还是每拖在后；是喜欢冒高，还是沉底；是居盘儿中，还是常被甩在盘儿外；转换方向时，是起带头作用，还是随大溜等等。能在低飞时看清楚，高飞时也就不难辨识了。观察所得，可为精选队伍成员，孰去孰留，提供依据。

低飞一般五六个盘旋便升到半空，鸽子约如燕子大小。此时当注意看它是飞死盘儿，还是飞活盘儿。前者只朝一个方向旋转，久久不知变换。后者不时左转，不时右旋，圆婉自如，饶有韵律。是死是活，关键在领队飞翔的几羽。它们是一盘儿的骨干，即使花色欠佳，也须保留。同时还须认出拗执孤行，偏离滞后之鸽。数鸽也十分重要，尤其在撞盘儿掰分之后，只有过数，才知道得失盈亏。认鸽、数鸽，我都是跟王老根学的，但自叹弗如。他年逾古稀，我正当壮年，认鸽不如他看得准，数鸽也不如他数得清。四五十只一群，他一瞥便报数不误，而我只能数清三十来只的盘儿，更多就难免有误。

盘儿飞到高空，术语叫"挂起来了"，这时鸽小于蝶，要仰面极目，才能看到。往往时值盛夏，地面炎热，上方清凉，鸽子也爱风清气爽，挂得特别高，久久不肯下降。观者也忘记酷暑，仿佛服了一剂清凉散，仰望移时，竟全无感觉。待盘儿落下，才觉得颈项酸痛。

观赏鸽群，白色多于他色，故值夏日暴雨初过，严冬彤云四垂，天际黝黑如墨，那时鸽群在头顶盘旋，已感到与平时景色大有差异。倘盘儿飞到远空，引颈斜眺，星星点点，栩栩浮动，被深色的云天衬托得如银似雪，闪烁晶莹，显得格外幽旷冷峭，清丽动人。此情此景，深入我心，岁月虽邈，常忆常新，闭目即来，消受不尽。

如果把各家的鸽群看成军队，那么撞盘儿就等于军队之间的遭遇战。撞盘儿包括进攻和撤退。我盘儿飞向他盘儿并与之掺和，即所谓的"撞"，等于进攻。合后又分开，术语称之曰"掰"，听令返回家中，等于撤退。知兵者贵在知彼知己和训练有素。这对养鸽者指挥撞盘儿也完全适用。

训练有素的鸽群，只只精练，牢记家中巢舍，决不会被他群裹走，即所谓的"透"。起飞后，它会"追盘"，主动地冲向他群。有时一冲而过，他群中的弱者很容易被拐带过来。有时虽与他群合盘儿，但实际上还是各自保持着自己的队形，掰盘儿时，整整齐齐，泾渭分明。有时合盘儿盘旋，时逾半晌，两群已经掺和到一起，而掰时各不犹豫，自然分成两盘儿，各自归巢。上述两种情况可谓势均力敌，打个平手。如果一盘儿训练有素，一盘儿编队不久，强弱不齐，掰盘儿时很可能弱者被扯得游离于两盘儿之间，一时失辨，误随他盘儿而去，成了俘虏。其甚者，竟有全盘儿被扯乱，七零八落，溃不成群。倘天空尚有其他盘儿，更弄得不知何所适从，终至全军覆没，只羽无归。可见只有对自家之鸽，心中有底，确知其记性耐力都很强，则无论怎样撞盘儿也无妨，冲锋陷阵，百战不殆。我在高中读书时，已能把三十来只点子、玉翅等训练得很有战斗力，敢与任何鸽群周旋，成为邻近养家不敢轻视的一盘儿。他们盘儿中如有欠透之鸽，总是躲着我飞。后来王老根来到我家，为了证明训鸽能如人意，在两三个月内竟训练出一支"兜上就走"的奇袭部队。其特点是当有别家鸽盘儿围着宅院低飞，正好往里续生鸽时，他打起精选的二十来只，不绕圈，擦着房，直奔该盘儿而去，撞盘儿之后，拨转头往回飞，故曰"兜上就走"。对方还不知道哪里冒出来的盘儿时，有的生鸽已经被裹走了。王老根说："这玩意儿不局气（即不正派），挨骂，得鸽子也不体面。日久了，它就不爱挂高儿了，妨碍正式飞盘儿，不上算。"故随后这编队就被王老根解散。看来他只为露一手，说明不局气的玩法他也会而已。

如上所述，可见撞盘儿的全过程是合而后分，即所谓的"掰"，掰后落到自家房上。撞盘儿我有得而无损，是见高低、决胜负的关键。原来观赏鸽的习性是只要看见自家房上出现鸽子，不论飞得多高，都会抿翅下降。因此命令它们掰盘儿十分简单，只须抛一两只鸽子上房，术语称之曰"垫"，盘儿便会迅速落下。不过什么时候要它掰，什么时候垫，却又有学问。指挥者必须审时度势，争取到对我最有利的时刻，也就是等候全盘飞到能见其巢并便于落下的角度，抛鸽上房，并力争垫在对方垫鸽之前。惟最重要的还在训练有素。没有好兵，指挥者再好也无能为力，只有徒唤奈何。

四　走趟子

观赏鸽放飞除了飞盘儿、撒远儿外，还有"走趟子"。"走趟子"即清晨起飞后，盘旋三五匝，便已挂高，如燕子、如蝴蝶，栩栩入云。倏忽间朝某一方向飞去，杳无踪影。此去少则数十分钟，多则半日；归来已近中午。

走趟子必须精选健翮修翎，最善飞翔之鸽，其桀骜不驯者尤佳。年龄在幼鸽已圆条（十根大翎已换成新的）后至二三岁之间。逾此便须更换，否则将牵制整体，不复远去。鸽数不可多，十羽以下为宜。其一不妨带小哨，二筒、三联之类，取其体轻而音高，归来时，未到顶空已闻其声，且有助测知其往返行程。哨切忌大，莫使负担过重，以致离群，或遭鹰隼袭击。

我十八九岁时，住朝阳门内芳嘉园，有七羽走趟子——四只黑点子，两只黑玉翅，一只黑皂，戴一把祥字小三联。每日清晨，飞盘儿之前先放此七羽。它们回来时或与飞盘儿的会合，一起落到房上。或飞盘儿的落下许久，它们才回来。

七羽每天都往西北方向飞去。为了解其行程，曾骑自行车试图追踪，并在交道口、鼓楼一带盘桓等候。几次都毫无所得。鸽友们笑我说："您太逗了，简直在学'夸父追日'。"我自己也觉得头脑简单而愚蠢。后来我把走趟子的鸽数、品种、哨型、时刻等，告知德胜门外马甸的鸽友，才知道这七羽有时经过北郊天空，还继续往西北飞去。算来距朝阳门至少已有三十多里了。

五　续盘儿

续者，增续也。盘儿者，鸽群飞起结队如盘也。将新来之鸽增续到鸽盘儿之中一起飞翔曰"续盘儿"。

新来之鸽首先要"蹲房"。捆膀扔到房上，置之不理，但须观察其神态，看有无逃逸之意，借以知其驯狎程度。待其认清环境，熟悉栅窝，可打开捆膀，任其自由上下房。下一步训练飞盘儿，但不使它从房上和鸽群一同起飞，以免进不了盘儿，或进而又被甩出。此时倘有邻家鸽群来袭，容易被裹走。故宜采用续盘儿之法，从地面直接将它抛入盘儿中。

当鸽群尚未起飞时，戴上白手套，将待续之鸽装入竹挎，放在院中。待飞盘儿已三起三落，降到低空，只绕房盘旋时，从挎中掏出一只，握在手中，头朝内，尾向外，等候鸽群将到，下腰、垫步、拧身、转脸，仿佛摔跤使用"别子"一招的架势，将手握之鸽垂直地抛入盘儿中。这一连串动作，说起来简单，完成得好坏，却大有差异。续得好，能把鸽子不高不低、不前不后、稳稳当当、舒舒服服地抛入群中，它一展翅就能随盘儿飞行。续得不好，不是赶前、就是错后、不是冒高、就是沉底，进不到盘儿里。我十五六岁时已能优为之，总能将鸽子续到最合适的地方。注意事项是雌鸽要松握轻抛，以免伤裆。产卵前必须停止续盘儿。

据传闻，晚清有一位鸽迷原是善扑营布库，后来在戏园子工作，每天扔手巾把，渐渐把日常的动作运用到玩鸽子上，续盘儿由他始创。可惜已无人知其姓氏了。

六 竹竿的差异

养鸽子一般用竹竿来驱使其起飞，或阻止其降落。不同养家，用竿长短大不相同。我的体会是竹竿越长，竿上的零碎儿越多，越说明养家的资历浅、本事差。

我童年养鸽，用的竹竿有两丈多长，上端拴过红布条儿、也捆过鸡毛掸子。晃动它如挥大旗，觉得很威风，但也感到吃力，几下子胳膊就酸了，咬着牙还晃，而鸽子却不甚怕它。于是我就用竹竿磕房檐，啪啪作响，三间瓦房整整齐齐的檐瓦，都被我敲碎了，但鸽子还是不听指挥。我索性上房骑在屋脊上，挥竿呐喊，逼得鸽子往邻家的房上落。为了追赶它，常从正房跳到相隔数尺的厢房上。一次被母亲看见，她几乎晕倒在廊子上。

到了十七八岁，我用的竹竿只有一丈来长了，竿顶不着一物，感到反比过去的长竹竿好用。等我上大学，在燕京东大地的园子里养鸽子。那时已请到王老根帮我照料鸽群，我才学会用三尺来长的细竹竿拨鸽子出栅并示意要它起飞；或为了续鸽子，用竹竿示意要它围房多转几圈。鸽子却变得悉如人意。竹竿长短，效果好坏，差异如此之大，其奥妙究竟在哪里呢？

飞翔是鸽子的本能。正常的鸽子都能飞，而且喜欢飞，其飞翔久暂，有关体力，则因鸽而异。养好传统观赏鸽，飞好盘儿，和养好信鸽是完全一样的，必须了解每一只的体力强弱，健康情况，乃至性情习惯。飞盘时先把体力最强的若干只集中在房上。小竿刚一示意，就腾空而起，几次回旋，便直薄云霄。半晌之后，高度下降，再放飞体力次强的若干只。和第一批合盘后，又挂高入云。待其下降，再放飞体力又略逊的第三批。合盘后再度上升，最后全部落到房上。这就是所谓的"三起三落"。如果经过训练并淘汰其弱而无用者，把整盘鸽子调整到最佳状态，则不必分批，全盘同时起飞，也能三起三落，历时一小时有余。这将使邻家生羡，行人驻足，行家里手，不由地说一声"有功夫"！

在三起三落之后，鸽群已完成飞翔任务，理所当然应让它落在房上休息。此时如还挥竿迫使飞翔，那就是养家的不是了，又怎能怪鸽子乱飞乱落呢。

总之，知鸽性才能养好鸽子。适其性，不用竿也能指挥自如。违其性，竿再长，也无济于事。这个简单的道理，我懂得比较晚。有的人养到老还懵然未能领悟。

七　和重要文物同等待遇

　　鸽子，只须看它的品位、外观，便知道其养家大概是何等样人。有一次从护国寺庙会上买回一对花脖子，不为观赏，只用它抱窝，当"奶妈子"。一进门，王老根就问："您买孩子的吧？"我说："您怎么知道？"他说："您看玩得多脏，一身渍（读zī，平声）泥，膀拐子上还沾着梨膏糖呢。"

　　当年几次看人家提着扣布罩的挎上庙。打开一看，紫漆挎装着两对黑点子；或是黑漆挎装着两对紫点子；或是白茬挎装着两对黑玉翅。当然也有铜膀、铁膀和各种白尾巴。不仅挎与鸽子不靠色（读shǎi），显得格外鲜明夺目，鸽子更是品位甚高，个头、花色、脑相、嘴头，无一不佳；而且干净利落，一尘不染，像刚下架的葡萄，一身霜儿。人家带鸽子上庙，不为卖，不为撒远儿，只为"晾"，只为"谝"（《新华字典》注音为piǎn，北京口语读piǎ），总之是为了炫耀；从围观者的啧啧称赞，鸽贩、鸽佣的恭维奉承中得到满足、快慰。不用问，主人一定是一位玩得考究的资深养家。

孩子们玩鸽子，买不起也换不到好的，一天不知道要摆弄多少回。养家之鸽，不长出个模样来不要，指挥出栅，只凭一根竹竿，根本不上手。二者所养的品位、外观，自然有天渊之别了。

鸽子也有不得不上手的时候。如：缝膀子、续盘儿、缝哨尾子、戴或摘哨子、喂药治病等等。上手时一定戴手套，以一种白线薄手套为宜。

我儿时养鸽子，和一般孩子一样，也是大把攥，十多年后，才懂得戴手套。后来到博物馆工作，接触重要文物时，都必须戴手套。我曾想：好鸽子也很珍贵，为了保持它的净洁美丽，供人欣赏，接触它时戴手套也是完全必要的。它理应得到和重要文物同等待遇。

八 刚雄与柔媚

鸟类的雌雄，有的羽毛花色差别显著，例如孔雀、雉鸡。有的雌雄并无差异，如麻雀、喜鹊。鸽子属于后者，不论是何花色，雌雄相同。

自己喂养的鸽子，成双成对，孰公孰母，自然完全清楚。对新增添的或准备购买的就须予以分辨了。例如买成对鸽子，首先要查明是否为原对，即使非原对，至少应该是一公一母。如要为单只找对偶，买时更须辨明性别。买错了，不但配不上对，反而又多了一个单奔儿。

北京传统的公母辨认法，非厂先生在《都门豢鸽记》中有所述及："左手持鸽，右手以拇食两指轻捏其头之下、颈之上，以观其睫开合之状，雄者眼必凝视，甚有神，睫之开合至速；雌者眼颇媚，若盈盈然，睫之开合弛而缓。然在生鸽，亦往往不甚准确。"此外还讲到摸扪裆眼，雌者宽于雄者。但又谓"雄鸽裆眼亦有较宽者，须视为例外"。

据我所知，北京的老养家分辨公母，偶尔也捏脖、摸裆，而更主要的在"相其貌、观其神"。貌是有形的，简单明了，如公的比母的个头、胸围都大些，腿高些，脑袋也大出一圈等等。神则比较抽象而无形，通过感觉、体会，才有所得。鸽子的公与母，神情确实不同。老养家不用上手，数步之外，乃至高在房上，一眼望去，已能说出公母，而且很少失误。我看行家辨认公母，观其神占有相当大的成分。

年轻力壮的公鸽子，确实有一种阳刚之气，几步走儿已经显露出来，不止是在打咕嘟时才雄赳赳，气昂昂，不可一世。长相好的母鸽子，总带有几分妩媚娇娆，举止顾盼，都会流露出女性的美。当然只有观其神才能知其美，而知其美者，一定是鸽子的真正爱好者，爱到把鸽子看成人了。《鸽经》作者张扣之讲到佳种之鸽："态有美女摇肩，王孙举袖……昔水仙凌波于洛浦，潘妃移步于金莲，千载之下，犹想其风神。如闲庭芳砌，钩帘独坐，玩其妩媚，不减丽人。"他不就是把鸽子看成名姝佳丽了吗？

我开始养鸽子就学分辨公母，也曾捏脖摸裆，但难免出错。买过一对黑乌，售主告诉我原窝原对，拿回家两只都打咕嘟。想配一只母点子，市上遇见大母儿不敢买，怕是公的，结果放跑了一只好母儿。后来懂得相其貌，更须观其神的道理，辨认的准确性比过去提高了，觉得鸽子更耐看了，更美了，更富有人性了，爱它也更深了。

鸽友中有人比我执著，认为我对例外讲得不够，好像"相其貌、观其神"便可辨明所有雌雄，绝对无误似的。我说例外当然有，即使是老行家也难免有看错的时候。作为万物之灵的人，不也有女的长得粗壮魁梧，性格爽朗，大有男子气；而男的也有长得白皙纤弱，举止忸怩，颇有脂粉气吗？人犹如此，何况鸽乎？

九　喷雏儿

育雏之鸽将嗉中食物口对口、喙衔喙，反刍给雏崽，北京称之曰"喷"。嗉中食物早在孵卵时期已开始分泌、合成，故可称之为乳汁或营养液。北京则曰"浆"。浆随

268

雏崽之成长而由稀转稠，兼旬之后，渐含有米粱碎屑，直到完整颗粒。循时增长，无不适合雏崽之消化吸收。造化之妙，天伦之爱，令人惊叹。

非厂先生《都门蓁鸽记》对育雏注意事项，包括如何选择孵卵之鸽等，讲述颇详。惟对喷雏不得法、不尽责，甚至弃而不养，应如何抢救，殊少言及。所谓不得法，指未能将浆喷入雏崽食道，反将空气喷入，致使小小嗉囊鼓涨如塑料薄膜球，张口嘘气，奄奄待毙，后果与被遗弃同。凡此，必须以人代鸽，喷喂雏崽。

王老根曾在庆王府任鸽佣二十余年，喷哺鸽雏，堪称一绝。出卵不足二十日之雏，只能喷，不能喂。浆亦须泡制。小米煮烂成糊，漱口务净，含糊口中，以嘴角衔雏喙，运舌尖推舐，使浆输入嗉囊。出卵逾二十日，雏身已长出毛锥，始可试喂煮烂小米。左掌托雏，头右向。右手食、中、无名三指并拢，中指为底，其形如槽，置小米少许于槽中，凑近雏喙，俟其张口，以右手拇指指甲，推米入喙。如喙不张，可试用左手食、拇两指稍稍触其嘴叉，诱其张开。一切动作必须轻而缓，耐心尤为重要，日三四次，不厌不烦，始见成效。

老根喷喂幼雏，我曾多次仔细观察，耐心仿效，终难得其要领，故效果远逊。予喜短嘴拃灰，因难购得，全仗自家培育。两三年内，只成活三四羽。待老根来吾家，自春徂秋，六七对坼灰，窝窝传宗接代，羽数翻番，一竿挥起，已占全盘儿之半矣。

十 观 浴

浴鸽作为工笔花鸟题材，由来已久。五代黄筌有《玛瑙盆鹁鸽图》，《竹石金盆鹁鸽图》；黄居宝有《竹石金盆戏鸽图》；黄居寀有《湖石金盆鹁鸽图》等；仅经《宣和画谱》著录的就有八幅之多。足见浴鸽是园林庭院、竹外花前，耐人观赏的一景。

鸽子喜欢洗澡，只要天气晴和，虽严冬不废。倘得偷闲，抄一把小椅子，找地方一靠，静静地看鸽子的动作和表情，可以觉察到每一只的习惯和性情，有时还能领会到人禽之间的相通处。这不仅是很好的享受，也可引起我们联想和思考。

浴盆径二尺有余，高约一尺，用木块拼成，取其边厚，便鸽站立。外加铁箍，浸以桐油，不用时也贮水，以防渗漏。日将午，置盆院中砖面地上，倾入清水，深约半尺，打开鸽栅子，全部放出，不一会儿，鸽子便聚到盆边。

有两三只先跳上盆沿，似乎只想清漪照影，并无入浴之意。它先探身用嘴勾水，勾了几下才勾着，摇头又把水甩掉。这时盆边上的鸽子已多起来，有的偏往挤的地方跳，跳不上去，才换个地方，不由得感到颇像街上看热闹往圈里挤的人。

有一只好像很勇敢先跳下水，愣了一下，才伏身以胸触水，一触即起，几次后才伸展两翅，拍打水面。随后有两三只开始仿效。这时盆沿上因太挤而打起架来，互以喙啄。有的被挤下水，这倒好了，落得下来，不再打架，也开始洗澡。霎时间盆中已满，早下去的不顾周围索性散开尾翎，摇颈簸身，恣意扑腾起来，水花四溅，如雨跳珠，直到羽毛尽湿，沾并成缕，才跳到盆外。后下水的也都洗个痛快才舍得出盆。这时水面浮起一层白霜，盆外地面也都已溅湿了。

跳出盆外的鸽子总是先抖擞几下，把羽毛上的水抖掉。好多只都跑到砖地外的土地上晒太阳。我喜爱的一只母点子，看中了花池子土埂外长着浅草的斜坡，用爪子挠了几下，侧身而卧，偎了一偎，感到已经靠稳，拉开一翅，在和煦的日光中，回头半咬半嗑地把背上的小毛蓬松开，并一根一根地梳理着翅翎和尾翎。接着又转身卧下，拉开另一翅膀，重复前面的动作。这时有一只不识相的花脖子跑来，边打咕嘟边围着她转。她不予理睬，花脖子反来劲了，鼓起颈毛，兜着尾巴往前一跃，几乎踩上了她。守在一旁的大公点子，看到这不怀好意的动作，愤怒万分，急忙赶上来，连啄带鸽（qiān）把花脖子撵跑了。

每一只鸽子晾干羽毛后，都自由自在地活动起来。有的沿着墙根儿啄食剥落的石灰，它是在补钙。有的回到窝中呜呜呜叫，呼唤伴侣归巢。有的双双飞到房上，公的回旋欢叫，炫耀它雄壮轩昂的姿态，母的则频频点头，报以温柔，两吻相衔，双颈缩而又伸。交尾后，公的飞起，翅拍有声，即北京所谓的"叫膀儿"。母的随之腾空，绕屋几匝后，又落到房上。这也算是"夫唱妇随"吧。

坐在小椅子上已有一个多小时了，我的感受是"万物静观皆自得"，一切都按照其自身的规律在运行，故显得和谐、安详而自然。不仅是鸽子，不止是一竹一木、一草一花，也包括我自己。

十一　挎

北京鸽舍，内有界成方格的窝眼，外有围成小屋的栅子，用不着笼具。不过为了上市买卖、远出放飞、生鸽续盘、雌雄配对、伤病隔离等等，都必须使用笼具。

鸽笼长方形，长约三尺，宽、高各尺数寸，顶面两开门，中有高拱提梁，便于伸臂屈肘，挎之而行，故不曰"笼"，而称之曰"挎"。

北京巧匠制鸟笼已有数百年历史，与南方制品的主要区别在不尚精雕细琢，而贵朴质无华，只偶在局部略施装饰。惟竹材之选用，做工之精密，要求特别严格。常见者有水磨白茬，本色不上漆，以年久色如琥珀者为贵。合竹，笼圈及条均由两片或两根留皮去瓤之竹粘合而成。麻花圈、麻花条，圈条均由两根竹材拧

鸽拷

成。漆者有黄、紫、黑诸色，尤以傅家紫漆笼最有名，收藏者舍不得使用，视为珍贵文物。

鸽拷与鸟笼相比，只能算是糙活儿，但受益于鸟笼的成就，也达到相当高的水平。白茬的同样能拂拭得如"一汪水儿"似的润泽。漆拷务求颜色纯正，不着纤屑尘埃。考究养家备有日用、晾庙两份鸽拷，后者白布为罩，且不

止一具。黑漆者用以笼白色、紫色鸽，黄色者用以笼黑色鸽，取其不靠色（shǎi），鸽子显得格外精神，提到庙上，布罩一揭，观者不禁为之喝彩。

挎上有几处可施装饰。四角立材，下端着地成足，上端出头如柱顶，往往削成"八不正"形，或雕成仰俯莲。两扇门的别子镂成蝙蝠、蝴蝶或盘肠。提梁中部一段，密缠藤篾并编出卍字或回文。处处见匠心，不失为一件精美的民间工艺品。

我不喜养笼鸟，但藏有傅家紫漆靛颏笼。鸽挎则有一具水磨白茬老挎，光亮可爱。"文革"中被曾在街道工作的小脚老太太拿去分别养雏鸡和老母鸡了。

十二　鸽子市

庙会有鸽市，不知始于何时，据云乾嘉以来，早已如此。市在庙会附近，不与其他货摊杂处。庙会有定期，逢九、十隆福寺，市在东四西大街，今民航大楼门前槐树下。逢七、八护国寺，市在新街口南前车胡同口内外。逢三土地庙，市在宣武门外下斜街。逢四花儿市，市在花市大街东段南侧。逢五、六白塔寺，市在寺后门元宝胡同。其中以隆福、护国两市为盛，人称"东西庙"。北城无庙

老北京鸽子市上的"大挎"

会，故北新桥曾设市，日期逢六，旋因鸽少人稀而废。六十年代以后，各庙或改建商场，或定为保护单位，鸽市无可依附，移往龙潭湖、水碓子、祁家豁子等处，无往日之盛矣。

当年鸽市人物众多，形形色色，指不胜数。先言鸽贩。

鸽贩有大有小，被称为"大挎"、"小挎"。盖因北京鸽笼，通称曰"挎"。大贩用两大挎及数小挎笼鸽，可容百数十头，多雇人肩挑或车推上市，故曰"大挎"。小贩只提一小挎，可容十来头，故曰"小挎"。惟挎之大小并不反映鸽贩之资本多少。大挎有只卖一般品种，无力雇人而须自己挑挎者。小挎亦有以经营佳鸽为主，资本雄于一般大挎者。三四十年代，瑞四、对儿宝列诸大挎之首。出入大户人家，鼓舌如簧，精通夸诩本领，同时亦极阿谀奉承之能事。对一般养家则常露轻蔑之色，直到冷嘲热讽。对同业多行不义，欺凌剥削，刻薄刁钻，实一市之霸。老袁乃大挎而匮于资者。小白为小挎常携佳鸽待价而沽，亦不惜高值收购者。当年大小鸽贩能呼其名者不下数十人，今已随岁月流逝而遗忘殆尽矣。

再言养家。市上所见，中产小康之家及清贫无恒产，藉苦役给朝夕者，实百倍千倍于富商豪绅。其中更有以叫卖谋生，赖拉车糊口，自身难保温饱，而为鸽买粱豆，先于为家市米薪者。彼等常言："我从牙上刮下点吃的喂鸽子。"可见此中人癖之深。盖养鸽实为北京民间习俗，大众爱好，故名贵品种得长期萃集于北京，且不时培育出新奇花色，正因其有广大深厚之群众基础。

鸽市所见又一特点为顽童稚子，直到老叟衰翁，不同年龄，庙庙可见，故知癖之终身者，大有人在。予年十二三即去鸽市，历少壮而届中岁。"三反"中，蒙冤厄，身系图圄十余月，自此罹肺疾。随后政治运动频繁，不再养鸽。惟得暇仍游鸽市，积习难除也。见幼童指鸽问值，转身数囊中钱，不敷而有苦色。自思当年我曾如是。见中学生与对儿宝议价，该贩斜睨曰："买不起你别买！"自思当年亦曾受奚落。见中年人买瑞四鸽，已成交。瑞四喜而连声奉承："您真有眼力！"自思当年渠对我亦曾先倨而后恭。见曳杖叟，以巾裹两鸽，手提而行。自思我届叟年，不知有幸与鸽为侣否？今老矣，目眊足跛，早绝畜鸽之想，但不能忘情。"蹁跹时匝芳树，窈窕忽上回栏"，每现梦中。不获已，鸽市仍为常游之地，惟当年名贵花色，已难得一见。愈感宣扬我国悠久灿烂鸽文化，尽力访求、保护传统佳种，实为当务之急。《鸽经》、《鸽谱》之印行，或能收效于万一，吾不可得而知矣！

十三　憋鸽子

市上买卖鸽子既有鸽贩，也有养家。买者大都愿买养家的，不愿买贩子的。贩子卖的价钱贵，而且往往做了手脚，如剪掉杂毛，扦换夹条等。

从养家手中买鸽子，最好不在市上，而在赴市途中。因卖者到市才露面，人们便一拥而上，争相探挎取鸽，问公母，讲价钱，忙忙乱乱，无法看清好坏。倘有人存心哄抬，更闹得难以成交。

当然，买者想要在赴市途中买到称心如意的鸽子，实非易事。要不惜费时费力，耐心等候。坚持守株待兔精神，始能有所收获。因而这一行动有了专门名词，曰"憋鸽子"。

贩子憋鸽子更多于养家。他们不论花色品种，只要有利可图就买，故比养家容易开张，逢庙之日，养家、贩子都在途中"憋"。为了避免"狭路相逢"，诸多不便，养家总是走得比贩子远一些，以期占"先得月"之利。三十年代，有一位鸽友，逢九或十，再碰上是星期日，总是坐在朝阳门内的茶摊儿上，憋从通州、东坝等地来鸽。东郊有不少家都畜佳种，当时城墙未拆，故朝阳门是他们去隆福寺必经之路。一般养家憋鸽子多半在东四牌楼、大佛寺附近选点等候。点如何选，大有学问。首先必须是上市常经之路，其次要求视野开阔，行人动态，历历可见。此外，还要为憋者自己找一个可容身休息之处才好。

我的选点在大沟巷把口的汪元昌茶叶店和稍稍迤东的万聚兴古玩店。两家都有玻璃门窗，面临大街，且窗内有板凳可坐。断断续续，憋了四五年，成绩并不佳，只憋到成对的铁翅乌，和最喜爱的粗嘴葡萄眼素闪黑玉翅，还有短嘴素灰及斑点灰等。最得意的是为鸽友憋到一对当时十分罕见的双五根、五六根铁膀点子，刀斩斧齐，通身和素点子一样。买到后，故意提到市上走一遭。有人问，大声回答："我刚憋的"，使瑞四、对儿宝等为之侧目。

十年浩劫后期，从干校回到北京，直到十一届三中全会的召开，其间有一段无所事事的时期，我常去看足球比赛，不料却成了买退票能手。不仅场场不空，而且总有三五位相识或不相识的球迷跟随身后，等候我为他们买退票。我也总能让他们高高兴兴地进场。买退票的秘诀是要根据得票可遇率来选点；要频频吆喝，遇人便问；遇有退票者，要行动果断，票款在握，立即钱、票两交。买退票当然不同于买鸽子，但不少经验却是从憋鸽子得来的。

十四　拃灰

我喜欢灰色的观赏鸽。它不同于灰色的野鸽（北京通称"楼鸽"）和外来的信鸽。喜欢的原因是虽名曰"灰"，却有多种花色。首先色有深浅之别，粗粗区分，也有"深灰"（或曰"瓦灰"）、"灰"和"浅灰"（或曰"亮灰"）三等。其次，除翅端两道深色楞外，有的浑然一色，曰"素灰"；有的有深色斑点，曰"斑点灰"。复次，有的翅有白翎，曰"灰玉翅"，并视其有无斑纹曰"斑点灰玉翅"或"素灰玉翅"。还有头项部位生白毛，曰"灰花"。再加上有的为白眼皮金眼，有的宽红眼皮睛如朱砂曰"勾眼灰"（《鸽经》曰"狗眼"）。品种实多于他色观赏鸽。

"灰"中我最喜欢的是短嘴、算盘子头、大不盈握的北京所谓"拃灰"。它不仅各种花色俱备，而且娇小玲珑，矫健善飞，堪称"天生尤物"。别看它体型小，却胜任背大哨。我的一只斑点亮灰，系"鸣"字大葫芦，随盘从不落后。是因为一只大公点子承受不了才让它佩戴的。

我幼年养鸽，不拘花色，喜欢就买，品种较杂。1945年回京后，只养点子、玉翅、灰三种。当时城内拃灰，首推东四牌楼东南隅灰铺所畜，其次即数舍下。1953年蒙不白之冤，身陷囹圄，此后不复养鸽，但始终未能忘情，尤其是拃灰。偶经鸽市，必几番巡视，以期一见。至六十年代初，已感到有绝迹之虞。

生禽难见，求之于图绘。梅畹华先生护国寺故居，正房西间隔扇上，就挂有一幅朱砂眼浅色拃灰玻璃油画，画得美妙绝伦。畹华先生的《舞台生活四十年》中有一段讲到此图：

> 有一天一位最关切我的老朋友冯幼伟先生很高兴地对我说："畹华，我在无意中买到一件古董，对于你很有关系，送给你做纪念品是再合适没有的了。"说着拿出来看，是一个方形的镜框子，里面画着一对鸽子。画地是黑色，鸽是白色，鸽子的眼睛和脚都是红色，并排着站在一块淡青色的云石上面，是一

种西洋画的路子，生动得好像要活似的。我先当它是画在纸上面，跟普通那样配上一个镜框的。经他解释了，才知道实在就是画在内层的玻璃上面，

梅兰芳先生纪念馆中的清代玻璃油画拃灰

仿佛跟鼻烟壶里的画性质相同。按着画意和装潢来估计，总该是在一百多年前的旧物。据说还是乾隆时代一位西洋名画家郎世宁的手笔，因为上面没有款字，我们也无法来鉴定它的真假。但是这种古色古香的样子，看了着实可爱。我谢了他的美意，带回家去，挂在墙上，常对着它看。这件纪念品，跟随我由北而南二十几年，没有离开过，现在还挂在我家的墙上。

那幅油画实在动人，画里真真，呼之欲出，故每次往

观，必凝视久之而后去。使我十分遗憾的是拨乱反正后，畹华先生故居恢复开放，我再次往观，隔扇犹存，鸽画已杳。经询问，始知早已毁于"打砸抢"。惜哉！今可见者，只有印在《舞台生活四十年》1957年版第一集中的一幅模模糊糊的黑白图了（见图）。

1963年，我在文物博物馆研究所任职时，参加考察龙门石窟工作队。假日去洛阳关林，在集上巧遇有人拿着一对拃灰，使我惊喜。当时存有戒心，不敢轻举妄动，但还是忍不住多看了两眼，问了问价钱。果然当晚生活会上过不了关，被"左"得可爱可敬的英雄们狠批了一顿，上纲到"违法乱纪"。我却暗自欢喜，喜的是北京虽已绝迹，外地还有，真是天佑瑞禽呀！将来如有一天容许人活得自由一点的话，我一定专程到洛阳来访求它。

拃灰！拃灰！我实在未能忘情！

十五　鸦虎子

鸽鹰，不知为什么叫"鸦虎子"，难道它也抓乌鸦？

听老友常荣启说，下网打大鹰，用鸽子作油子（诱饵），也打到过鸦虎子。比鹞子大些，深色眼珠，和金黄色眼珠的大鹰、鹞子不同，而和兔虎（鹠）相似，因而应

芳嘉园院内鸽群　1947年袁荃猷速写

属隼类云云。兔虎即每年秋季国外派遣不法之徒到宁夏一带偷购、盗运出口的猎隼。我所知仅此，正确的分类要请教鸟类学专家了。

鸦虎子和大鹰一样，八、九月间从塞外飞来。经过华北平原而南去。除在途中攫食鸽子外，有的留下来（曰"存林儿"）专吃北京的鸽子，故为害甚虐。当年有人在天坛柏树下发现鸽子毛、鸦虎子"条"（鹰隼粪便皆作条形，故曰"条"），吐出的"毛壳儿"（鹰、隼每日凌晨都将不能消化的鸟兽毛羽团紧成球吐出，古人名之曰"尳"，见《说文解字》），还捡到过鸽哨。燕京大学水塔顶层檐下也住过鸦虎子，我心爱的一只墨环便死在它的爪下。

鸦虎子袭击鸽盘儿的伎俩不外乎"托"和"冲"。托是在鸽下回旋，迫使盘儿升向高空，然后突然出击。冲是在盘儿上滑行，或速鼓两翅，停在高空，养家称之曰"定油儿"，随即倏忽冲向鸽盘儿。托与冲目的均在打散鸽群，使各自逃命，打着"鬼翅子"，作不规则的飞行，迅速冲向地面。鸦虎子正好借此选择目标，攫捉最容易捉到的鸽子。带哨之鸽往往因身有负荷而遭惨厄。故真正爱鸽者，往往有哨而不悬。

每次飞盘儿前，鸽群集房上，当先观察其神态。倘有多只紧毛兀立，引颈注视某方，就是天空有警之象，当即停止飞放。飞盘儿时如发现回旋失常，翅频紧急，也说明有鸦虎子，应立即打开栅门，迅速"垫"（驱栅中之鸽上房，使飞盘儿之鸽速下，术语曰"垫"）下鸽群，俾得安全降落。

十六　买高粱还是买奶粉

1947年我从日本押运被劫夺的善本书一〇七箱归国，去南京与清理战时文物损失委员会交待清楚后回到北京，开始在故宫博物院任古物馆科长。

说起来惭愧，此时我和荃猷及一岁的儿子住在芳嘉园家中。父亲告诫我："念你刚出来工作，我管你们吃、管你们住。至于你的额外开支，我管不了，必须自理。"实际上父亲已经管了我们生活上的一切，所谓额外开支，是指我买文物标本、古老家具和鸽子食粮的费用。当时零星文物很便宜，古老家具没人要，更不值钱，我买的又大都是残缺不全的，但架不住贪得无厌；数十只鸽子，每天也要吃几斤高粱，还须多少搭上点小米、黑豆；因此我手头总是很拮据。父亲既然有话，有些并非纯属额外开支，也不便启齿了。

有一个月月底，赶上儿子的奶粉吃完了，鸽子的高粱也吃完了。荃猷有病缺奶，奶粉对儿子极端重要，鸽子几十张嘴，也不能饿着；但手中的钱买了奶粉买不了高粱，买了高粱买不了奶粉。我是买奶粉呢，还是买高粱呢？

和荃猷商量后，我们取得一致的意见：花钱给孙子买奶粉，爷爷肯定乐意掏，但不能提。不要说被父亲质问一句，就是稍稍表示不解："为什么不用买家具和高粱的钱买奶粉？"我便无地自容。荃猷有个妹妹，住得不远，借钱救急买奶粉，还借得出来，但如开口借钱买高粱喂鸽子，就太不像话了。

最后决定，把仅有的钱买高粱，借钱买奶粉。

十七　养鸽条件

按照北京的老谱儿，养鸽子要具备一定的条件。就是：平房三间，独门独院，院子较宽敞，有一部分地面是土地，四周无高楼大树，棚子上有遮阴的小树或豆架瓜棚。

平房并不要求高大，瓦房或棋盘心均可。后者养踩云盘鸽子更相宜，不会戳断毛脚上的羽毛。独家一户，不受干扰，免起纠纷。院子较大，有利鸽子活动和主人观赏。有土地鸽子才能啄食土壤，挠土扒坑，洗旱澡，晒太阳。无此便难遂鸽子的天性，剥夺了鸽子的本能，故十分重要。无高楼免得鸽子不听指挥，飞上去不下来。无大树免得起飞落下时成了障碍。棚子有遮阴，夏日暴晒可以无虞。

上述条件，本世纪初不少养家都大体具备。时至今日则太难太难，简直是不可能了。今日的养家，十之七八在楼房阳台上筑鸽舍。人禽共处，有碍卫生，不得飞，不得看，一切乐趣，荡然无存，故不如不养。要圆旧日之梦，恐怕只有搬到农村去住了。

五十年代初，我遣散鸽群，倒不是由于住房有了变化，而是遭到冤狱。只因在日本投降后，我为国家追回的国宝太多了，"三反"中怀疑我有严重问题，手铐脚镣关入公安局看守所审查十个月之多。查明没有问题后释放，明明是有功无罪，却被文物局、故宫博物院开除，通知我自谋出路。天下宁有此理！不平则鸣，1957年我注定会戴上右派帽子。六十年代初我故态复萌，又犯了养鸽瘾，未能如愿，则是由于住房有了变化。房管局、居委会知道我家院中有几间厢房无人住，天天动员我拿出房来"抗旱"，也就是出租。如不同意，就要在我家办街道食堂或托儿所。身为一个摘帽右派如何能扛得住。权衡后果，只好同意出租，于是我家就成了大杂院。后来我才明白，动员我出租，是为了加上我父亲在世时已租出的一所房达到十五间之数，这样就够上私房改造的法定标准。一箭双雕，两处私房都成了公房。从此我不再具备养鸽子的条件。真应当感谢对我的改造，一下子把我癖爱鸽子的痼疾给根除了。

十八　王熙咸

王熙文，住宣外铁门米市胡同，喜溜獾狗，架大鹰，举"胡不拉"（即伯劳），仪表轩昂，谈笑爽朗，有侠者风。弟熙咸，终身不娶，孑然蛰居和平门内南所，瘦小而讷于言，与熙文同行，孰信其为弟兄。殊不知熙咸乃通臂

王熙咸先生小像

拳宗师张策关门弟子，后又潜心太极，终成武林高手，能掷猛夫于十步之外，所谓真人不露相者也。

熙咸年十五，始养鸽，由鸽及哨，爱之入骨髓，搜集收藏成为平生惟一爱好，竟以"哨痴"自号。惟身为小学教员，中年即退休。性迂直，不善治生产，故家境清贫，俭约殊甚。独于鸽哨，不惜倾囊相易，乃至典衣质物无吝色，非得之不能成寐。如是数十年，所藏乃富，所知乃丰，更得与制哨高手陶翁佐文相切磋，故能穷其奥窍，对惠、永、鸣、兴各家之造型风貌，刀法异同，音响高低，真伪鉴别，皆能言之凿凿，了如指掌，真知灼见，无人能出其右。

熙咸撰有《鸽哨话旧》一稿，七千余言，信是记录研究鸽哨之最重要文献，已收入拙作《北京鸽哨》。其中有绝妙之文，可供欣赏：

> 二宝、小六合买绍英家淡黄漆全竹小型鸣字十一眼一对。斯哨有四绝：一曰鸣字，二曰全竹，三曰型小，四曰无疵，即咏西家亦无此尤物。售者居奇，买者恐后。尔时余于旧哨，尚无真知灼见，故质诸佐文。佐文曰："如哨果佳，则君不妨说'尚可留用'，以免彼居奇。如为赝鼎，则君不妨说'此哨绝佳，慎莫轻易出手！'如此虽交易不成，彼无怨尤。"予往视，哨固真而且精，屡经磋商均不谐。最后许以十五对小永哨易此一对，二贩沉思移时，始允交易。狂喜之下，徒步归家，恐踬而伤哨，一步落实，方迈下步，返寓入室，心始释然。此后蓄哨名家，接踵而来，每求割爱，余爱之切而未能许也。倘有识者祈一观，则共欣赏而不吝焉。两哨伴我二十余年，竟为小奸赚去，每一念及，五内如焚。

凡有玩物之癖者，皆知议价还值，须施心计，擅辞令，方能成交。故往往佯进实退，欲擒故纵，有褒有贬，时实时虚，盖非此不足以应贾贩之狡黠。不意佐文寥寥数语，已尽其旨。获宝之后，欢喜无状，捧之怀之，维恭维谨，竟至行动失常，不知所措。凡有此经历者，读之当有所会心而不禁暗自窃笑也。

余曾多次造访熙咸，室晦而隘，罩内窗前，案头桌面，架上柜中，枕边床底，箱箱匣匣，篓篓篮篮，尽是鸽哨，此外别无长物。计成双者不下三百对，无偶者数亦如之，真可谓洋洋大观。余请求拍照，本拟携摄影师同往，而熙咸曰："我能知人，带走何妨"，且毫不迟疑，择至精者相借，其待人真诚又如是。余深幸留此形象记录，1989年《北京鸽哨》出版，得用作图版。否则仅附拙藏，名家之制，所缺太多，无足观矣。

熙咸常年茹素，鸡蛋亦在禁食之列。八旬以后，体衰多病。1986年逝世，享年八十有七。据同院邻人言，全部藏哨，被其甥女席卷而去，此后不知流落何处。自有鸽哨以来，两次最重要荟集为乐咏西、王熙咸之收藏，不幸散若云烟，命运竟相若也。

十九　标点鸽名

标点古籍，多由谙悉文言文者任之，虽饱学之士，亦不免有误，可见其难。遇有事物名称，专门术语，则更难落笔，往往反复思考，逗点几番移上移下，仍未点到是处。读者固不能要求标点者事事精通，而标点者也只有不惮辛劳，查阅有关图籍并向熟悉此道者请教，始能不错或少错。误点古籍中鸽名，试举两例。

蒲松龄《聊斋志异》（青柯亭刊本）《鸽异》篇有如下字句：

又有靴头点子大白黑石夫妇雀花狗眼之类名不可屈以指。

1977年人民文学出版社《聊斋志异选》，由北京大学中文系张友鹤选注，标点上文如下：

又有靴头、点子、大白、黑石、夫妇雀、花狗眼之类，名不可屈以指。

按《鸽异》所列鸽名，均见张万钟《鸽经》。鸽名为：靴头、点子、大白、皂子、石夫石妇、雀花、狗眼。故只须查阅该书，便可标点如下：

又有靴头、点子、大白、黑、石夫妇、雀花、狗眼之类，名不可屈以指。

富察敦崇《燕京岁时记》（光绪三十二年刊本）《花儿市》条有如下字句：

其寻常者有点子玉翅凤头白两头乌小灰皂儿紫酱雪花银尾子四块玉喜鹊花跟头花脖子道士帽倒插儿等名色其珍贵者有短嘴白鹭鸶白乌牛铁牛青毛鹤秀蟾眼灰七星凫背铜背麻背银楞麒麟斑踽云盘蓝盘鹦嘴白鹦嘴点子紫乌紫点子紫玉翅乌头铁翅玉环等名色。

1961年北京古籍出版社排印本《燕京岁时记》标点上文如下：

　　　　其寻常者有点子、玉翅、凤头白、两头乌、小灰、皂儿、紫酱、雪花、银尾子、四块玉、喜鹊花、跟头花、脖子、道士帽、倒插儿等名色。其珍贵者有短嘴、白鹭鸶、白乌牛、铁牛、青毛、鹤秀、蟾眼灰、七星、凫背、铜背、麻背、银楞、麒麟、斑踘、云盘、蓝盘、鹦嘴、白鹦嘴点子、紫乌、紫点子、紫玉翅、乌头、铁翅、玉环等名色。

　　其中跟头、花脖子、短嘴白、鹭鸶白、乌牛、七星凫背、麒麟斑、踘（踩）云盘、鹦嘴白、鹦嘴点子等均被误点。

　　《燕京岁时记》成书去今不远，故鸽名与本世纪养家、鸽贩所用者基本相同。如赴鸽市访问即可得到正确答案。1938年美国人胡斯（Harned Pettus Hoose）编写英文小册，名曰《北京鸽与鸽哨》（*Peking Pigeons and Pigeon Whistles*）亦曾引用《燕京岁时记》鸽名，"花脖子"、"麒麟斑"等标点竟不误。胡斯阅读古籍能力不可能比排印本的标点者高明，只不过他和鸽贩有交往，可随时询问而已。

二十　《鸽种全书》

　　美国勒维（Wendell M.Levi）编著鸽谱，名曰*Encyclopedia of Pigeon Breeds*（1965，T.F.H.Publications，Inc.Jersey City，N.J.），似可译名为《鸽种全书》。蒙香港友人惠借数周，得浏览一过。喜其详备，曾驰书海外求物色一册，因绝版而未果。全书彩图807幅，每幅一鸽，可谓洋洋大观。

　　《鸽种全书》引起我注意之事有四。

　　（一）自愧孤陋寡闻，所见不广。某些海外品种，从未见过。如能将嗉囊吹涨如球之Pouter，全身羽毛卷曲如落汤鸡之Silky Sedosa。凤头如满月之Jacobin，颇疑此即《鸽经》所谓"凤卷如轮"之"凤尾齐"。

　　（二）《鸽种全书》中不少花色为北京常见品种。惟以北京养家标准衡之多不及格。如点子，西方名之曰Helmet（头盔），因头上黑羽覆盖头顶如盔而得名，见图130～136。从审美角度看，远不如中国点子：平头贵"瓜子点"，两侧露白眉子；凤头贵黑凤或黑凤白凤心。它们额头只一点或一簇，俊俏生姿。玉翅，西方称黑者曰black white-flighted（图568）。紫者曰yellow white-flighted（图115）。其头、嘴、眼皮无一佳者，对两翅白翎不宜过多或过少，或一多一少，亦不讲求。各图所见与北京之素闪、粗嘴、葡萄眼黑玉翅之美实无法比拟。又如紫乌头（图227），嘴细而尖，竟如野鸽。麸背，西方称Blue Argent Modena（图252），头嘴欠佳，体型臃肿。使人感到西方养家似未能如我国爱鸽者之穷年累月，代复一代，将观赏鸽培育到至美极妍。

（三）西方鸽种中也有头圆如算盘子，嘴短如谷粒者。大抵属于Satinette（图300～303，中文译名沙田尼）、Blondinette（图307～312，中文译名白朗黛），Owl（图314～316，中文译名枭鸽）三种。花色有的近似鹤秀，即《鸽经》之腋蝶或麒麟斑，清宫鸽谱之蛱蝶。当年倘在北京市上出现，定被视为无上佳品。

（四）《鸽种全书》后附文献目录，收有明张万钟《鸽经》，但著者并未见到原书。中国观赏鸽仅收墨环、乌头、黑乌、亮灰等数种（图557～564），由香港何先生（Ho Yan Ning）提供。足见我国鸽文化虽悠久灿烂，但对外宣传十分欠缺，故不为世界所知，使人深感遗憾。

饭馆对联

我的国学启蒙老师是一位在外家教家馆的老学究。入学时，几个表哥都已经在学做诗，我则先学对对子，从背诵"天对地，北对东，夏雨对秋风……"一套顺口溜开始。我倒挺喜欢这玩艺儿，往往放学前主动请老师出对子，回家对好，第二天呈送给老师看。长大一些后，学做律诗和试帖诗，还跟着大人学做诗钟，实际上都是在对对子。给饭馆做对联，已是上大学的事了，送给"常三"的两副就是那时候做的。

大学毕业后，长达四十多年没有给饭馆写过对联。北京沦陷时期，在大后方颠沛流离时期，为清理文物奔走及出国考察时期，1949年回国后一个运动接一个运动时期，都不会也不可能为哪一家饭馆做对联。只有在拨乱反正之后，清除了极"左"，承认我国的烹调是文化、是艺术、是宝贵文化遗产，讲饮食、评饭馆不会再被扣上资产阶级生活方式的帽子之后，才有斗胆再给饭馆写对联。看来这虽只是一件小事，却有关国家气运，不亦伟乎！？

自1980年以来，我也只给饭馆写过三副对联。第一副赠美术馆附近的悦宾。这是一家最早的个体户小院，出于对新鲜事物的好奇，一个人跑去试试，要了盘鱼香肉丝和锅塌豆腐。价钱不算贵，原料也不错，至少都是瘦肉，味道还可以，态度热诚，比许多公营小馆肉菜全用肥膘、态度不咋的要强。一高兴写了一副相赠。联曰：

悦我皆因风味好，

宾归端赖色颜和。

第二副写给得月楼。今年元旦，天津古文化街落成，由于朱家溍兄和我都给街内的文物店写了匾额和楹联，被邀参加开幕式，并请在食品一条街的苏州得月楼吃饭。

那天得月楼的师傅们很卖力气，把最好的东西都拿出来了，十几道菜中有清蒸元鱼、虾子海参、烹大虾、糖醋鳜鱼等。大虾不脆，是原料问题，不是做得不好。鳜鱼则色、香、味、形俱佳，非常新鲜，是我1973年离开湖北咸宁干校后吃到的最好的鳜鱼。

饭后经理和师傅们都上楼来，拿出宣纸要求即席题字。"得"、"月"两字都是入声，放在上下联之首本无伤格律。但一个是动词，一个是名词，故半晌未能成句，眼看要轮到我写了，不免抓耳挠腮起来。忽然由姑苏想到了寒山寺，改变了原来的主意，得联如下：

听钟犹忆寒山寺，

品馔今夸得月楼。

家溍兄在一旁笑了，悄悄地对我说："寒山寺救了你的驾！"

第三副今年春节祝贺同和居新楼开业。联曰：

同味齐称甘旨，

和羹善用盐梅。

上联用《孟子·告子》"口之于味也，有同嗜焉"，下联用《尚书·说命》"若作和羹，尔惟盐梅"。我虽把"同"、"和"两字冠在了联首，但同和居菜肴的特点没有能写出来，所以没有做好。

原载《中国烹饪》1986年第10期

1986年以后饭馆对联写得多一些，想得起来的有：
赠无锡馆新苑酒家：

梅芳艇系鼋头渚，

姜嫩丝堆鳝脆盘。

赠福州馆华腾酒家：

华筵美酿倾千石，

腾馥嘉肴出八闽。

赠悦宾分号悦仙小馆：

举杯皆喜悦，

到此即神仙。

　　1993年10月，我和荃猷访台过港，承功德林主人柳和青、王丹凤伉俪盛情款待，品尝素食。菜肴有鲜蘑百合、菊花茄子、炖野生口蘑汤等，天然本色而形味俱佳。予我印象最深的却是用玉蜀黍须烹制的冷碟，不仅晶莹洁白，味亦清爽隽永。后来我送给他们一联，还开个小小的玩笑：

不上梧枝栖翠柳，

巧烹黍穗作银丝。

1994年6月又记

春菰秋蕈总关情

戢戢寸玉嫩，累累万钉繁。

中涵烟霞气，外绝沙土痕。

下筋极隽永，加餐亦平温。

这是宋汪彦章的食蕈诗。"蕈"通"菌"，或称蘑菰，亦可写作蘑菇，其味确实隽永，且富营养，是厨蔬无上佳品。我素嗜此物，尤其是春秋两季野生的，倍觉关情。

记得十一二岁时，随母亲暂住南浔外家。南浔位在太湖之滨、江浙两省交界处。镇虽不大，却住着不少大户人家。到这里来佣工的农家妇女，大都来自洞庭东、西山。服侍外婆的一位老妪，就是东山人。她每年深秋，都要从家带一罄"寒露蕈"来，清油中浸渍着一颗颗如纽扣大的蘑菰，还漂着几根灯草，据说有它可以解毒。这种野生菌只有寒露时节才出土，因而得名。其味之佳，可谓无与伦比。正因为它是外婆的珍馐，母亲不许我多吃，所以感到特别鲜美。

在燕京大学读书时，常常骑车去香山游玩，而香山是以产野生蘑菰闻名的。经过访问，在附近的一个村子四王府结识了一位人称"蘑菰王"的老者，那时他已年逾六旬了。他告诉我香山蘑菰有大小两种。小而色浅的叫"白丁香"，小而色深的叫"紫丁香"，春秋两季都有。他谈得有点神秘——采蘑菰要学会看"稍"（读作sāo），指生蘑菰的地脉。这"稍"从地面草木的长势可以看出来。他虽向我讲解了几遍还是不能得其要领。看来所谓的"稍"，一半指草木的葱茏茂密，一半和埋在土内的菌丝有关。蘑菰落下孢子才生长菌丝，所以产菌的地方年年会有蘑菰长出来。使香山出名的是一种大白蘑，直径可以长到一尺多，像一只底朝天的白瓷盆。过去只要在山上发现此种幼菰，便搭窝棚在旁守护，昼夜不离，以防被他人采去。只须两三天便长成，取下来装入大捧盒送到宣武门外菜市口去卖，可得白银三五两，因为它是一种名贵贡品。"蘑菰王"感慨地说："这是前清的事了，近些年简直得见不着了。贵人吃贵物嘛。贵人没有了，大白蘑也就不长了。"他的话反映出他的封建意识。实际上逶迤的燕山，只要气候环境适宜，都可能生长此种大白蘑。六十年代我去怀柔县黄坎村劳动，听老乡说当地山上就有，名叫"天花板"，并自古留下"天花板炖肉 —— 馋人"的歇后语，只是很稀少，不大容易遇到而已。我当时以为"天花板"只不过是一个当地土名，不料后来读到明人潘之恒的《广菌谱》，其中就有《天花蕈》一条，并称："出五台山，形如松花而大于斗，香气如蕈，白色，食之甚美。"可见那位老乡的话大有来历，顿时不禁对他肃然起敬而自惭孤陋了。

回忆一下，几十年来，北京的各大菜市场一直可以买到鲜蘑菰。查其品种，因时而异，六十年代以前，市场

303

上卖的都是野生鲜蘑菇。品种有二：一种叫"柳蘑"，蕈伞土褐色，簇聚而生，往往有大有小，相去悬殊。烹制时宜加黄酒，去其土腥味。烩、炒皆可，而烩胜于炒，用鸡丝加嫩豌豆烩，是一味佳肴。一种叫"鸡腿蘑"，菌柄较高，色泽稍浅，炒胜于烩。蘑菇的采集者多住在永定门、右安门外，每人都有几条熟悉的路线，隔几天便巡回采一次，生手自然很难找到。后来朝内、东单、西单几个菜市都买不到野鲜蘑，只有菜市口市场还有。据了解是一位姓张的老者隔几天送货一次。随后他找到了工作，在永定门外一所小学传达室值班，野生鲜蘑从此在北京菜市场上绝迹。我曾去拜访过张老汉问他为什么不干了。他说郊区都在建设，永定河也在整理，生态变了，蘑菇越来越难找了，只好转业了。六十年代至七十年代，几个菜市场有时可以买到人种的圆鲜蘑，和一般罐头蘑菇品种相同。近几年，这种人种圆鲜蘑菜市也不供应了，而是凤尾平菇的天下了。论其味与质，自然不及圆鲜蘑。

1948～1949年我在美国和加拿大，注意到蘑菇在西餐中的食用。那里的大城市很容易买到人种圆鲜蘑，餐馆的通常做法是用它做奶油浓汤，或放在奶汁烤鱼里，或碎切后摊鸡蛋饼或卷（mushroom omelette，也有人称之为"奄列"），比较好吃的是用黄油煎。作为一个穷书生，自然不可能品尝到名餐馆中的各种做法，但从烹调食谱中也可以了解不少，总觉得不及中国的蘑菇吃法来得多而好。最难下咽的是洋人生吃圆鲜蘑，切片放在沙拉内，实在是暴殄天物。在波士顿时，我常去老同学王伊同、娄安吉伉俪家去做油煸鲜蘑，略仿"寒露蕈"的制法而减少用油量。我曾带给租房给我住的美国老太太尝尝。她擅长西法烹调，竟对我的油煸蘑菇大为欣赏，认为比西餐中的许多做法要好，特意在小本子上记下了我的recipe，并要我示范烧了两次。

已故老友张葱玉（珩）兄，是一位杰出的书画鉴定家，也是一位真正的美食家。他向我几次讲到上海红房子西餐馆的黄油煎蘑菇如何如何隽美，而离开上海后再也吃不到了。1959年有一天他请我在东安市场吉士林吃饭，特意点了这个菜，结果大失所望。我向他夸下海口，几时买到好蘑菇，做一回请他品尝。后来我一次用鸡腿蘑，一次用人种圆鲜蘑，都使他大快朵颐，连声说好。道理很简单，关键在黄油煎蘑菇必须用鲜蘑，最好是菌伞紧包着柄尚未张开的野生蘑。罐头蘑菇绝对不能用。它经高温煮过，水分已浸透，饶你再用黄油煎也无济于事，味、质皆非矣。

湖南的野生菌亦颇为人所乐道。在西南联大上过学的朋友往往谈起抗战时期长沙街头小馆的蕈子粉、蕈子面（即汤煮米粉或面条上加蕈子浇头）如何鲜美。九如斋的瓶装蕈油也常常被人带出来馈赠亲友。1956年我在中国音乐研究所工作，参加了湖南音乐普查之行，跑遍了大半个省。那一次的印象是长沙的蕈子粉赶不及衡阳的好，而衡阳的又不及湘南偏远小镇的好。看来起决定作用的在蕈子的品种好不好，而采得是否及时尤为重要。柄抽伞张，再好的蕈子也没有吃头了。

当年从道县去江华的公路尚未修通，要步行两天才能到达。中途走到桥头铺，眼看一位大娘提着半篮刚刚采到的钮子蕈送进一家小饭铺，我顿时不禁垂涎三尺。不过普查队的队长是一位"左"得十分"可爱"的同志，非常强调组织性、纪律性，还时时警告队员要注意影响。像我这样出身不好、受帝国主义教育毒害又很深的人，她自然觉得有责任对我随时进行监督改造。如果我不经过请示批准，擅自进小饭铺买碗粉吃，晚上的生活会就不愁没有内容了。好在一路之上我走在最前面，队长落在后头至少有三五里之遥，我乍着胆子去吃了一碗蕈子粉。哈哈！这是我在整个普查中吃到的最好的野蕈子！我很想来个第二碗，生怕被队长看见而没敢再吃，抹了抹嘴走出了小铺的门。

"文革"时期文化部干校在湖北咸宁甘棠附近。1971年以后，干校的戒律稍见松弛，被"改造"的人开始能有一点人的情趣。调查、采集、品尝野生蘑菇就是我的情趣之一。为了防止误食毒菌，首先向老乡们求教。经过了解，才知道当地食用菌有以下几种：

洁白而伞上呈绿色的叫绿豆菰，长在树林中，其味甚佳，但不易找到。

呈黄色的叫黄豆菰，味道稍差；

体大色红，草坡上络绎丛生的叫胭脂菰，须经过灶火熏才能吃，否则麻口。

此外还有丝茅菰、冬至菰等，而以冬至菰最为难得，味亦最佳。后来我从"四五二"高地进入湖区放牛，在沟渠边上发现紫色的平片蘑菰。起初还不敢吃，后来听秦岭云兄说可以食用才敢吃，味鲜质嫩，与鱼同煮尤美。回忆其形态，和现在人种的凤尾平菰相近，应该属于同一品种。

云南盛产各种蘑菰，我向往已久。1986年秋随政协文化组考察文物古迹，有机会作了几千公里的旅行，从昆明西行，直到畹町、瑞丽。一路上不论大小城镇，每日清晨菜市街道两旁，往往有几十人用筐篮设摊，唤卖菌子。一堆堆，大大小小，白、绿、褐、黄，间以朱紫，五光十色，目不暇接。其中最名贵的自然是"鸡枞"（音zōng）和"松茸"。按这"枞"字有多种写法。现在一般写作"棕"，或作"鬃"，或作"踪"，恐怕都缺少根据。其实古人的写法也不一致。有人写作"璁"（见《骈雅·释草》："鸡菌，鸡㙮也。"又杨慎《升庵文集》："云南名佳蕈曰鸡块，鸟飞而敛足，菌形似之，故以鸡名。"）有人写作"枞"（见李时珍《本草纲目》卷廿八《菜类》："鸡枞出云南，生沙地间，丁蕈也。高脚微头，土人采烘寄远，以充方物。"）我认为李时珍是一位科学家，正名用字，比文学家要谨严些，故今从之。

我们车经各地，时常看见收购鸡枞、松茸的招贴。松茸每公斤高达四十元，但要求严，只收菌伞紧包尚未打开者。据说收到后立即冷冻出口，销往香港、日本等地。因而在街上能买到的、饭馆可以吃到的不是菌伞已经张开、菌柄已经抽长，便是过于纤细，尚未长成，价格每公斤不过数元。至于晒干的鸡枞，多为老菌，长柄如麻茎，茎伞如败絮矣。

鸡枞、松茸之外的较好的蕈子有青头蕈，我认为它和湖北的绿豆菰同一种。"见手青"因一经手触或刀削便变成青绿色而得名；它质脆而吃火，如与他蕈同烹，应先下锅，后下他蕈。牛肝蕈颜色红黄相间，也算名贵品种。最奇特的是干巴蕈，色灰黑而多孔隙，完全脱离了蘑菰的形态，一块块像干瘪了的马蜂窝。撕裂洗净，清炒或与肉同炒，有特殊的香味和质感，堪称蕈中的珍异。此外杂蕈尚多，形色各殊，虽曾询问名称，未能一一记住。

云南多蕈，可谓得天独厚，但吃法似乎还不够多种多样。鸡枞、松茸等除用上汤炖煮或入汽锅与鸡块配佐外，一般用肉片或鸡片加辣椒烹炒。昆明、楚雄、大理、丽江等地都用此做法上席。本人以为如在配料及烧法上加以变化，一定能有所创新，发挥蕈子优势，使滇菜更富有特色。

香港餐馆，不论它属于哪一菜系，普遍大量使用菌类。其中的干香菰多来自日本，肥大肉厚，可供咀嚼，但香味似不及福建、江西的冬菰浓郁。人种圆蘑及草菰，鲜品或罐头多来自福建、广东。福建是我国人种蘑菰的主要产地，曾在福州街头看见种菰户排队等待罐头厂收购。有的不够规格，就地廉价处理，每斤只几角钱，与一般蔬菜价格相差无几。1986年深秋还在江西婺源菜市上看到出卖人种鲜香菰，每斤一元。上饶的报纸上还刊登举办家庭香菰技术培训班的大幅广告。北京的气候虽不及闽赣适宜种菰，但我相信草菰、香菰完全可以在暖房中培育出来。圆鲜蘑北京过去早有栽培，今后更应恢复并扩大生产。这样北京的食用鲜菌品种就不至于单一了，对丰富市民及旅游者的食品都有好处。

以上拉拉杂杂写了许多，或许有人会问我："你平生吃到的蕈子以哪一次为最好？"我会毫不迟疑地回答："最好吃的是外婆的下粥小菜、母亲只准我尝几颗的寒露蕈。其次是在江华途中只吃了一碗、怕挨批没敢吃第二碗的蕈子粉。"一个人的口味往往是爱吃而又未能吃够的东西最好吃。某些大师傅做菜的诀窍之一是每道菜严格限量，席上每位只能吃一口，想下第二箸已经没有了，以此来博得好评。这诀窍是根据人的口味和心理总结出来的，所以有一定的道理。不过最后我要声明一句：以上云云，决无怂恿大师傅及餐馆缩小菜份的意思。任何好菜，我都希望师傅们手下留情，多给一些。我是一定会加倍称赞并广为揄扬的。

原载《知味集》，中外文化出版公司，1990年12月

《砍脍书》

明李日华《紫桃轩杂缀》有一条讲到兴趣广泛、喜爱花鸟鱼虫的玩家祝翁，因不问生产，以致一贫如洗。他家中却藏有一部唐代烹调专著——《砍脍书》。录引如下：

> 苕上祝翁，罨溪旧姓，自号闲忙道人。于生计俗交，一切不问，终日搜松剔石，树果运泉，笼鸣鸟，沼游鱼，斗虫弹雀，以为乐事。如此半生，而室如扫矣。幸余瓜垄数弓，仅支朝夕。其家传有唐人《砍脍书》一编，文极奇古，类陆季疵《茶经》。首篇制刀砧，次别鲜品，次列刀法，有"小晃白"、"大晃白"、"舞梨花"、"柳叶缕"、"对翻蛱蝶"、"千丈线"等名，大都称其运刃之势与所砍细薄之妙也。末有下豉醯及泼沸之法，务取火齐与均和三味，疑必易牙之徒所为也。当时余爱其文，未及借录。今书与翁皆化乌有矣。《下豉醯篇》中云："剪香柔花叶为芼，取其殷红翠碧，与银丝相映，不独爽喉，兼亦艳目。"然竟不知香柔花为何花也。

十分可惜，这部唐人烹调专著到明代晚期已经失传了。幸经李日华的记述使我们还知道一个内容大概。

此书至少有五篇：第一篇讲菜刀和砧板的制作；第二篇讲选料，鉴别食品是否鲜美；第三篇讲刀工；第四篇讲酱醋等作料的使用；第五篇讲烹调技法与火候。它不仅相当全面，而且完全符合烹调的程序，体现了这门艺术的科学性和作者的逻辑性。

特别使我感兴趣的是各种刀法的名称。其具体的挥刀姿势和"砍"、"脍"后的食物形状，可能原书也没有详细说明或附有图式，准确的再现已不可能。但我们不妨通过现在还常用的刀法来推知其大概情况。"小晃白"、"大晃白"刀法可能相似而动作有大小之异。我们切鱼、肉等为了不使切下来的薄片粘在刀上，总是切一刀后把刀向外倒一下（北京称之曰掆〔音 gàng〕一下），使切片贴在砧板上。这一掆，雪白如银的刀岂不就晃一下。所切食物的大小关系到动作的大小，于是就有"小晃白"和"大晃白"之别了。"舞梨花"是作者用来形容快刀切白色菜蔬的情景。例如白萝卜或茭白之类，飞刀切去，薄薄的片会被刀带起，随即落到板上。这纷纷起落的白片，岂不有点像飞舞的梨花。"柳叶缕"形容把食物切成一条条有如柳叶。不仅切菜有此刀法，主食如山西刀削面，不还有"柳叶"这一名称吗？"对翻蛱蝶"也是现在常用的刀工，如切鱼生等火锅用料，为了取得大片，铺在碟上，美观齐整，切第一刀不切断，第二刀才切到底。切片摊开铺平，中间相连，纹理对称，宛如展开双翅的大蝴蝶。"千丈线"当然是指长丝细缕。除面食外，豆制品中的千张、百叶等，大片几经折叠，切后提起，便如连而不断的长线了。至于《下豉醢篇》，我相信作者是用豉（包括酱和酱油等）和醢（即醋）

来概括各种调味作料，决不止咸酸两味。火工的"泼"，使我想起陕西的油泼法，如"油泼辣白菜"之类。"沸"则可以肯定是指慢工的煮和炖，当然又是举两种技法来概括多种火工。综上所述，至少可以得出这样一个结论，唐代的烹调技艺已经发展到很高的水平，和今天的刀工、火工有密切的关系，足见我国的烹饪艺术源远流长。

李日华最后引用了《下豉醢篇》中几句话："剪香柔花叶为芼，取其殷红翠碧，与银丝相映，不独爽喉，兼亦艳目。"可是这位工诗善画并以撰写多种笔记著称的大文人竟不知香柔花为何物。这只能解释为大文人、大艺术家未必对植物学也有研究。查李时珍《本草纲目》卷十四《草部》香薷条："'薷'、音'柔'。'薷'本作'柔'。《玉篇》云：'柔，菜苏之类是也。'其气香，其叶柔，故以名之。"在《集解》时珍又称："香薷有野生，有家莳，中州人三月种之，呼为香菜，以充蔬品。"可知香柔即香薷，又名菜苏，和烧鱼加入的紫苏叶、吃螃蟹用来搓手去腥的苏子叶是同一类植物。其子可以榨油，作为食用油，并可以调漆。

《砍脍书》用香柔的花和叶作羹（芼），我曾用苏叶作汤，味道不错。

314

金云臻 《饾饤琐忆》

金琪，号云臻，清宗室，工诗文，著书专记本世纪前期北京各种小吃，题名《饾饤琐忆》。按方以智《通雅·饮食》："食经言五色小饼盛食盒累积曰斗饤。""斗饤"亦写作"饾饤"。又世谓文辞琐碎堆砌，不切合实际曰饾饤。故作者题名有自谦之意。1984年笔者将书稿推荐给博文书社，到1989年5月才出版。

《饾饤琐忆》是一本小书，三十二开，只有八十三页，共四十篇。书首有拙作七绝四首及小序数十字，格卑文俚，实难辞佛头着粪之讥。

　　金云臻先生世居北京，甫及中年，任职上海。近撰《饾饤琐忆》，记数十年前故都大众食品逾二百种，味形之外，并及吆喝叫卖，绘色绘声，引人入胜，使久居北京者有旧梦重温之感。值兹全国名产引入北京而北京食品又亟待提高之际，获读斯篇，为之惊喜，对发扬祖国饮食文明，大有裨益。不辞俚鄙，奉题四绝句，用以代序。

不谱丰肴供御筵，寻常百姓食为天。

《饾饤琐忆》何谦甚? 鸿制堪称《臽味篇》!

京华知味旧王孙，巷贩街摊仔细论。

我亦频年萦苦忆，今朝展读梦重温。

萨其马硬能伤颚，名锡桃酥竟不酥。

寄语诸公齐着力，莫教今昔太悬殊！

见说名珍萃国都，国都风味又何如？

会看色色皆精美，盛世文明旷古无！

甲子除夕　畅安王世襄

云臻先生文笔典雅生动，引人入胜。评论饮食，与下走往往不谋而合，可谓先得我心。追述往事，周悉翔实，使我自叹弗如。下举两例，以见一斑。

我曾有这样的议论（或被人称为"谬论"）：一般说来，论菜肴，中餐比西餐好吃；论甜食，西式比中式好吃。但有一种北京传统甜食，我认为比西式的好，那就是"奶卷"。云臻先生也说过：奶卷"质佳味美，远非西式点心同类品所能望其项背"。

做奶卷要从牛奶表面撇取奶油，在盘形容器中凝积。将它揭出，平摊布上，是谓"奶皮"。将奶皮裁切成长方片，在上面并排堆放一长条山楂蜜糕和白糖芝麻屑作馅。奶皮两侧边缘向内卷转，形成对称的云头，两端还露出诱人的双色甜馅，十分绚丽，未到口已乳香扑鼻，吃起来更是甜香腴腻，美不可言。过去东安市场吉祥戏院迤北丰盛公乳品店就做得很好，可以在那里吃或带走，还可以看他

317

们操作。

具体到制皮，云臻先生比我知道得多。他写道："一种叫盆皮，是用光滑的瓷盆定型，表面平滑光洁，莹彻如玉；另一种叫文旦皮，是用粗糙的陶盆定型，因水分蒸发大，脂肪高，盆底糙，表面出现斑点，而且略呈淡黄，不是纯白，好像文旦皮一样，故称文旦皮。外貌不美，但奶味更浓郁。一般奶品店都用盆皮，文旦皮要定制，因为工料都费，价亦略昂。到1920年左右，这种文旦皮市上已很少乃至绝迹。"

奶卷就是我前面小诗要问的"国都风味又何如？"的一种传统食品。前些时，我走进王府饭店附近的一家乳品店，牌子上居然写着有奶卷。买了一个尝尝，颜色淡黄，表面粗糙，心想：难道竟是文旦皮？谁知咬了一口，味同嚼蜡，口感则仿佛是豆腐皮。我问服务员，奶卷是用奶油做的吗？回答说"是"。如果她没有骗我，我倒要佩服他们竟能用奶油做出口味、质感都不像奶油的东西来！真是怪哉！怪哉！

《饾饤琐忆》讲到的冷饮之一是酸梅汤，并认为"远非目前一切西式冷饮可比"。

说起酸梅汤，我只知有信远斋。但金先生指出信远斋是味浓色深一路的代表。另外还有色淡的一路，以大栅栏九龙斋为代表，味更清远。此又非我所知也。

我对信远斋感到特别亲切，因为听父亲说，祖父去琉璃厂逛书铺古董店，卖酸梅汤的季节，总要到店堂坐下来喝一碗。父亲当然也去，到我已是第三代，可惜"文革"前已经关闭了。它坐落在东琉璃厂中部偏西路南，门面不大，只有两间，朱漆黑字门扇，白天营业时卸下来立在东壁，对联上句似为"信风吹到荼蘼径"，下句首两字为"远浦"，以下竟想不起来了。哪一位如还记得，愿有以教我。

信远斋的酸梅汤放在大瓷坛子里，冰块围拥到坛子口，几乎把它埋起来。店家用提子打出，倾入碗中，因凉侵齿牙，甜沁颊舌，所以要像品工夫茶那样小口呷饮。一碗未尽，已炎热全消，真是祛暑无上妙品。现在北京有不少家信远斋，都离开了原地。他们出售瓶装的酸梅卤，盒装的酸梅块，就是不卖过去那样的酸梅汤，真使人莫名其妙。我不禁又要问一句："国都风味又何如？！"

饽饽铺　萨其马

北京的老饽饽铺，时常引起我怀念，因为从店铺外貌到柜内食品都很有特点，民族风味很浓，堪称中国文化的象征。

饽饽铺字号多以斋名，金匾大字，铺面装修极为考究，如果不是牌楼高耸，挑头远眺，就是屋顶三面曲尺栏杆，下有镂刻很精的挂檐板，用卷草、番莲、螭龙、花鸟等作纹饰，悬挂着"大小八件"、"百果花糕"、"中秋月饼"、"八宝南糖"等招幌。从金碧辉煌、细雕巧琢的铺面，已经使人联想到店内的糕点也一定是精心制作，味佳色美的。老饽饽铺还有一个特点，即店内不设货品柜、玻璃橱，因而连一块点心也看不到。以当年开设在东西八条口外的瑞芳斋为例，三间门面，店堂颇深，糕点都放在朱漆木箱内，贴着后墙一字儿排开。箱盖虽有竿支起，惟箱深壁高，距柜台又有一两丈远，顾客即使踮起脚也看不到糕点的踪影，只能"隔山买老牛"，说出名称，任凭店伙去取。但顾客却个个放心，因为货真价实，久已有口皆碑。

饽饽铺的糕点，名目繁多，有大八件，小八件，又各有翻毛、起酥、提浆、酒皮等不同做法。属于蛋糕一类有油糕、槽糕。起酥一类有桃酥、状元饼、枣泥酥、棋子。应时糕点有藤萝饼、月饼、重阳花糕、元宵等。有各色缸炉，包括物美价廉用点心渣回炉烤成的螺蛳缸炉。还有蜜供、小茶食、小炸食、鸡蛋卷等，不胜备述。其中我最爱吃的是萨其马。

"萨其马"本系满语。据元白尊兄（启功教授）见教：《清文鉴》有此名物，释为"狗奶子糖蘸"。萨其马用鸡蛋、油脂和面，细切后油炸，再用饴糖、蜂蜜搅拌沁透，故曰"糖蘸"。惟于狗奶子则殊费解。如果真是狗奶，需养多少条狗才够用！原来东北有一种野生浆果，以形似狗奶子得名，最初即用它作萨其马的果料，入关以后，逐渐被葡萄干、山楂糕、青梅、瓜子仁等所取代，而狗奶子也鲜为人知了。

当年我最爱吃的萨其马用奶油和面制成。奶油产自内蒙古，装在牛肚子内运来北京，经过一番发酵，已成为一种干酪（cheese）；和现在西式糕点通用的鲜奶油、黄油迥不相同。这一特殊风味并非人人都能受用，但爱吃它的则感到非此不足以大快朵颐。过去瑞芳斋主要供应京华的官宦士绅，就备有一般和奶油两种萨其马。前者切长方块，后者则作条形。开设在北新桥的泰华斋，蒙藏喇嘛是他们的主要顾客，所以萨其马的奶油味格外浓。地安门的桂英斋，离紫禁城不远，为了适合太监们的口味，较多保留宫廷点心房的传统，故各家自具特色。惟萨其马柔软香甜，入口即化则是一致的，因为这是最起码的标准。

北京的中式糕点，六十年代以来真是每况愈下。开始是干而不酥，后来发展到硬不可当，而且东西南北城所售几乎都一样，似一手所制。因此社会上流传着一个笑话：汽车把桃酥轧进了沥青马路，用棍子去撬，没有撬动，棍子却折了。幸亏也买了中果条，用它一撬，桃酥出来了。这未免有些夸张，不过点心确实够硬的，吃起来不留神，很可能硌疼了上膛。说起萨其马，连我花钱买的人都感到羞愧，从东北传至关内，已有三百多年，北京虽不是发源地，也是它的老家了，为什么很长一段时间北京能买到的萨其马还不如天津清真字号桂顺斋的。就是上海、广州市上所谓的萨其马，切得方方正正，用透明纸包着，从味到形已非萨其马，而是另一种点心，但也比北京萨其马要软一些，可口一些。已有不少次当我想起瑞芳斋的奶油萨其马，真恍如隔世，觉得此味只应天上有，而要吃到它，恐怕是"他生未卜此生休"了。

可喜的是近两年来北京的中式糕点有所好转。记得1989年之初，已能在东单祥泰益买到软而不粘牙的萨其马。今年元月，《北京晚报》两次报道东直门外十字坡开设了一家由四个老字号（宝兰斋、桂福斋、致兰斋、聚庆斋）联合组成的荟萃园，力求恢复传统风味中式糕点。我特意前往观光品尝，品种相当齐全，味道也很不错，翻毛和酒皮的大小八件、油糕、穰饼、状元饼、桃酥等应有尽有，连过去桂福斋九月才应时的花糕也能买到，而且依然是老味。萨其马色泽浅黄，果料齐全，入口即化，全无渣滓，只有调料、炸条、拌糖每道工序都掌握得很好才能做出来。我一时欣喜，主动地为荟萃园做了一副对联写在一个小条幅上，其文如下：

　　　　　卅载提防，糕硬常愁伤我颚！
　　　　　四斋荟萃，饼酥又喜快吾颐。

　　予曾有句："萨其马硬能伤颚，名锡桃酥竟不酥！"北京糕点，不如人意，盖有年矣。今喜荟萃园依旧法精制，旨味重来，丽形再现。爰撰右联，以志忻悦。或问："有无横额？"答曰："'今已如昔'如何？"

　　　　　　　　己巳十二月畅安王世襄
　　　　　　　　原载《燕都》1990年第2期

辣

菜

记得当年北京隆冬季节，天寒地冻，朔风凛冽，却从胡同里传来卖辣菜的吆喝声。卖者多为老头儿，肩挑两个坛子，分量不重，一天也卖不了多少钱，故壮夫不为。花一两毛钱（童时只须花两个铜板），盛上一碗，加些酱油、醋、白糖，滴几滴香油，吃起来别有风味，只觉得冷袭齿牙，辛辣之气，钻鼻而上，直冲脑髓，不禁流出了眼泪。说也奇怪，辣过之后，竟有一种说不出的舒适轻松感。尤其在大啖鱼肉厚味之后，吃上一些，爽口通窍，大有祛腥消腻之功。故北京家庭，必备此品，作为岁末年菜的一种。对它有偏嗜的则不仅买辣菜，而且自己做辣菜，不吃饭时也吃它。已故古琴国手管平湖先生喜欢拿它吃着玩，弹琴作画之际，夹上两筷子放进嘴里。

　　辣菜用料为芥菜头或芜菁。芜菁北方又叫蔓菁（读如"蛮荆"）。与芥菜头相似，原属同科。清吴其浚《植物名实图考》称："蔓菁根圆味甘而大，芥根味辛而小，形微长，北地呼为芥疙瘩；酱渍者为大头菜。腌而封之，辛辣刺鼻，谓之闭瓮菜；往往误买蔓菁，则味甘而无趣。"他说"味甘无趣"，可见"趣"在辣上，这正是有人爱吃辣菜的原因。不过"蔓菁根圆而大，芥根味辛而小"，却和我所知道的相反。北京农贸市场上能买到的芥菜头都比蔓菁圆而大。《名实图考》中那幅芥菜图，根实就又大又圆。至于辣味，蔓菁也决不比芥菜头差。

辣菜的做法是将芥菜头或蔓菁洗净，切成薄片，用锅煮软（但不可煮烂），捞入坛子内。煮它的水，稍稍晾凉，倒入坛内，以没过薄片为度。卞萝卜擦成丝，均匀地覆盖在薄片之上，放在阴凉处，密封三四天即成。为什么一定要用卞萝卜，想必有原因。据说比用其他萝卜做成的要辣些。

我想爱吃芥末的人都爱吃辣菜。芥末只是一种调料，而辣菜则是一道菜肴。

山

鸡

山鸡，又称野鸡或雉鸡，全国分布很广，自古以来为山珍佳肴。

我儿时就对它感兴趣，倒不是为了美味，而喜欢雄雉的长尾，拔下来插在帽子上，左摇右晃，自以为是群英会的周瑜了。过年亲戚家派老家人去各家送礼，四色之中有成对的山鸡。转眼之间，连有待送往他家的雄雉长尾也被我拔了下来，为的是凑成两根翎子。秃尾巴山鸡怎好当礼送，到处惹事，真成了"七岁八岁狗都嫌"了。淘气而害得老家人为难，该打屁股。

山鸡有多种吃法，袁子才《随园食单》就提到了六种：用网油包放在铁具上烤、切片炒、切丁炒、整只煨、油炸后拆丝凉拌、火锅涮。不过我以为最能突出其肥嫩细腻、一种家鸡所不具有的特殊香味而操作又简便的是切片炒。切丁炒甜酱瓜丁亦属可行，但只限于山鸡腿。因腿肉不甚洁白而且难切成片，故不妨这样做。如用胸脯炒便是大材小用了。当今餐馆喜欢将山鸡和猪肥膘捣成茸，然后炸或蒸，加工添料越多越吃力不讨好，吃起来分不出是山鸡还是家鸡了。

过去北京冬季山鸡易得，但有个缺憾，时或有一种不悦人的异味，据说产自塞北围场，因吃了有气味草籽的缘故。无上佳品当数江南刚猎到的山鸡，使我难忘的口福有两次。

1956年冬出差皖南屯溪访书，下车到街口便看到金黄色皮壳的冬笋，已使我心动。接着又碰到老乡肩搭体有余温的山鸡。于是一齐买下，和饭摊的老板商量好，让我炒一个冬笋山鸡片。和我同行的是一位孔门之后，平日虽很进步积极，但潜在的旧意识尚未改造好，故欣然和我共飨这一顿美餐。如果同行的是一位严格要求生活守纪律的干部，我就不敢如此放肆了。

1970年在湖北咸宁干校，因肺结核未愈，派我驱牛看守菜地。听到山坡外火枪响，跑去买了一只肥大雄山鸡。连忙挖了一些野荠菜，偷偷到老乡家借用灶火正正规规地炒了一盘荠菜山鸡片。鸡脯片用蛋清、芡粉、盐浆好，温油滑过。荠菜水焯切末，炒后再下滑好的鸡片，雪白翠绿，香浓而清，如此新鲜的原料，任何大餐馆也难吃到。自信比江苏的炒法加酱油（见1962年版《中国名菜谱》第八辑页66）好看，比安徽的炒法芥菜围在四周，不和鸡片混炒（见1988年版《中国名菜谱·安徽风味》页127）好吃。

北京市上死山鸡现已绝迹，当和保护野生动物有关。但有活的出售，乃经人工繁殖，每对人民币一百二十元。以香港的标准来说，不过是一只大闸蟹的价钱，不算贵。但我看只宜养在庭院观赏。把如此美丽的山禽杀来吃，太煞风景了。

前年香港朋友请我到中环一家著名法式餐馆吃红焖山鸡，肉干如柴，味同嚼蜡，乃冷冻太久之过。可见香港名餐馆也有完全不及格的菜肴。

豆

苗

和朋友在香港餐馆吃饭，如问我要什么素菜，我一定点一盘"清炒豆苗"。

　　我生长在北京，从小就爱吃豆苗。北京的豆苗和香港的不一样，在沙土中密植，长到四五寸高，连根拔起，下面还带着圆圆的豆粒，捆成小把儿卖，茎细而白，苗叶浅绿，并拢未舒，只能靠上切一刀，吃一寸多长的顶尖，余弃而不用。因所得无多，不堪一炒，只能作为菜肴羹汤的配料。诸如滑溜里脊，汆小丸子，汆生鸡片，榨菜肉丝汤，鸡汤馄饨等，碗里漂上几根，不仅颜色俏丽，而且清香扑鼻，汤味更鲜，增色不少。

　　抗战期间，来到四川，才吃上炒豆苗。记得很清楚，农历正月，田埂上的豌豆秧已长到一尺多高，掐尖炒着吃，真是肥腴而又爽口，味浓而又清香，乡镇路旁卖豆花饭的小摊，都可以吃到。坐下来要一碗"帽儿头米饭"（"帽"音同"猫"，一碗饭上面又扣上一碗，顶圆而高）和一盘"炒豆尖儿"（"尖"音同"巅"），真是美哉！美哉！我因爱吃豆苗，也曾查过书。李时珍《本草纲目》卷27讲到的豆苗均取自野生豌豆，并有"大巢菜"、"小巢菜"之分。前者通称野豌豆，"蔓生，茎叶气味皆似豌豆，其藿（即叶）作蔬入羹皆宜"。后者又名"翘摇"，因柔婉"有翘摇之状，故名"。而"巢"字的来历则因苏东坡说过，"故人巢元修（名谷，眉山人，是东坡的老乡）嗜之"，故称之曰"巢菜"。

　　曾读到孙旭升先生发表在1993年第11期《烹调知识》上的一篇题为《大巢与小巢》的文章，录引陆游的《巢菜》诗序，才知道原来李时珍云云是以放翁的诗序为主要依据的。孙先生还提到他去年在富阳新登吃到开紫花的野豌豆苗，当为"小巢菜"，"鲜甜柔糯，滋味特别好"。不禁使我垂涎三尺！

　　看来可供炒来吃的豆苗至少有三种，其一：取自一般食用豌豆的秧，即家豌豆苗；其二：取自豌豆秧，即所谓"大巢菜"；其三：取自茎蔓柔婉翘摇的另一种野豌豆秧，即所谓"小巢菜"。当年在四川吃到的我认为是第一种。香港餐馆供应的豆苗，应当是用精选的家豌豆种出来的，也属于第一种。据闻乃用温室培育，水肥温度控制全部自动化，不多天即可生产一茬，及时割取，故十分鲜嫩。香港人一年四季都可以吃到，可谓口福不浅。现在北京几家大酒店偶尔也能吃到香港运来的豆苗，虽空中飞来，已割下两三天，殊欠新鲜。作为中国首都北京，似应早日修建现代化的温室，使豆苗和其他时蔬能经常在餐桌上出现。

　　如果有人问我哪一种豆苗味道最好，我没有发言权，因为两种野生豆苗还未尝过。若只就四川田埂的和香港温室的评比高下，那么还是四川田埂的好。因温室速成，茎

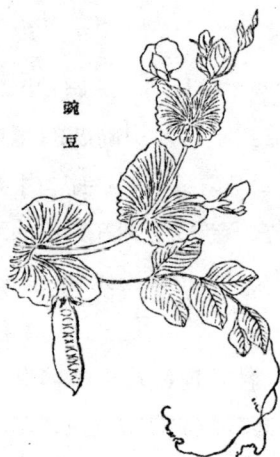

豌豆

豆苗（清吴其浚《植物名实图考》插图）

叶水多于质，虽鲜嫩而口感香味均逊一筹。这可能和不少动植物一样，人工培育越多，越不如天然生长的好。

炒豆苗，尤其是炒温室生产的豆苗，一定要掌握火候，稍过便稀烂如泥，不堪下箸了。藏拙之法只有少炒。一次量少不够吃，何妨炒两次。曾见一大盘端上筵席，不出所料，色香味均受损，未免可惜。还有豆苗只宜清炒，加任何东西都是画蛇添足，弄巧成拙，不敢恭维是"知味"。

春天已经来临，当年蜀中生活清苦，也足使神驰，真想坐在路旁饭摊上，来一盘"炒豆尖儿"。

原载《银潮》1994年第5期

明式家具五美

如果哪一位有机会去美国参观几家大博物馆，如波士顿美术馆、纽约大都会美术馆、费城美术馆、甘泽兹城奈尔逊美术馆等，或许会惊奇地发现它们都有陈列中国古典家具的专室。如果哪一位为了考察我国博物馆事业，巡游各省市，或许会失望地发现目前只有上海博物馆有一间陈列明清家具的专室。

　　我国博物馆缺少家具陈列室的主要原因是由于中国文物太丰富了。许多重要收藏的文物都未能一一开辟专室，家具自然更难排上队。对家具重视不够，也是一个原因，认为它是日用工艺品，艺术价值高不到哪里去。这种看法有一定的道理，但也存在着偏颇。

　　我国传统家具的艺术价值，在世界上越来越得到公认和推崇，有的特点是外国家具所不具备的。概括言之，殆有五美：

　　首先是木材美。传统的考究家具多用硬木制成。珍贵的硬木或以纹理胜，如黄花梨及鸂鶒木。花纹有的委婉迂回，如行云流水，变幻莫测；有的环围点簇，绚丽斑斓，被喻为狸首、鬼面。或以质色胜，如乌木紫檀。乌木黝如纯漆，浑然一色；紫檀则从褐紫到浓黑，花纹虽不明显，色泽无不古雅静穆，肌理尤为致密凝重，予人美玉琼瑶之感。难怪自古以来，又都位居众木之首。外国家具则极少采用珍贵的硬木材料。

其次是造型美。传统家具不论是哪一品种，成功之作的比例权衡，无不合乎准则规范，但又没有严格限定，匠师们有充分的创作自由。可贵且使人惊叹的是每一件的空间的虚实分割，构件的粗细短长，弧度的弯转疾缓，线脚的锐钝凸凹，都恰到好处，真有增一分则太长，减一

黄花梨交椅上的铁錽银饰件

分则太短之妙。尤其是简练淳朴一类，更使海外工艺家佩服得五体投地，认为已远远超前，望尘莫及。因而竞相乞灵于一桌一椅，一机一床。当代北欧等国的设计，可以明显看到受我国的影响。对造型复杂家具的认识，也开始有了转变，如围栏立柱的架子床，大量使用绦环板的屏风，他们也渐渐能领略制者的匠心，欣赏器物的神采。

第三是结构美。传统家具把大木梁架和壸门台座的式样和手法运用到家具上。由于成功地使用了"攒边装板"及各种各样的枨子、牙条、角牙、短柱、托泥等等，加强了结点的刚度，迫使角度不变、整体固定。我国的榫卯工

艺更可以毫不夸张地说是世界家具之最。由于使用了质地坚实细密的硬木，匠师们可以随心所欲地制造出互避互让但又相辅相成的各种各样、精巧绝伦的榫子来。构件之间，金属钉销完全不用，鳔胶也只是一种并不重要的辅佐材料，仅凭榫卯就可以做到上下左右，粗细斜直，连结合理，面面俱到，工艺精确，扣合严密，天衣无缝，间不容发，使人欢喜赞美，叹为观止。对比之下，外国家具离不开螺丝钉销，金属构件。中国的榫卯，实非他们所能梦见。

第四是雕刻美。明清家具，不少雕刻精美，超凡脱俗，焕彩生辉。技法众多，表达能力大大增强。约略言之，有阴刻、高低浮雕、透雕、圆雕及两种乃至多种技法的结合。题材则灵芝卷草，鸾凤螭龙，飞禽走兽，山水楼台，人物故事，八宝吉祥，无所不备。雕刻效果又和木材有密切关系。只有硬木，尤其是紫檀，受刀耐凿，容人细剔精镂，不爽毫发。再经打磨拂拭，熠熠生光。更加突出了中国家具的雕刻美。

第五是装饰美。古代匠师善于利用不同木材镂刻填嵌，互作花纹、质地，如黄花梨嵌紫檀、乌木或楠木，紫檀嵌黄杨、黄花梨或瘿鹕。嵌件上再施雕刻，借色泽之异，粲然成文。至于采用各种珍贵物品，如玉石、玛瑙、水晶、象齿、螺钿、琥珀等作嵌件的所谓"百宝嵌"，始于晚明扬州，运用到家具上，更是珠光宝气，异彩纷呈，取得了装饰的最高效果。即使是家具附件，诸般金属提环拉手，面叶吊牌，垫线包角等等，也无不起装饰作用。交椅上的锓金、锓银饰件，与嵌金嵌银近似，但更饶古趣幽情，无喧炽秾华之憾，把人们带到了更高的装饰境界。

漫话铜炉

这里讲的铜炉，常被人称"宣德炉"或"宣炉"，是流行于明清的文玩，在文物中自成不大不小的一类。现用铜炉一称，是因为明清不少朝代均有制造，不只是宣德。还有尽管传世文献记载宣德朝不惜工料，大量造炉，如《宣德鼎彝图谱》，但现在竟难举出一件制作精美，和记载完全符合的标准器。据我所知，不仅北京、台北两地博物院尚未发现，著名藏炉家也没有。相反的倒是刻或铸有明清其他朝代年款的私家炉却有炉形铜质并臻佳妙的。这不能不使我们对传世文献产生疑问，认识到宣德炉研究还有许多待解决的问题。

　　研究、欣赏铜炉和青铜器不同，它的形制花纹比较简单，只有款识，没有铭文，与古代史、文字学关系不大，更没有悦目的翠绿锈斑。历来藏炉家欣赏的就是其简练造型和幽雅铜色，尤以不着纤尘，润泽如处女肌肤，精光内含，静而不嚣为贵。这是经过长年炭整烧燕，徐徐火养而成的。铜色也会在火养的过程中出现变化，越变越耐看，直到完美的程度。烧炉者正是在长期的添炭培灰，巾围帕裹，把玩摩挲中得到享受和满足。这是明清文人生活的一部分，其情趣和欣赏黄花梨家具并无二致。这种生活情趣已离我们很远，以至有人难以想象，但历史上确实有过。我曾在古玩店乃至博物馆，见到色泽包浆还不错的铜炉，被用化学糨糊把号签贴在表面上。这号签不论揭不揭，肌肤上已落下一个大疤瘌。如徐徐火养，一二十年也难复旧观。这也可算是煮鹤焚琴的一例吧。

烧炉者有一个共同心愿，亟望能快速烧成，十年八载实在太慢了。不过藏家谁也不敢轻举妄动，怕把炉烧坏。敢用烈火猛攻的只有一位，我父亲的老友赵李卿先生。赵老住家去我处不远，上学时我就经常去看望他。收藏小古董是赵老的平生爱好，专买一些人舍我取，别饶趣味的小玩意儿，对铜炉更是情有独钟。炉一到手，便被浸入杏干水煮一昼夜，取出时污垢尽去，锃光瓦亮。随后硬是把烧红的炭或煤块夹入炉中，或把炉放在炉子顶面上烧。他指给我看：哪一件一夜便大功告成；哪一件烧了几天才见成效；哪一件烧后失败，放入杏干水中几次再煮再烧，始渐入佳境。也有怎样烧也烧不出来，每况愈下，终归淘汰。不过鉴别力正在逐年提高，得而又弃的已越来越少了。我受前辈的感染熏陶，也开始仿效。最成功的是五十年代在海王村买到的一具蚰耳炉，款识"琴友"两字，一夜烧成棠梨色，润泽无瑕，不禁为之狂喜。

直到六十年代初，我从北京图书馆的简编图籍中发现一本奇书《烧炉新语》，才知道古人早已发明快速烧炉法，并写成专著，刊刻行世。我晒蓝后恨不得立刻送给赵老看，可惜他已归道山了。

《烧炉新语》作者吴融，别号峰子，又号雪峰，黄

"琴友"款蚰耳炉

山人，侨居海陵（江苏泰州）。卷首有陈德荣、王廷诤、袁枚、许惟枚、张辅、郑世兴、方鲁、刘瓒、凌洪仁、罗世斌、魏允迪、国秋亭十二家序，多作于乾隆十二年，成书当前此不久。此书罕见，邵茗生先生下了多年工夫写成《宣炉汇释》两册，似未见此书。我曾查《中国古籍善本书目》，记得仅一馆有之，为传钞本。

吴融博学多能，凌洪仁称其"于古文词无不能"。方鲁称其"雅善鼓琴，……继擅指画，人物鸟兽，花卉草木，天然生动，机趣飞舞"。

对吴融烧炉，各家推崇备至："人有毕生烧一炉而不成者，先生则不论炉之大小，一月之内即变态万状，灿烂

348

陆离。”（方鲁序）“每见人穷年蔽日，迄无一成。即善做假色，适足为识者所嗤。吴子……不假造作，只就本来面目，不匝旬而火候已足，约得色之异者，十有其二。”（刘瓒序）“屏去古今成法，炉无新旧，一经先生手，不日可成。成则自现各种天然异色，有若神助。”（凌洪仁序）为人作序，一般都言过其实。烧炉因目见，且曾手自为之，故不认为上引诸说过分夸张。

《烧炉新语》共三十二篇，长者数百言，短者不足百字，篇名如下：炉说，论铜色不可制，急火烧炉法，制造烧炉具法，打磨香炉法，烧炼方砖法，制造宝砂法，洗油头发法，急火烧炉分上中下三法，论红藏金结雾法，论水乍白结雾法，论黑漆古结雾法，论水查白结雾法，论秋葵结雾法，论黄藏金结雾法，论落霞红结雾法，论蟹壳青结雾法，论苹果绿结雾法，论藏锦色结雾法，论铜质老嫩难结法，做橘皮炉法，打磨橘皮糙熟法，退炉法，煮花纹炉法，论各炉款式结法，揩抹香炉法，论炉清水做色之辨，论北铸假色难成，下炉色免磨法，制造养火罩式法，打炭墼法，洗除斑点法。

《新语》晒蓝不久，“四清”、“文革”接踵而至，随藏书捆扎而去。拨乱反正后发还，为补偿蹉跎所失而日夜工作，《新语》早已忘怀。直到草此文，始拣出匆匆过目，似以居首数篇较为重要。《炉说》强调炉色必须出自本质，切忌人为敷染。《铜色不可制》列举不中用即烧亦无功之铜八种，实为辨别铜质，指导收炉取舍之要诀。《急火烧炉法》与赵老所用基本相同，惟烧时须扣纸罩，罩用纸数十层裱成，外用棉花棉布包裹，所用火力稍缓，需时或较长。限于篇幅，诸法不克详述。

烧炉不仅好古者或愿一试，可能还会引起金相学科学家的兴趣，通过实验来解释不同合金在受热后出现色泽上的变化，说不定会成为一个科研课题呢。

原载《人民日报》海外版

掂
古
缘

搜集文玩器物，不论来源为何，价值多少，总有一个经历。经历有的简单平常，有的复杂曲折，有的失之交臂，有的巧如天助。越是曲折，越是奇巧，越使人难忘。前人往往将它说成是"缘"，颇为神秘，仿佛一切皆由前定。其实天下事本来就多种多样，如将"缘"和英文的chance等同起来，我看也就无神秘可言了。下面记几次个人的经历，当然买的都是些小东小西，有的几乎是在"拣破烂儿"。敏求精舍本届主席向我索稿，竟拿此来塞责，岂不要笑掉各位收藏家的大牙，故不胜惶恐惭恧之至！

一、五十年代初，我在通州鼓楼北小巷内一个回民老太太家看到一对杌凳，无束腰，直枨，四足外圆内方，用材粗硕，十分简练朴质（见拙著《明式家具珍赏》图9），我非常喜欢。可惜藤编软屉已破裂，残存不多，露出两根弯带和将它们连在一起的木片。但至少未被改成铺席硬屉，没有伤筋动骨。老太太说："我儿子要卖二十元，打鼓的只给十五元，所以未卖成。"我掏出二十元递过去。老太太说："价给够了也得等我儿子回来办，不然他会埋怨我。"我等到快天黑还不见她儿子进门，只好骑车回北京，准备过两三天再来。不料两天后在东四牌楼挂货铺门口看见打鼓的王四坐在那对杌凳上。我问他要多少钱，他说："四十元。"我说："我要了。"恰好那天忘记带钱包，未能付款，也没有交定钱。待我取钱马上返回，杌凳已被红桥经营硬木材料的梁家兄弟买走了。

自此以后，我每隔些天即去梁家一趟。兄弟二人，每人一具，就是不卖。我问是否等修理好了再卖。回答说："不，不修了，就这样拿它当脸盆架用了。"眼看搪瓷盆放在略具马鞍形的弯枨上。历时一年多，去了将近二十次，花了四百元才买到手，恰好是通州老太太要价的二十倍。

二、过去崇文门外有一个经营珠宝玉器的商场叫青山居。青山居的管理处在花市上四条胡同。一天我去串门，看见楼梯下放着一具铁力五足大香几，独木面，特别厚重，颇为稀有（见《珍赏》图73）。几上摆着两三个保温瓶，茶壶茶碗更多，开水把几子都烫花了。我想他们不拿它当一回事，或许肯出让。问了几位负责人，都说不行。因一切均为集体所有，谁也做不了主。我只好失望地离去。

两年后，忽然在地安门桥头古玩铺曹书田那里看到这件香几。因系铁力制，价钱不高。我将它抬上三轮车，两手把着牙子，两脚垫在托泥下面，运回家中。一时欢喜无状，脚面被托泥硌出两道沟都没有感觉疼痛。事后我问曹书田才知道原来管理处撤销了，所以家具交付处理变卖。

三、德胜门后海一带常有破烂摊摆在道侧，陈旧用品，衣服鞋帽，一应俱全。有一次经过那里，看到破条凳支着两块板子，上铺蓝色破床单，物品很零乱。风一吹，卷起了床单的一角，看到背面似乎有彩画。手撩一看，原来是两扇雕填漆柜门（见拙著《中国古代漆器》图58、59）。两龙生动夭矫，分别为黑身红鬣，红身黑鬣，时代当早于万历。我请摊主卖给我这两块板子。他说摊子靠它支架，我正嫌小了一点。你买一床大铺板，我换给你。我们立即成交，皆大欢喜。

两扇明雕填柜门不仅收入拙作，去冬应叶承耀先生之邀，在香港作题为《明清家具的髹饰工艺》报告，还放映了用柜门拍成的幻灯片。

四、1951年前后，听说东直门内住着一位笃信佛教的老居士，常去各处收集佛像，供在家中佛堂里。我很想登门拜访，看看他的收藏。一天冒昧晋谒，居然承蒙接待。北房三楹，正中一间贴后墙摆着大条案。案上大小佛龛里外供有佛像数十尊之多。其中有的颇古老，有的却很新；有的比较优美，有的又很庸俗。我心想这位老居士信佛确实虔诚，但审美水平恐怕不高。众像之中我最喜欢的是一尊铜鎏金雪山大士像，头特别大，形象夸张古拙，时代不能晚于明。老居士说数年前布施某寺院香火资若干而得以请回家中。谈话间我说起先慈也是佛教徒，弃养已逾十载，家中佛堂还保留原状（直到"文革"佛堂始遭摧毁）。老居士听得很高兴，频频点头。我进而请求如蒙俯允以加

354

倍的香火之资把雪山大士请回舍间，为先慈佛堂增加一尊坐像，将感谢不尽。老居士欣然同意。当然他不会知道我求让铜像主要是为了欣赏雕刻美而不可能像他那样朝夕上香膜拜。

老居士恭恭敬敬地将铜像用纸包好，交我捧着，一直送到大门口我的自行车旁。我为了便于将铜像放进背着的布兜子，下意识地将它倒了过来。这时老居士突然色变，连忙双手把头朝下的铜像正了过来，说了声"怎能如此不恭敬！"我知道自己犯了错误，连说"罪过！罪过！"赶紧骑上车跑了。我生怕再停留，老居士回过味来，发觉我并不像他原来所想象的那样虔诚，一定会要回雪山大士，不允许我请回家了。

五、在我的收藏中有一只十分名贵的蛐蛐葫芦。拙作《说葫芦》（图版151）为此器写的说明如下：

> 此乃麻花胡同纪家旧藏之"红雁"，清末民初，与"紫雁"为京师最驰名的蛐蛐葫芦。红、紫言其色，雁言其形，谓修长如雁脖也。
>
> 1934年秋，行经东四万聚兴古玩店，名葫芦贩孙猴（姓孙，因精明过人而得此绰号，是时年已七旬）先我而在，手持红雁与店东葛大议价。轻予年幼，未必识货，予价不谐，彳亍欲去。正待出门，予已如数付值。渠急转身，已不可及，大为懊丧，不禁失色。是

明雕填龙纹柜门

时予虽知葫芦绝佳，但对其来历，茫然不晓。后承讷绍先先生见告，乃知即赫赫有名之红雁。倒栽底部不镶牙托而以同色之葫芦填补为红雁特征之一。据讷老称，"紫雁视此色泽浓艳而身矬，停匀秀丽则远逊。"

原载《好古敏求——敏求精舍三十五周年纪念展》图册

燕园景物略

曩年就读燕京大学，教师讲授晚明文，季终课业，戏作此篇，岁久已全忘却。近检"文革"后发还故纸，蠹稿竟在，遂寄《燕都》，塞责逋欠。公安竟陵，纤佻诡仄，原不足道，遑论效颦。惟自北京大学迁入燕园，馆舍倍增，砖石秽杂，难于清理。当年风采，大为减色。此篇聊供重游者低回追忆，而于校园整饬，或有参考之一助也。

　　　　　　　　　　　　　1992年1月畅安记

　　甚矣景物之难言也！景以时变，顷刻万态。吾知春夏秋冬之不同也，风月雨雪之各异也，晨昏阴晴之尽殊也。斯时而有斯景，斯景而会我心，非春夏秋冬、风月雨雪、晨昏阴晴而尽历之，不足以知其变而悟其妙也。

　　予来燕京四年，不惮霜雪，不避风雨，不分昼夜，每于人不游处游，人不至时至，期有会心，自悦而已。

　　燕园擅景物之胜，偶记所见，以示诸君，亦彼所习稔者。颇以自疑，或有胜景，予未以时至也。乃知名山大川，诡谲奇伟之观，未为人见者多矣。天公亦秘矣哉！天公亦吝矣哉！

莲　塘

园中有莲塘四，其趣各异。

一在穆楼西北，去春新辟者，匿于土山后，予喜其
不尽示于人。盛夏，高盖纷披，望如绿幰，风来翻偃，时
露粉萼，皆往来石桥上，不经意时，于阜坳林豁中见之。
往来无意看花，花亦无意示于人，两各无心，默然相契。
"采菊东篱下，悠然见南山"，当是此境界。

一在睿楼南，两塘夹柳，柳行夹路，路萦纡尽历两塘
胜处。宜夕阳，风曳长条，烁灼金碧，拂花掠水，似有声
韵。宜入夜听蝉，亦婉亦涩，唱答了了。或有见月惊飞，
随声俱远。

一在园西南隅，菰蒲交杂，苇荻丛生，荒寒非园林所
有。尝于秋夜狩獾野墓，越垣而归。月朦胧，有鬼气，藕
已无花，老盖皆擎雨所剩，半敧折向水。仓促过之，回首
一片空明，淡烟疏雾而已。

一在临湖轩东，山势忽降，有池焉。池不以莲名，
而却有花，花不繁，傍岸三五茎而已。予以不期见花处见
花，故喜之。

鱼 池

　　芳草茸茸，匝池如茵，春已阑，日卓午，此桥上看鱼时也。风暖而柔，水纹如毂，鱼上浮，向日暄其脊，朱鳞灿金，光彩炫目。投以饼饵，群趋赴之，左则左，右则右，于是静而动矣。咀呷吞吐，跳达拨刺，鱼无定态，水无定波，漾荡涟洄，尚映红酣。桥上人渐多，谈笑嘈杂，指顾为乐。鱼不畏人，愈肆跃扑。饵不尽，鱼不静，不知饱与疲也。尝有句记之：

　　　　　　长桥低卧跨横渠，一鉴芳塘半亩余。
　　　　　　都向玉阑干畔立，半看人影半看鱼。

盖曰看鱼而真看鱼者少也。

华 表

　　燕园华表，圆明园故物也。予来也晚，不知何时始树于此，亦未询人，不知昔在圆明园何处。往来观瞻，但觉其可爱耳。

　　石镂雕极工，虬龙夭矫，云物复叠，上有屹兽，下立灵石，工整类宋缂丝。严谨而生动，一凿一錾，皆具匠心。

华表皆面南，意其在圆明园时，必非西向。今则有晴巘烟岚，送爽挹翠，嘘吸吐纳，不虚晨夕，虽失南面之尊，亦良得也。

钟　亭

钟，金声之美者也。佛寺晨昏三两击，意在发人深省，已觉其多事，况以记刻焉，倾耳计其数，则韵味尽失，听而实未之听也。

夜深岑寂，明月在天，石径曲折，拾级而上。以指叩钟，锵然鸣，清越弥长，如空谷回音，久久不绝。有风入松，沉吟倏发，声与钟合，悠然俱杳。听钟只须一指，何劳巨杵。

亭六角，旁多柯石，闲雅有致。上覆长松，似马远画。

文水陂

燕园景物，四时无不宜者，文水陂也。与陂相属者，岛也，塔也，石舫也，吾将各为之说。

予独喜夏日骤风雨，远挟江海，倾盆而至。岸上杨柳，翻舞不能自主，似狂龙奋鬣，拿天欲去。有顷，势稍杀，而雨兴犹酣。珠跳水面，一白无际。望隔岸，缥缈难极。向每恨燕园湖水不旷袤，至是则莫穷其涯涘。雨广湖水，亦广吾眼界。雨过亦有诗，诗曰：

> 客去灯昏梦未遄，南楼彻夜两声骄。
> 晓来水急添溪势，一片萍花涨过桥。

湖　岛

湖有岛大小各一，小者无足言。

大岛有亭，亭亦无足言。未能忘情者岛上桃花、藤萝、松及枫耳。

岛上桃花五六株，以西南一树斜出挡路者为最盛。稍东傍岸一石，可攲倚，似为看花而设。花时寒尚峭，坐久手足皆冷。风来不少矜惜，缤纷落，掠面而过，悉落水上，波粼粼，与之起伏。此景最凄恻，令人寡欢。

藤萝在岛西岸，木丫杈为架，低而邃。人在花下行，如以紫幔，张作衢隧。婆娑璎珞，千垂万垂，当额拂鬓皆花也。馨馥浓郁，蜂蝶狂聚，返复穿游，喧阗腾溢，着一"闹"字，似较"红杏枝头"尤当。

亭畔有松，枝干最密，密能受雪，风撼不坠。常见人画松上雪，画厚易，得臃肿之态难。画下垂易，画枝重难。笔墨夺造化，信非易事。

岛或以枫名，但枫多而红者少。仅西北一株，经霜如火，临流俯影，自是妍茜。

石　舫

石舫在湖岛东岸，窗楯已佚，轩豁敞朗，无却胜有，是看月钓鱼绝好去处。

夏日月之十五六，日落便往。月自塔后升，才露半面，转瞬忽在中天，金盘照耀，水岸如昼。待月曾有诗：

定舫徘徊待月迟，文陂一片碧琉璃。

会看塔影湖心重，便是穿云欲上时。

袒腹卧船尾，看月出没云间，牛马峰峦，奇踪幻变，月助其态，更栩栩欲活矣。月西倾，身在岛上树影中，枝间叶隙，流光尚射吾面，不知衣袂之为露湿也。

湖中蓄鱼，禁人垂钓。石舫夜无巡望，亦曾违戒。屈铁为钩，纶长而无竿，饵以蒲苴，潜伏舷际，默觇静动。岸隈多芦苇，鱼来啮其根，咂咂有声，度其左右，沉吾钩饵，屏息不动。惟鱼至黠，得殊不易。饥蚊馁蚋，早张怒吻，饱啜吾血而去矣。

塔

儿时游西子湖，喜看保俶、雷峰。今来此间，得恣观赏，久而无厌。

东方欲曙，云霞半天，背衬塔影，蔚为蓝紫。湖水扬波，似共流动。雷峰在湖西，故曰夕照，此在湖东，自宜朝旭。二者异曲，实乃同工。

昨闻人言，塔初落成，拟饰华彩，以资绌而中止。予曰幸然，否则将掩目过之。

塔颠巢悍隼，曾攫吾佳鸽。弓弩虽强，终莫能及，为之悻悻。

原载《燕都》1992年第3期

怀念张光宇教授

整理书架，发现一本掉在架后已经受潮的书——《张光宇插图集》(人民美术出版社1962年5月出版)。打开封面才想起里面还有他手写的一首诗。

可能当时光宇先生觉得中央工艺美术学院的宿舍出入不甚方便而想换一个地方住，恰好芳嘉园中院西厢房我存放家具的地方被逼得非出租不可，与其被房管局安排一家不知是什么样的人来住，不如请和我及住在东厢房的苗子夫妇说得来的光宇先生搬进来。

六十年代初北京市想出了一个没收私人房产的政策，凡出租在十五间以上的，房产由北京市管理，在几个月之内原房产主可以拿到百分之二十的租金（大致如此，具体的规定已记不清）。在此之后，房产归公，也就是被没收了。我父亲有一所已经租出的房在东单洋溢胡同，不到十五间，再加几间才符合改造规定。因此房管局、派出所、居委会联合起来一再动员我出租西厢房，如不同意，便以在这里办街道托儿所或街道食堂相威胁。我作为一个出身不好的旧知识分子，哪敢违抗，何况还戴着"右派"的帽子。只好把多年收集到的家具堆置北屋，西厢房腾空请光宇先生入住。房管局因为已达到没收洋溢胡同及芳嘉园东、西厢房的目的，自己请人入住，也就高抬贵手，不复深究了。

光宇夫妇入住后，芳嘉园中院赢得了几年和谐安静。

院子虽不大，说起来到现在还有人怀念。前院正厅的东耳房打通成过道，直通中院。一进来是一道刷绿油的竹栅栏，爬满了荼蘼。东厢房前一架藤萝，老干走龙蛇，已饶画意。正房三间，左右有两棵百年以上的海棠树。东边一棵已枯死，四根大干被我锯成二尺多高的桩子，从山货店买了一片径约一米、盖酒缸的青石板，像车轮一样，被我从店里推滚到家，摆在海棠桩上，成了一个圆桌面，大家都到此桌喝茶。桌后沿着屋基有一窄畦长不高的宽叶矮竹，和故宫御花园种的一样，都是从城北一位老园艺家园中移植的。西厢房前有一株太平花，还有两棵十分罕见、单瓣如盘，中心却花蕊繁密的芍药。荃猷曾如实把它镂成刻纸。院子南端有粉墙把前院隔开。墙阴架上放着一二十盆兰草，地上种了一行夏日盛开的玉簪花。阶旁砌下还有不少瓦盆瓷钵栽的小花小草，都是荃猷从街上提回来的，此谢彼开，总有笑脸相迎、惹人喜欢的花朵。

院子正中放着一盆古柏，树龄已有一百几十岁，是我从黟县故家买回来的。它和文徵明在一个手卷上画的一棵十分相似，可谓巧合。为了把它运到杭州乘火车回京，必须买到黟县长途汽车司机旁的两个座位，才有地方放这盆古树。为此我排了一通宵的队才买到车票。朋友们到了芳嘉园，总要围着柏树看两圈才走开。光宇先生因为对这样的庭院感兴趣，不常写诗，也即兴来了一首。

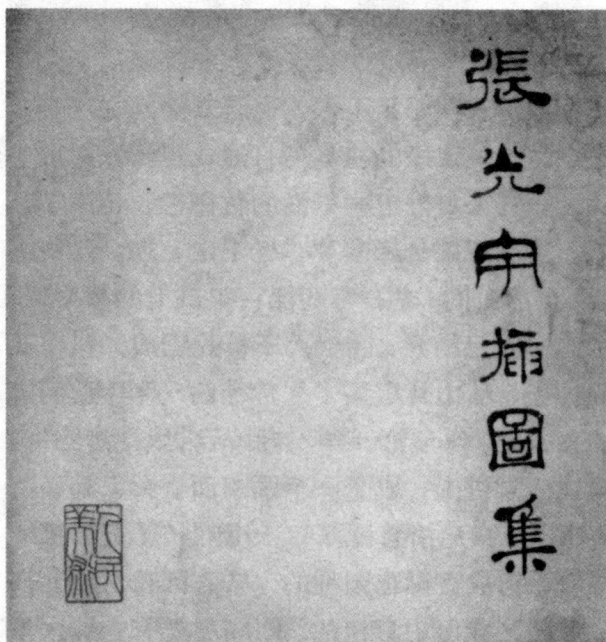

芳嘉園中宅
分得一邊住
綠竹生新意
翠中入庭戶
余生也何幸
得此清境駐
何嘗謝一人
適栽娛老暮

芝蕊二佳之人
荃獻
右初學刻此居一首并
車

一九六三年七月
光宇

作者收藏的《张光宇插图集》及光宇先生的题诗

说到芳嘉园的来客，大都三家主人都认识，往往为了访一家，同时又访另两家。或听见来客的语声，不待分别拜访，三家已凑在一起了。当年常来我处并曾在我大案上作画的北京画家有溥雪斋、惠孝同、陈少梅、张光宇等先生。南方画家有傅抱石、谢稚柳、唐云等。不作画只聊天的有常任侠、向达、王逊、黄永玉诸公。有人开玩笑说芳嘉园来客不妨借用《陋室铭》两句："谈笑有鸿儒，往来无白丁。"和谐安静到了"文化大革命"而终止。街道红卫兵一进来先砸烂这院子，一架葫芦，几年都长势欠佳，惟独此年特好，架子被拆掉，未长成的嫩葫芦揪落满地。所有盆花，包括墙阴的兰草都被扔进垃圾桶。这只是破"四旧"的第一天，此后便不用再说了。值得一提的是大门上还被贴上一副对联："庙小妖风大，池浅王八多。"它恰好和《陋室铭》的两句相映成趣。"文革"就是如此，又何必认真呢！

　　写到这里，必须回到主题——怀念光宇先生。他是中央工艺美术学院的教授，装饰艺术专家，为学院培育了许多有成就的艺术家，旅美画家丁绍光就是他的高足。他在美国成名后，几次回国，举办讲座，宣扬光宇先生的创作和教学的特殊功绩，还成立光宇先生奖学基金会来纪念恩师。校长张仃先生为《张光宇插图集》写的序言最后一段，可视为对先生的艺术成就一个全面而准确的评价。录引如下：

　　光宇的装饰艺术，主要是服务于其艺术思想与艺术内容的，四十余年来，他的装饰艺术的语言，涉及许多画种；他从事漫画、插图、装饰画等，题材有历史的、有现代的。他既重视生活，又重视传统；既未如照相机似的照实描写，又非食古不化。光宇的艺术语言，一直是新颖别致，富有魅力。他是我们同时代中，最值得深入研究、最具有独创性的装饰艺术家。

许地山饼与常三小馆

当年燕京大学校址在北京西郊。校东门外有家小馆，因掌柜的姓常行三而被称为"常三"，擅长做一种面点，名曰"许地山饼"，颇有名气。

近年孙旭升先生写过一篇文章，题为《称许饼》，讲到三十年代我为"常三"写的一副对联并还记得其中的一句："西土传来称许饼"。半个多世纪前的游戏之作，居然还给人留下印象，这当然是由于许地山先生的道德文章，深入人心。而区区附骥，也与有荣焉！

当年我送给"常三"的对联不是一副而是两副。其一是：

葱屑灿黄金，西土传来称许饼。

槐阴淙绿玉，东门相对是常家。

这许饼确实是地山先生从印度学来传授给"常三"的，所以又名"印度饼"。后来竟脍炙人口，成为该馆食单上的保留节目。它的做法是先炒鸡蛋，用铲铲碎，放在一旁备用。另起油锅炒葱头末，煸后加咖喱，盛出备用。再起油锅炒猪肉末，七成瘦，三成肥，变色后加入炒好的鸡蛋及葱头末，加食盐和白糖少许。因不用酱油，色泽金黄，故曰"葱屑灿黄金"。以此做馅，擀皮包成长方形的饼，近似褡裢火烧而较宽，上铛烙熟。烙时须两面刷油，所以实际上是一种馅儿饼。原料易得，操作简单，故家家可做。记得1956年黄苗子、郁风夫妇和张光宇、正宇昆仲惠临舍间，我就做了许饼和清汤馄饨相飨，居然多年后他们还说味道不错。印度古称"天竺"，写入联中，自然更为贴切。不过我要点出"东门"，所以上联只好用"西土"以求对仗工稳了。下联也不妨解释一下。燕大东门恰好和"常三"相对，中间隔一条马路和水渠。渠上盖三块条石，拼成平桥。沿着渠东侧有一行槐树，枝叶甚茂，俯荫渠水。夏秋雨过，流水有声，故有"槐阴淙绿玉"之句。

第二副是：

葛菜卢鸡，今有客夸长盛馆。
潘鱼江豉，更无人问广和居。

"长盛馆"是"常三"的字号名称。只因"常三"出了名，字号反罕有人知。"葛菜"又叫"葛先生菜"，由一位姓葛的学长传授给"常三"。当年虽曾品尝过，今已印象模糊。"卢鸡"是一位广东女同学卢惠卿教给"常三"的。我吃过多次并看"常三"的大徒弟炒过，即烹子鸡块和葱头丝。佐料用姜末、酱油、黄酒、白糖和纯胡椒粉，十分可口。"潘鱼"即"潘炳年鱼"，原料用羊肉汤、活鱼。"江豉"因江某所传而得名。两人都是晚清名士。

本世纪初，北京广和居这两道名菜几乎无人不晓。我上学时，广和居已歇业有年矣。

两副对联我用工楷写在荣宝斋裱好的洒金笺对子上，朱丝栏格子是我自己打的。常三大喜，悬之店堂，并特意请我在柜房里吃大螃蟹。时属深秋，他知道我不爱吃团脐，所以只只都是白膏盈壳的雄蟹。我在燕大上了七年学，和常三成了老朋友，但并不经常光顾。原因是本科四年在食堂包伙，周末走出东门，也不一定去"常三"，因为附近成府街还有一家倪家饭铺，也很不错，而且便宜。进了研究院，住在校外，自己开伙。只偶尔想吃暴火的菜，如爆肚仁，才自备原料，到"常三"灶上借勺颠两下。常三也不拒绝，对我总算是破例了。

"常三"是一个中为长方院，四周有房，院内带住家的饭馆。从路东的随墙进去，门道以南是灶房，门道以北是散座，北房三间是雅座，南房存货物工具，东房住家。西南角设杂货铺，另开门脸。糖果烟酒，罐头鲜果，汽水冰淇淋等应有尽有。它算不了什么高级餐馆，以肉菜为主，鸡未必每天有，鸭子、海参等根本不准备。但对虾季节，烹虾段却做得极好，远非当今某些大饭馆所能比。因为那年头对虾不是什么稀罕之物，既新鲜，又便宜。大掌柜常三，二掌柜常四，都身体魁梧，笑口常开，态度和蔼。一家老小，无不参加劳动，管理得井井有条。论价钱和当年一般的中低档饭馆差不多，或许略高。但用料地道，菜肉新鲜，而且保质保量，长期不变，所以生意很好。

"常三"当年卖得最多的菜是常四拉长了嗓子叫喊的"来一卖软炸里脊——糖、醋、烹"。末三个字分开喊，一个比一个重，到"烹"字又特别短促，喷口有力，猛然顿住。有时还要应顾客的要求，带上一句"多加菠菜"。此外比较别致的菜是肉末炒松花和糖醋溜松花。前者妙在皮蛋上佳，色深而软，姜味甚浓。后者切块后在鸡蛋清中拉一下，稍炸后再烹糖醋汁。其他如焦溜土豆丝、炒木樨肉、海米白菜汤等都堪称物美价廉。白案的家常饼烙得极好，层多香软。焦炒面抻得头发那样细，不煮，直入油锅，炸好后浇宽汁的炒肉丝，确是美味。

凡在燕大上过学的，或多或少，都曾光顾过"常三"，它总会给顾客留下印象。现在遇到老同学，谈来谈去，往往就谈到了"常三"，旅居海外的同学也是如此。有位已在美国定居的学长，回国探亲，在北京住了两周，临行时对我说："吃了北京不少家大餐厅、酒店，反倒使我怀念起'常三'来。"我问为什么？他说："'常三'的菜没有山珍海味，更没有望而生畏、令人作呕的所谓'艺术拼盘'。它好在老老实实，朴质无华，吃什么是什么味儿。房间很简单，不花里胡哨，也不忙乱，不嘈杂，吃饭时心里踏实，有在家的亲切感。我对国外的某些格调不高的饭馆很厌烦，没想到国内的饭馆竟去学它们。这不能不使我怀念'常三'！"我无以对，只好说："你到底是位美学家，语多哲理，可能和明代书画家的观点有相通处，所谓'绚烂之极，乃归平淡'吧。不过要请你原谅，一个人要是没有经过绚烂，恐怕也不可能领略平淡之妙。你对它们的要求也未免太高了。"

燕京大学的同学遍天下，如果看到我这篇短文，或许会勾起对往日的一丝回忆吧！

原载《中国烹饪》1986年第8期

彩

图

1 明万礼张罐、万礼张五福捧寿
过笼、朱砂鱼水槽

2 明宣德高浮雕狮纹蟋蟀盆

3 明白山款万礼张蛐蛐罐

4 清"乐在其中"蛐蛐罐成对

5 清"南楼雅玩"蛐蛐罐

6 明万礼张过笼两种

7 明万礼张五福捧寿过笼

8 清赵子玉枣花过笼三种

9 清赵子玉五福捧寿过笼

10 清赵子玉五福捧寿拉花过笼

11 清含芳园过笼、水槽

12 清各式水槽

13　蝈蝈

14　札嘴

15　油壶鲁

16　蛐蛐

17　梆儿头

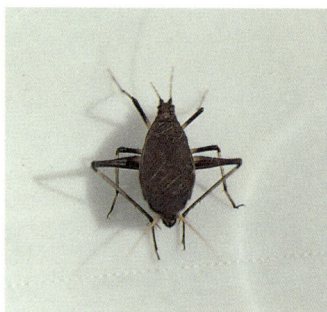

18 金钟

19 笨油壶鲁

20 长膀子油壶鲁

21 大翅油壶鲁

22 粘药蝈蝈

23 粘药油壶鲁

24 王世襄与常荣启（中）、朱勇（左）合影（摄于1980年）

25 豆黄儿鹰子（胸部羽毛为纵理）

26 三年或四年老鹰（胸部羽毛为横理）

27 革制鹰帽两种

31 安鹰抓到了兔子

32 元雪界、张师夔绘古桧苍鹰图
（局部。炎黄艺术馆藏。此图妙在
将鹰之神俊传绘无遗。）

28 叫溜子一（鹰离开举者之臂飞向叫鹰者）

29 叫溜子二（鹰飞至中途）

30 叫溜子三（鹰落在叫鹰者的套袖上）

33 左：惠字紫漆九星
　　右：惠字黑漆七星

34 左：惠字大葫芦
　　中：惠字十三眼
　　右：惠字花瓣葫芦

35 左：惠字浅紫漆花瓣葫芦
　　右：鸣字浅紫漆葫芦

36 左：老永字黑漆葫芦成对
　　右：老永字全竹十五眼成对

37 左：老永字小九星成对
　　右：老永字十一眼成对

38 老永字黑漆十一眼成对

39 左：老永字黄漆大十五眼
　　右：老永字黑漆小九星

40 老永字黑漆五排十五子成对

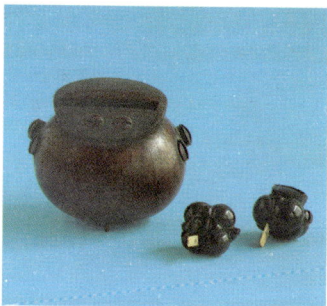

41 左：鸣字紫漆大葫芦
　　右：老永字黑漆花瓣小葫芦成对

42 左：鸣字浅紫漆葫芦
　　右：鸣字深紫漆十一眼成对

43 兴字紫漆全竹十一眼成对

44 左：兴字全竹十一眼成对
　　右：兴字全竹十一眼成对

45 兴字紫漆骨口全竹十一眼成对

46 小永字黑漆三截口成对

47 左、右: 鸿字桂圆壳三排九子成对
中: 小永字桂圆壳三排九子

48 祥字紫漆黑口花瓣葫芦成对

49 祥字本色黑漆口众星捧月成对

50 祥字紫漆全竹众星捧月成对

51 左：祥字虬角口小葫芦
　　右：祥字虬角口十一眼成对

52 祥字紫漆橘皮胎葫芦成对

53 祥字黑漆猪头葫芦

54 文字本色黑漆口葫芦成对

55 左：文字本色黑漆口葫芦
　　右：文字截口小葫芦成对

56 左：文字十五瓣截口葫芦
　　右：文字全竹十一眼成对

57 左: 文字紫漆四筒成对
　　右: 文字紫漆三筒

58 文字斑竹梅花七星成对

59 鸿字紫漆二筒、七星、九星、十一眼

60 王世襄火绘梅花祥字葫芦成对

61 王世襄火绘菊花祥字截口葫芦成对

62 王世襄火绘双钩竹祥字众星捧月成对

63 王世襄火绘荷花鸿字葫芦旁哨葫芦成对

64 王世襄火绘残帖祥字葫芦成对

65 王世襄火绘花卉祥、鸿两家制各式葫芦成堂一匣

66 王世襄火绘祥、鸿两家制各式葫芦成堂一匣

67 祥字紫漆鸽哨成堂两匣

68 祥字紫漆七星至三十五眼成堂一匣

69 铁翅乌（雄 系文字中葫芦）

70 铁翅乌（雌 系鸿字九星）

图书在版编目（CIP）数据

京华忆往／王世襄著．—北京：生活·读书·新知三联
书店，2010.1 （2011.9 重印） （2013.7 重印）
（中学图书馆文库）
ISBN 978-7-108-03350-5

Ⅰ.京… Ⅱ.王… Ⅲ.社会生活-史料-北京市-青少
年读物 Ⅳ.K291-49

中国版本图书馆 CIP 数据核字（2009）第 197432 号

责任编辑 张　荷
装帧设计 朱　锷
责任印制 徐　方
出版发行 **生活·讀書·新知** 三联书店
　　　　（北京市东城区美术馆东街 22 号）
邮　　编 100010
网　　址 www.sdxjpc.com
经　　销 新华书店
印　　刷 北京鹏润伟业印刷有限公司
版　　次 2010 年 1 月北京第 1 版
　　　　 2013 年 7 月北京第 3 次印刷
开　　本 787 毫米 × 1092 毫米 1／32　印张 11.75
字　　数 207 千字　彩插 0.75 印张
印　　数 15,001 - 20,000 册
定　　价 34.00 元
（印装查询：01064002715；邮购查询：01084010542）